economics 经济读物

THE THIRD INDUSTRIAL REVOLUTION

第三次工业革命

新经济模式如何改变世界

[美] 杰里米·里夫金(Jeremy Rifkin) ◎著

张体伟 孙豫宁 ◎译

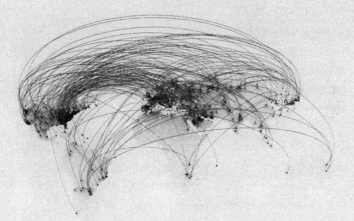

中信出版社

北京

图书在版编目（CIP）数据

第三次工业革命：新经济模式如何改变世界/（美）里夫金著；张体伟，孙豫宁译 . —北京：中信出版社，2012.6

书名原文：The Third Industrial Revolution

ISBN 978-7-5086-3312-1

I. 第… II. ①里… ②张… ③孙… III. 经济模式－研究－世界 IV. F113.1

中国版本图书馆 CIP 数据核字（2012）第 059006 号

第三次工业革命——新经济模式如何改变世界
DISANCI GONGYE GEMING

著　　者：[美] 杰里米·里夫金

译　　者：张体伟　孙豫宁

策划推广：中信出版社（China CITIC Press）

出版发行：中信出版集团股份有限公司（北京市朝阳区惠新东街甲 4 号富盛大厦 2 座　邮编　100029）

　　　　　（CITIC Publishing Group）

承 印 者：北京诚信伟业印刷有限公司

开　　本：787mm×1092mm　1/16　　　印　　张：19.75　字　　数：200 千字

版　　次：2012 年 6 月第 1 版　　　　　印　　次：2013 年 2 月第 25 次印刷

京权图字：01-2011-4705　　　　　　　广告经营许可证：京朝工商广字第 8087 号

书　　号：ISBN 978-7-5086-3312-1 /F · 2608

定　　价：45.00 元

在中国，要说的是：发展，方向是坚持可持续发展。

在中国，要做的是：发展，蓝图是第三次工业革命。

专家热评

绝对精妙的构想。杰里米·里夫金提出的第三次工业革命模式——互联网与可再生能源相结合——很有可能化解人类面临的资源困境，甚至改变世界经济发展的模式。在中国政府提出深入贯彻落实科学发展观，走可持续发展之路的背景下，第三次工业革命模式无疑具有更重要的启示意义。

——中国商务部经贸政策咨询委员会委员、外交学院副院长江瑞平教授

里夫金把 21 世纪两种不同的技术——互联网和可再生能源——联结在一起，为我们的未来描绘了一个新的、充满活力的经济前景。期望现在的经济重获新生、创造大量就业机会和为子孙后代创造可持续发展的未来，第三次工业革命提供了一个绝对必要的路线图。

——《赫芬顿邮报》传媒集团总裁、主编阿里安娜·赫芬顿

里夫金先生不仅明确地勾画了全球面临的挑战，也为商界领袖、政府和公众指明了前进的方向。

——思科董事长、总裁约翰·钱伯斯

杰里米·里夫金的创造性思维一直影响着决策者和公众。这本书展示了可再生能源与现代科技在向低碳经济过渡时将发挥重要作用。

——欧盟委员会主席若泽·曼努埃尔·巴罗佐

这是一部杰出的作品，作者里夫金是我们这个时代最重要的思想家之一……他提出了一个富有远见的新经济发展模式，这一模式能确保自然资源和生态系统的可持续性。

——政府间气候变化专门委员会主席拉金德拉·帕乔里

杰里米·里夫金的第三次工业革命模式是引领人类进入21世纪的杰出新经济模式。它是罗马长期经济发展计划的核心。它将为世界上每个要创造可持续发展和繁荣的城市描绘蓝图。

——意大利罗马市市长詹尼·阿雷曼诺

绝对发人深省的新经济模式……希望决策者和商界领袖行动起来，抓住这次机会，通过可持续发展改革和可再生能源分散布局推动社会经济的发展。

——飞利浦照明事业部首席执行官浦若迪

非常令人兴奋的改变全球能源系统的战略。这本书可以帮助制定解决15亿穷人社会和经济问题的方案，这些人得不到清洁、可靠和高效的能源服务。

——联合国工业发展组织总干事、联合国能源小组主席坎德赫·尤姆凯拉

杰里米·里夫金将严谨的思维与活泼、引人入胜的语言结合在一起，孕育出了这部适时而又重要的作品。它关注如何使能源来源多样化，以创造一个人们能安居乐业、我们所居住的星球也能承受的世界。

——世界可持续发展工商理事会主席比约恩·斯蒂格森

非常引人注目……许多专家关注怎样改变能源系统，却很少有人能像杰里米·里夫金这样提供一个全面的经济视角和社会发展蓝图。"能源互联网"将把世界经济增长提升到一个新的高度；同时，既能应对气候变化，又能增加能源的安全性……这实在是一本必读书。

——全球智能电网联合会主席圭多·巴特尔斯

真是后碳时代令人振奋的构想！杰里米·里夫金把绿色交通置于新的高

科技的第三次工业革命框架内，重新界定了人类活动的概念。这很可能是人类交通的未来。

——国际清洁交通委员会主席艾伦·劳埃德

为了全球经济能过渡到更可持续的未来，杰里米·里夫金的第三次工业革命提出了一个视角全面、现实可行、技术可靠、市场驱动的模式。他富有远见的"分散式资本主义"模式在设计和建筑业的领袖们中间奏响了最强音。这些领袖们肩负着把第三次工业革命的理论与希望变成现实的重担。

——建筑业圆桌会议主席马克·卡索

博闻强识而又妙趣横生……伴随着传统政治思想的摒弃和资本主义的重新定义，杰里米·里夫金看到了第三次工业革命模式颠覆传统经济理论的可能性。这种全球社会的未来非常令人鼓舞。这是一本严肃思考者不应该错过的书。

——庞巴德运输集团乘客部总经理斯特凡·兰博德-麦桑

第三次工业革命提供了令人兴奋的机会，它将为我们创造现在急需的就业机会、提高企业利润、突破技术瓶颈。我们应该牢牢地抓住它，虽然我们还有时间。

——未来论坛创始人、董事乔纳森·波立德

里夫金提供了一个如何转变经济范式的路线图。作为全球性房地产服务公司的总裁，我深信，把楼房作为"微型发电厂"的构想是有前途的。为了实现这一构想，我们需要迅速行动起来，并为第三次工业革命奠定基础。让我们开始吧！

——库什曼和韦克菲尔德公司董事长布鲁斯·莫斯勒

第一部分
即将爆发的第三次工业革命

第二部分

新能源：将改变我们做生意的方式

第四章　能源改变了世界，也改变了我们 // 109

第三部分

我们将进入一个合作时代

中国如何引领亚洲开展第三次工业革命，实现后碳时代的可持续发展？

杰里米·里夫金

如果说美国是 20 世纪世界经济发展的楷模，中国则最有可能在 21 世纪担当这一角色。美国将其经济成功的原因相当一部分归功于其丰富的石油资源。在 20 世纪上半叶，美国（而非沙特）是世界上最主要的产油国，继而成为第二次工业革命的旗手。然而现在，随着全球经济的衰落，美国的领导地位受到了质疑。

自 2008 年夏全球经济危机爆发以来，各国政府、商业界乃至普通民众一直就应该如何重启世界经济的发展进行激烈争论。虽然各方均认为应该采取紧缩的财政政策，并对金融、劳工和市场等领域进行改革，但也清醒地认识到以上措施并不足以拉动世界经济的发展。说到这，我想和读者分享一个小故事。德国总理安吉拉·默克尔在就任几个月后便向我发出了邀请，希望我能够到柏林就德国如何创造新的就业机会并实现该国在 21 世纪的经济发展等问题向其内阁提供一些建议。然而在谈话伊始，我便首先向默克尔总理发问："在化石能源经济时代日渐衰退、第三次工业革命日渐兴起之际，您准备如何实现德国、欧盟乃至世界经济的发展？"

第二次工业革命已经日薄西山，工业排放的二氧化碳正在威胁世界上所有生物的生存，这些是愈发明显的事实。我们的当务之急应该是对未来的经济模式进行大胆的描述，以指引我们进入后碳时代的可持续发展之中。而这一目标的实现需要对推动当今社会发生显著变化的技术力量进行全面、透彻的剖析。

纵观人类历史，新型的通信技术与能源体系交汇之际，正是经济革命发生之时。新能源革命使得商业贸易的范围与内涵更加广阔的同时，结构上也更加整合。相伴而生的通信革命则为对新能源流动引发的更加复杂的商业活动进行有效管理提供了有力工具。现在，互联网技术与可再生能源即将融合，并为第三次工业革命奠定一个坚实的基础。这一革命无疑将改变整个世界。在可预见的未来，在中国这一片古老的土地上，数百万的中国人将可以在家中、办公室和工厂里生产自己的可再生能源，并通过"能源互联网"实现绿色电力的共享，正如我们现在创造并实现信息的在线共享一样。

可再生能源的转变、分散式生产、储存（以氢的形式）、通过能源互联网实现分配和零排放的交通方式，构成了新经济模式的五个支柱。如果在本世纪上半叶实现对第三次工业革命基础设施的构建，中国还需要近40年的努力，而这将创造数以千计的商业机遇、提供数百万的可持续发展的工作职位，并将使中国成为下一次工业革命的领军人。对新经济模式基础设施的五项支柱进行阐释，并对随之而来的新型经济模式进行介绍，这也正是本书的重点所在。

在今后的几年中，中国需要就未来的经济发展方向作出重要的决定。中国是世界上最大的火力发电国，煤炭在其能源中的比重约占70%。此外，最近中国政府宣布其页岩气资源潜力高达 134 万亿立方米，约是美国的两倍。[①]
作为一个拥有超过 13 亿人口、年经济增长率约 8.2% 的大国，中国现在是世界上最大的能源消耗国和仅次于美国的第二大二氧化碳排放国。

与此同时，中国也是世界上最大的风力涡轮机生产国，其太阳能光电产业生产总值更是占世界的 30%，是世界上最大的太阳能电池板生产国。但是，中国所生产的可再生能源科技产品几乎均销往海外。目前，可再生能源发电量在中国国内能源消耗总量中的比例只有 0.5%。鉴于中国丰富的可再生能源，这一事实无疑令人失望。

中国拥有世界上最丰富的风力资源，其中海上风能资源占 3/4。根据 2009 年一项由哈佛大学与清华大学联合进行的研究成果表明，只要中国政府提高补贴和改善输电网络，至 2030 年风力发电就可以满足中国所有的电力需求。[②]

中国也是世界上太阳能资源最为丰富的国家之一，但对太阳能的开发与利用却仅仅在近些年才提上日程。中国的生物能与地热能的总量也相当可观，但尚未进行大规模的勘探。对其漫长海岸线所蕴藏的潮汐能，中国也未开展有效的利用。

因此，中国陷入两个截然不同的发展方向的角力之中。中国蕴藏着丰富的煤炭和天然气资源，这一诱惑使中国倾向于更加依赖日渐式微的传统能源。然而，煤炭和天然气固然令人兴奋，但是相比于巨量的可再生能源而

---

① 2012 年 3 月 1 日，国土资源部发布了《全国页岩气资源潜力调查评价及有利区优选》报告。该报告显示，中国陆域页岩气地质资源潜力为 134.42 万亿方，可采资源潜力为 25.08 万亿方。

② 参见哈佛大学与清华大学环境系的研究团队在 2009 年 9 月出版的《科学》（Science）杂志上发表的 "Potential for Wind Generated Electricity in China" 一文。MB McElroy, X Lu, CP Nielsen: "Potential for Wind Generated Electricity in China", in Science, Nov, 2009.

言，却是如此的苍白无力。可以说，中国在可再生能源方面的地位正如沙特在石油产业中的地位一样，中国每平方米的可再生能源潜力要远高于世界上大多数其他国家。

但这并不意味着可再生能源经济模式在中国的发展是水到渠成之事。中国对水力发电的依赖令人担忧。全球气候变化引发的日益增多的干旱将会对中国的电力生产造成极大困扰，导致电力缺乏乃至中断。与此相似的是，生物乙醇的生产也将会与土地使用的问题产生激烈冲突。

因此，中国人需要关心的问题是20年后中国将会处于一个什么样的位置，是身陷于日薄西山的第二次工业革命之中继续依赖化石能源与技术，还是积极投身于第三次工业革命，大力开发可再生能源科技？

如果选择了第三次工业革命这条道路，那么中国极有可能成为亚洲的龙头，引领亚洲进入下一个伟大的经济时代。在亚洲开展第三次工业革命基础设施的建设将有利于泛大陆市场的培育，并加速亚洲政治联盟的形成。中国也将成为第三次工业革命的主要力量，推动整个亚洲实现向后碳社会的转型。

第三次工业革命的基础设施反映出了权力关系本质的变化。第一次工业革命与第二次工业革命均采用垂直结构，倾向于中央集权、自上而下的管理体制，大权掌握在少数工业巨头手中。第三次工业革命的组织模式却截然不同，其采取的是扁平化结构，由遍布全国、各大洲乃至全世界的数千个中小型企业组成的网络与国际商业巨头一道共同发挥着作用。

这种由金字塔形向扁平化力量结构的转变不仅将改变中国的商业领域，对文化和政治领域也将产生重要影响。对于在互联网的影响下成长起来的、自己创造信息并通过在线社交网络实现与数百万人共享的新一代中国年轻人来说，自己生产可再生能源并通过能源网络实现共享这一设想无疑具有极大的诱惑力。现在，对于中国而言，最大限度地利用其人才与资源，深刻地认知在 21 世纪上半叶开展第三次工业革命、建立可持续发展社会的重要性，应该是目前的当务之急。

迎接新一轮技术和产业革命

进入 21 世纪以来，出现了两个席卷全球的重要动向，一是金融和经济危机，二是新的技术和产业革命。如果说，前者意味着挑战；那么，后者便意味着机遇。历史的经验告诉我们，危机，既是变革的背景，也是变革的动力。

在 200 年的工业化进程中，人类美化了地球，也损害了地球。据估测，以能源为例，以煤炭和石油为标志的化石能源时代终将过去，悲观估计还有约 100 年，乐观估计还有 200 年。化石能源大量、广泛的使用，在创造了工业文明的同时，也带来了日益严重的"副产品"：环境污染、气候变暖、生态恶化，最终对人类的生存与发展构成了严重威胁。

大自然的报复发出警示：人类不能再沿袭传统的攫取和依赖不可再生资源的经济增长方式，不能再沿袭历史上少数国家以集聚世界多数资源为手段的发展模式。人类需要寻求更加集约、更可持续、更符合自然和社会伦理的生产和生活方式。一个根本的出路是，以新一轮技术革命为支点，推进和实现新的产业革命。

变革的动力同样来自金融和经济危机。发生在新世纪第一个十年的这场危机，凸显了当今世界经济的一个病症：科技创新滞后于实体经济，实体经济创新滞后于虚拟经济，以致整体经济的发展因此而失去平衡。越来越多有识之士逐渐意识到，依靠科技创新、管理创新和制度创新，打造新的经济增长点和新的发展方式，是摆脱危机和求得可持续发展的根本出路。从这个意义上说，危机或许正在加快新的技术和产业革命的到来。

人类自19世纪中叶以来，已历经多次科技和产业革命浪潮。我们无须过多地争论历史上每一次科技和产业革命的时间划分。重要的是认识当下或不远的未来的"工业革命"的实质特征，即全球将以什么样的技术和什么样的方式推进下一轮经济的发展？

以美国著名未来学家杰里米·里夫金为代表的学者，关于"第三次工业革命"的呼声为人们提供了一个重要视角。杰里米·里夫金在《第三次工业革命》中预言，一种建立在互联网和新能源相结合基础上的新经济即将到来。他认为，经济和社会变革总是来自新能源与新通信方式的交汇。在接下来的半个世纪里，第一次和第二次工业革命形成的传统、集中的经营活动，将被第三次工业革命的分散经营方式取代。

有着类似思考的英国经济学家保罗·麦基里认为，一种建立在互联网和新材料、新能源相结合基础上的工业革命即将到来，它以"制造业数字化"为核心，并将使全球技术要素和市场要素配置方式发生革命性变化。

虽然，英语中的industrial revolution在上述两位学者的中文版著作和文章中已被译作"工业革命"。或许是为了强调这一"革命"远远不限于工业领域，中国的专家们则更多地取这一词组的另一含意——"产业革命"。他们认为，在今后的10~20年，很有可能发生一场以绿色、智能和可持续为特征的新的科技革命和产业革命。也有专家认为，当今世界正面临第五次科技革命和第三次工业革命的重合期，科技创新与企业和经济发展的关系比以往任何时候都更加直接和密切，创新与突破将创造新的需求与市场，将改变人们的生产方式、生活方式与经济社会发展方式，进而改变人类文明发展的进程。

无论视角或语境有何不同，对于人类正在迎来一场划时代的技术和经济大变革这一判断，已成内外共识。同时，互联网、新能源、新材料、生物技术等，也已成为描述和讨论这场变革的基本特征时的"关键词"。

事实上，为应对这场变革，一些国家已经开始了积极的部署和行动。美国、日本、英国、德国等发达国家都把科技创新作为走出危机的根本力量，积极备战可能发生的新科技革命，布局未来发展，培育新的竞争优势和经济基础。其中，美国计划将GDP的3%以上用于研究和开发，投入强度将超越20世纪60年代"太空竞赛"时的水平，并通过一系列配套政策，促进清洁能源、医学和保健体系、环境科学、科学教育、国际合作等领域的创新和发展，力图保持领先优势和全球经济的领导地位；日本提出了"ICT新政"，旨在3年内创造100万亿日元规模的市场新需求，推动相关领域的产业结构改革，提升国际竞争力。

已经和正在到来的新一轮技术和产业革命，对于今日中国具有尤为突出的意义。经过30多年以市场为取向的改革开放，中国的现代化建设取得了举世瞩目的成就。伴随着"中国制造"风靡世界，我国已跃居为世界第二大经济体。但是，进入新的发展阶段，能源资源消耗巨大、经济产业结构失衡、生态环境日趋脆弱……一言以蔽之，化石能源时代的负面效应表现得淋漓尽致。换言之，不调整经济结构，不推进产业升级，不转变发展方式，中国经济持续稳定高速发展的局面势必难以为继。

如果说，新一轮技术和产业革命为西方国家走出金融和经济危机昭示了新路径，那么，这也同样为中国转变发展方式、实现可持续发展提供了新契机。自 2009 年以来，中国决策层密集部署新兴科技和新兴产业发展战略，提出了积极发展新能源、新一代信息技术、新材料等七大战略性新兴产业，并确定了未来新兴产业的重点发展方向和主要任务，从而揭开了中国迎接新一轮技术和产业革命的序幕。就"功在当前"而言，这将创造新的经济增长点，促进产业结构调整，解决我国经济发展"不平衡、不协调、不可持续"的问题。就"利在长远"来看，必将加速中国现代化之"大变局"。

我们热切期望，中国能够牢牢抓住"第三次工业革命"的历史机遇，走出一条绿色、智能、普惠、可持续的发展道路，在实现中华民族新的伟大复兴的同时，为改变人类命运和人类文明进程作出应有的贡献。

《经济参考报》总编辑 杜跃进

我们的工业文明正处在十字路口。曾经支撑起工业化生活方式的石油和其他化石能源正日渐枯竭，那些靠化石燃料驱动的技术已陈旧落后，以化石燃料为基础的整个产业结构也运转乏力。随之而来的是，世界范围内的失业问题到了危险的地步。政府、企业、消费者都陷入了债务泥沼，各地生活水平骤然下降。多达 10 亿人口——相当于世界总人口的近1/7——面临饥饿，这是史无前例的。

更糟糕的是，以化石燃料为能源开展的工业活动导致的气候变化日渐明显。科学家们提醒说，地球温度和化学性质可能发生灾难性的变化，这会破坏整个生态系统的稳定。他们担心在本世纪末可能会有大量的动植物灭绝，这将危及人类的生存。人们越来越清楚地意识到，必须采用一种新的经济模式，才能确保一个更公正、更具可持续性的未来。

到 20 世纪 80 年代，越来越多的迹象表明化石燃料驱动的工业革命达到了顶峰，人为原因造成的气候变化正酝酿着一场巨大的全球危机。过去 30 年里，我一直在寻求一种使人类进入"后碳"时代的新模式。经过反复探索，我发现，历史上数次重大的经济革命都是在新的通信技术和新的能源系统结合之际发生的。新的能源系统会加深各种经济活动之间的依赖性，促进经济交流，有利于发展更加丰富、更加包容的社会关系。伴随而来的通信革命也成为组织和管理新能源系统的途径。

20 世纪 90 年代中期，我忽然明白通信和能源这种新的结合方式即将出现。互联网技术和可再生能源将结合起来，为第三次工业革命创造强大的基础，第三次工业革命将改变世界。在新时代，数以亿计的人们将在自己家里、办公室里、工厂里生产出自己的绿色能源，并在"能源互联网"上与大家分享，就像现在我们在网上发布、分享消息一样。能源民主化将从根本上重塑人际关系，它将影响我们如何做生意、如何管理社会、如何教育子女和如何生活。

过去 16 年，我在沃顿商学院担任资深讲师，所讲内容涉及科学、技术、经济以及社会的新趋势。在高级管理课程中我介绍过第三次工业革命。为期 5 周的高级管理课程让来自世界各地的首席执行官和企业主管人员意识到了他们在 21 世纪即将面临的新问题和挑战。"第三次工业革命"这个概念很快传播到了各个管理层，也成了欧盟各国首脑口中的政治高频词。

从 2000 年起，欧盟开始积极推行大幅减少碳足迹的政策，以加速向可持续发展经济时代的转变。欧洲各国制定了目标和基准，重新部署了研发的重点，并且为了适应新型的经济发展出台了法规条例，公布了新标准。与欧洲各国相反，美国人正沉迷于追捧硅谷最新研发出来的电子产品和热门应用程序。拥有住房的美国人都在为不断上涨的房地产市场兴奋不已，殊不知这种繁荣只是次贷催生的假象。

在美国，很少有人关心石油峰值的预测，对于气候变化将导致恶果的警告以及显示我们的经济并不健康的众多迹象也置之不理。整个美国都沉浸在一种自足甚至是自满的情绪中。这让我们更加确信，因为我们是美国人，所以才有这么好的运气。

虽然在自己的国家，我却感觉自己像个局外人。1850 年，霍勒斯·格里利曾明智地建议每个对社会不满的人"去西部吧，年轻人，去西部"，我并没有听从他的话，反而决定"反其道而行"。我漂洋过海去了欧洲，因为那里的人们还在非常认真地思索人类未来的蓝图。

我知道，看到这里，很多美国读者都会翻着白眼说："得了吧。欧洲都日落西山了，完全生活在过去的世界里，那里就是个大型的博物馆。它是个不错的度假地，但是在当今的世界竞技场上已经不是什么了不起的对手了。"

我并不是不知道欧洲自身有很多问题、瑕疵和自相矛盾的地方。但是美国和其他国家也同样会因为自己的不足而遭到他人的指责。在美国人自以为是地翘起尾巴前，我们应该知道稳居世界经济第一宝座的不是美国或中国，而是欧盟。欧盟 27 个成员国的国内生产总值比美国 50 个州的总和还要多。从全球范围看，虽然欧盟的军事力量并不强大，但是在国际舞台上它绝对不容小视。而且在全球众多政府中，只有欧盟在孜孜不倦地探寻人类未来生存能力的问题。

因此，我一路往东去了欧洲。过去 10 年里，我有 2/5 以上的时间都在欧盟国家度过，有时也穿梭于大西洋两岸，和政府、企业以及民间社会团体一起推进第三次工业革命。

2006 年，我开始与欧洲议会的高级官员共同起草第三次工业革命的经济发展计划。2007 年 5 月，欧洲议会发布了一份正式书面声明，宣布把第三次工业革命作为长远的经济规划以及欧盟发展的路线图。目前，欧洲委员会的诸多机构及其成员国正在执行第三次工业革命路线图。

一年后，2008 年 10 月，也就是在全球经济崩溃几周后，我的事务所在华盛顿召开会议，讨论怎样把危机转化为机遇。80 位来自世界一流企业的首席执行官和高级管理人员参加了此次会议，涉及可再生能源、建筑、房地产、信息技术、电力和公共事业、交通运输以及物流业。

出席会议的商业领袖和行业协会都认为今后不能再独善其身，并且承诺建立一个第三次工业革命网络，与政府、本地企业、民间社会组织合作，争取将世界经济过渡到分散布局的"后碳"时代。由飞利浦、施耐德电气、IBM、思科系统、阿希奥纳、西图、奥雅纳、艾德里安·史密斯-戈登·吉尔建筑设计事务所、Q-Cells 等公司组成的团体是世界最大的经济发展团体。目前，它正与城市、地区及国家政府合作，制定将其经济结构转化为第三次工业革命基础的总体规划。

第三次工业革命的构想很快传播到亚洲、非洲和美洲的国家。2011 年 5 月 24 日，经合组织第 50 届部长级周年会议在巴黎召开，34 个成员国的首脑和政府部长参加了这次会议。在开幕式上，我提出了第三次工业革命五大支柱经济计划。这是经合组织绿色经济发展规划的首次展示，将为未来的"后碳"产业提供模板。

本书将展望第三次工业革命的美好前景，揭开这种经济模式的神秘面纱，深入了解实施这项工程的开拓者们——政府首脑、首席执行官、社会企业家，以及非政府组织。我有幸与欧洲主要国家的领导人一起设计欧盟第三次工业革命的蓝图。这些领导人包括德国总理安吉拉·默克尔、意大利前总理罗马诺·普罗迪、西班牙首相何塞·路易斯·罗德里格斯·萨帕特罗、欧盟委员会主席曼努埃尔·巴罗佐，以及欧洲理事会的五位主席。

欧洲正在进行的第三次工业革命的经验值得美国学习吗？我认为是这

样，我们需要认真研究。无论步履多么蹒跚，欧洲人至少在想办法应对化石燃料即将枯竭的现实；不幸的是，大部分美国人仍不接受化石燃料时代就要终结的事实，不愿承认曾造福于我们的经济模式目前正举步维艰。美国应该向欧洲学习，坦率承认并努力应对这一现实。

美国能做些什么呢？欧洲已经提出了一个有说服力的构想，美国无疑应该在这方面更胜一筹。麦迪逊大道、好莱坞、硅谷均是这方面的佼佼者。美国之所以受人尊敬，不是因为它精湛的制造工艺和强大的军事力量，而是因为它清晰、准确地预见未来的非凡能力。如果美国人掌握了第三次工业革命的精髓，他们有能力迅速实现这一梦想。

第三次工业革命是大工业革命的最后篇章，它将为即将到来的合作世纪打下坚实的基础。第三次工业革命40年的基础设施建设将创造无数的新商机和就业机会。这项工程的结束将标志着以勤劳、创业和大量使用劳动力为特征的200年商业传奇故事的结束；同时，它标志着以合作、社会网络和行业专家、技术劳动力为特征的新时代的开始。在接下来的半个世纪，第一次和第二次工业革命时期传统的、集中式的经营活动将逐渐被第三次工业革命的分散经营方式取代；传统的、等级化的经济和政治权力将让位于以社会节点组织的扁平化权力。

乍一看，扁平化权力的概念似乎与历史上的权力概念相矛盾。毕竟，传统上权力是金字塔式地由上到下组织起来的。然而，今天，因即将到来的互联网技术与可再生能源的结合而释放的合作性权力，将从根本上重构人类的关系。这种重构将是全方位的，对未来社会将有着深远的影响。

到21世纪中叶时，越来越多的商业行为将由智能代理人管理。在不以营利为目的的市民社会里，这会解放更多的人力来创造社会资本，从而使其成为 21 世纪下半叶的主导者。虽然商业对人类的生存仍必不可少，但它已不能满足人类的所有需求。如果能成功地满足下半个世纪人类的物质需要——这存在很大的不确定性，那些出类拔萃的公司很可能成为下一段人类历史进步的重要推动力。

在接下来的章节里，我们将探讨第三次工业革命基础设施和经济体制可能的特征、工作原理，预测未来 40 年它可能的轨迹，并探索社区和世界各国在执行这一计划时存在的困难和机遇。

21 世纪中叶，人类能否进入可持续发展的后碳时代，能否避免灾难性的气候变化，第三次工业革命将是希望之所在。现在，我们已具备了实现第三次工业革命的科技、规划等条件。能否充分认识到实现这种经济的可能性，能否及时鼓起勇气向目标前进，这都是我们所面临的问题。

THE THIRD
INDUSTRIAL
REVOLUTION

第一部分

即将爆发的第三次工业革命

第一章

这才是真正的经济危机：你一定不知道

早上 5 点，我一边在跑步机上跑步，一边听着有线电视上的早间新闻。这时听到一个记者正兴奋地报道一个被称为"茶党"的新政治运动组织。我走下跑步机，不知道自己是否听错了，只看到屏幕上都是愤怒的中年美国人，他们举着黄色的小旗，上面写着"不要压迫"，小旗上全是蛇的图案；其他人对着摄像机镜头挥舞着小旗，这些小旗上印有"禁止随意征税"、"关闭边境"、"气候变化是骗局"等标语。由于民众在异口同声地喊口号，我很难听清记者在说什么，他似乎在说一件自发的与草根运动有关的事情，这个草根运动组织正像野火般掠过中心地带。他们抗议政府管得太多，自由主义者职业政治家只想着自己发财，不顾选民的利益。对刚才的所见所闻，我难以置信。我好像看到了 40 年前我组织的活动。这是偶然的巧合吗？

1973 年的波士顿油党

1973 年 12 月 16 日，黎明时分，雪花开始飘落。迎着冰冷的寒风，我直奔波士顿市区的法纳尔厅。法纳尔厅曾经是激进分子诸如塞缪尔·亚当斯和约瑟夫·沃伦等反抗英王乔治三世及其代理人的地方。这个代理人就是臭名昭著、遭人唾骂的英国东印度公司。

当时波士顿已陷入缺油困境数周。由于许多加油站已无油可加，交通拥堵现象已经好几天没有出现了。因为很少有加油站可以加油，为了加满油，司机们要排队等候数个小时；即使能幸运地加上油，司机也会被飞涨的油价震惊。短短几周时间内，油价已经翻番，几乎到了疯狂的程度。而那个时候，美国是世界上最大的石油生产国。

只要美国拥有丰富的石油储备，只要美国能为民众大量生产他们买得起的汽车，那么，民众的反应就是可以理解的。因为这些民众为美国赢得了尊重，使美国成为 20 世纪的全球超级大国。

民族自豪感在毫无预警的情况下遭到了冲击。两个月前，石油输出国组织对美国实施了石油禁运，以抗议美国政府在斋月战争中重新供应以色列军事装备的决定。石油冲击迅速波及全世界。到 12 月时，世界石油价格已从每桶 3 美元飙升到了 11.65 美元。恐慌弥漫着大街小巷。最初和最明显的征兆在社区加油站表现出来。许多美国人相信：石油巨头正肆意利用这一时机推高石油价格以获取垄断利润。波士顿和全美各地司机的情绪迅速恶化。这就是 1973 年 12 月 16 日波士顿码头示威事件的背景。

这一天正是著名的波士顿茶党 200 周年纪念日，波士顿倾茶事件激起了美国民众对英国统治的反抗。美国民众本来就不满英国对出口到美国的茶叶和其他产品征收新税，塞缪尔·亚当斯又激发了民众的这一不满，于是有些人就把茶叶等货物倾倒进了波士顿海港。"禁止随意征税"迅速成为激进派的口号。这次公开反抗英国统治的行动引起了英国和它的13个殖民地之间一系列的反应。1776年英属13个殖民地发表《独立宣言》，英国的殖民统治结束了。

离周年纪念日还有数周的时候，反对石油巨头的愤怒情绪不断升温。许多美国人异常愤怒，他们认为他们正在遭受冷血的全球性大公司的价格欺诈，这些公司曾扬言破坏美国人的基本权利——使用廉价石油和汽车的权利。美国民众认为，这种权利如言论自由、新闻自由和集会自由等权利一样，是他们最基本的权利。

那时，我28岁——一个20世纪60年代经历过反对越南战争和争取民权运动的年轻活动分子。一年前，我建立了一个全国性的组织——民众200周年纪念委员会，我希望它能替代尼克松成立的美国建国200周年纪念委员会。官方200周年纪念活动的目的是庆祝1776年《独立宣言》签署200周年。

之所以想到这种庆祝方式，部分原因是我与我新左派运动中的同事渐行渐远。由于我在芝加哥南部的一个工人聚居区长大——这是个由商人、修理工、警察、消防员和居住在芝加哥畜牧场、铁路站和附近钢铁厂的家庭组成的社区——因而，我的内心充满爱国精神。游客每天都能看到我的邻居们门前飘扬的美国国旗。在这儿，每天都是美国国旗日。

我在美国梦中长大，并深深为我们的开国元勋折服，因为托马斯·杰斐逊、本杰明·富兰克林、托马斯·佩恩、乔治·华盛顿这些革命思想家是以他们的生命为代价追求人权、自由与幸福的。

我的许多新左派朋友出身名门，在精英聚集的环境中长大。他们致力于追求社会正义、平等与和平，但他们也从国外革命斗争，特别是"二战"后的反殖民主义斗争中获取灵感。我记得在许多政治集会中，毛泽东、胡志明和切·格瓦拉的思想被用做行动指南，并且激励无私奉献的行为。我对这些感到好奇，因为我所接受的教育使我一直相信：土生土长的美国革命者才是对过去两个世纪反殖民主义斗争最具有启迪意义的人。

对年青一代来讲，美国建国 200 周年庆典给他们提供了一个独一无二的重温激进派诺言的机会，特别是由于白宫的庆典——这个仪式由尼克松总统和一大批商业支持者监督——深深地根植于贵族特权而非某种意义上的经济与社会正义。而这种经济与社会正义与我们敬仰的开国元勋的追求更为一致。

我们的计划是把茶党的周年纪念变成对石油公司的抗议。但对于是否有人愿意走上大街加入我们的队伍，我们并没有把握。由于以前从未举行过抗议大石油公司的活动，所以，也就无法预测人们愿意做什么。由于雪越下越大，我开始担心到场的人数会很少。在 20 世纪 60 年代，发起反战抗议通常会安排在春天，因为那时可能有更多的人参加。事实上，要在寒冷的冬天召集人数众多的抗议活动，就是对经验丰富的活动家来讲也绝非易事。

当我到达法纳尔厅时，我呆住了：成千上万的人正列队在通往大楼的街道上！他们举着标语，挥舞着横幅，上面写着"石油公司赔偿"、"打倒石油巨头"、"美国独立战争万岁"等口号。而那些涌入大厅的人则异口同声地高呼："控告埃克森！"

我发表了一个简短的演讲，号召抗议者把今天当做为"能源自立"而进行的第二次美国独立战争的开始。然后，我们走上街头，沿着 200 年前茶党走过的路线，向格里芬码头行进。沿途，数千波士顿市民加入了我们的队伍——这些市民包括学生、蓝领工人、中产阶级，甚至整个家庭的人。当我们到达码头时，萨拉达茶叶公司的船（原为娱乐用船）已停靠在码头，两万多抗议者在岸边同声高呼"打倒石油巨头"。抗议声淹没了官方精心策划的典礼。一队来自格洛斯特北部的渔船冲破了警察的封锁，直接驶向萨拉达茶叶公司的船，而联邦政府官员和当地的权贵们正在这艘船上等待官方典礼的开始。伴随着成千上万抗议者的欢呼声，一些渔民登上并占领了这艘船，爬上桅顶，然后把空油桶——而非装茶叶的箱子——扔进了河里。第二天，《纽约时报》和这个地区的其他报纸都详细报道了在波士顿所发生的一切，所配的标题是"1973 年属于波士顿油党"。

第二次工业革命的尾声

35 年后，即 2008 年 7 月，世界市场的油价冲到创纪录的每桶 147 美元，而在 7 年前，每桶价格还不到 24 美元。2001 年，我曾预测石油危机就要来临，油价可能在短短几年内上升到每桶 50 美元。我的这种观点遭到了广泛质疑，甚至是嘲讽。"我们这一代不会发生这种情况。"石油行业人士、主流地质学家和经济学家如是说。不久，油价急速上升。2007 年年中，当油价超过每桶 70 美元的时候，全球的商品和服务价格也开始攀升。理由很简单，在全球经济体系下，任何商业活动都与石油和化石能源息息相关。种植粮食需要化学肥料和杀虫剂，水泥、塑料等建筑材料的生产需要化石燃料，大部分药剂的制造也需要化石燃料。在很大程度上，我们穿的衣服也是由石油产品人工合成的。交通、电力、热能和光源也概莫能外。整个人类文明都建立在石炭纪储存的碳资源上。

关于人类的生存，我经常想，5 万年后，我们的后代会如何评价人类历史上这个特殊的时刻。他们很可能把我们归为化石燃料人，并把我们这个时期称为碳时代，如同我们把过去称为青铜时代和铁器时代一样。

当油价超过每桶100美元时（这在几年前是不可想象的事情），22个国家爆发了自发的抗议和骚乱——在墨西哥发生了玉米粉圆饼抗议，在亚洲爆发了大米骚乱。这都是因为粮食价格的急剧上涨引起的。对全球各地政治骚乱的恐惧引发了人们对石油及食品相关问题的全球性讨论。

当时，全球有40%的人每天的生活水平是2美元或更低，大宗商品价格的微小变动都意味着普遍的风险。2008年，大豆和大麦价格上涨了1倍，小麦上涨了2倍，大米上涨了4倍。联合国粮农组织发布的报告说，有10亿人将面临饥饿。

受急剧上升的油价影响，发达国家中产消费者的恐慌情绪开始蔓延。商店中日常用品的价格直线上升，汽油价格和电价扶摇直上，建筑材料、药剂、包装材料的价格也飞速上涨，当然，还可以列出很长的名单。到春末，价格已高得令人望而生畏，世界范围内的购买力急速下降。2008年7月，全球经济骤然减速。这次经济大地震标志着化石燃料时代的结束。60天后，余震来临，金融市场崩溃。

政府首脑、商业领袖、经济学家们有义务找出造成世界经济动荡的真正原因。他们仍然认为，信用泡沫和政府债务与油价之间没有关系，这是因为他们不明白他们正处于石油世纪的衰退期。各国领导人如果仍然认为信用和债务危机仅仅是由于未能有效地监管市场，他们就不可能找出危机的根源并有效应对。

我把2008年7月发生的一切称为全球化的巅峰期。虽然这个世界仍有许多未知存在，但很明显的是，在一个极其依赖石油和其他化石燃料的经济体系里，就推动经济增长而言，我们已经竭尽全力。同时，我认为，我们正处于第二次工业革命和石油世纪的最后阶段。这是一个令人难以接受的严峻现实，因为这一现实将迫使人类迅速过渡到一个全新的能源体制和工业模式。否则，人类文明就有消失的危险。

全球化受阻的原因是人均石油占有量已达到了峰值，这不应该与"全球石油产量峰值"混淆。后者被称为哈伯特曲线，是石油地质学家用来表述石油产量到达顶点的术语。

M·金·哈伯特是一位地球物理学者，他从 1956 年就开始在壳牌石油公司工作。哈伯特在随后发表的一篇著名的论文中预测，大约在 1965~1970 年之间，美国本土 48 个州的石油产量将达到峰值。他的预测遭到了同事的嘲讽。当时，他们认为美国是世界上主要的石油生产国，美国失去领先地位的想法让人难以想象，因而也就被置之不理了。然而，出人意料的是，他的预测是正确的。美国的石油产量在 1970 年达到峰值，随后进入了长期的下降通道。

在过去的 40 年里，地质学家们一直在争论全球石油产量峰值什么时候到来。根据他们制作的模型，乐观者认为，峰值大约在 2025~2035 年来临；悲观者预计——包括世界上一些有重要影响的地质学家——峰值会在 2010~2020 年来临。

国际能源署是一个总部设在巴黎的组织，在能源信息和预测方面，世界各国政府对其充满信任，该机构在《2010 年世界能源展望报告》中就已发表了对这一问题的看法。根据国际能源署的报告，全球原油产量在 2006 年可能就已达到峰值，当时每天的产量为 7 000 万桶。这一说法严重打击了国际石油市场，动摇了以原油为命脉的全球商业信心。

根据国际能源署的报告，为了避免全球经济的剧烈动荡，需要保持每天不低于 7 000 万桶的石油生产量。而获得这些石油需要在未来的 25 年里投入 8 万亿美元的巨额资金，这批资金要用来开采剩余的开采难度大的油田，开发已发现的还有些前景的油田，以及寻找那些开采难度更大的新油田。

我们关注的全球人均石油峰值，在 1979 年第二次工业革命高峰期就已出现。英国石油公司进行的一项研究——后来也被其他研究证实——得出结论说，如果按人均计算的话，1979 年就已达到了峰值。虽然我们后来找到了更多石油，但是世界人口增速更快。若将已知石油储量平均分配给全球 68 亿人，人均值只会更少。

当中国和印度的经济在 20 世纪 90 年代和 21 世纪初飞速发展的时候——2007 年，印度的增长率是 9.6%，中国的增长率是 14.2%——人类 1/3 的人口进入了石油时代，对石油的需求不可避免地推高了油价，导致油价高达每桶 147 美元，物价飞涨，消费能力下降，全球经济减速。

2010 年，全球经济缓慢回升，主要是恢复性增长。随着经济增长，油价在 2010 年年底涨至每桶 90 美元，经济增长再一次推高了油价。

2011 年 1 月，国际能源署首席经济学家法提赫·比罗尔指出，经济增长与油价上涨之间有不可分割的关系。他警告说，随着经济的复苏，"油价正进入一个危险区域"。根据国际能源署的报告，2010 年，经合组织中 34 个最富裕国家的石油进口费用，从年初的 2 000 亿美元上涨到年底的 7 900 亿美元。2010 年，欧盟的石油进口费用上涨了 700 亿美元，相当于希腊和葡萄牙两国的财政预算赤字；美国的支出增加了 720 亿美元。高油价使经合组织成员国国内生产总值下降了 0.5%。

2010 年，发展中国家的处境甚至更糟，石油进口费用上涨了 200 亿美元，相当于国内生产总值下降了约1%。石油进口费用与国内生产总值的比率接近2008年的水平，全球经济处于崩溃的边缘。对此，国际能源署公开表示了担忧：石油进口费用上涨正威胁经济复苏。

在国际能源署发表2010年公开报告的同一天，《金融时报》经济专栏作者马丁·沃尔夫撰写了有关中、印和西方国家在"人均产出"方面呈现趋同现象的文章。根据美国世界大型企业联合会公布的数据，在20世纪70年代到2009年期间，与美国相比，中国人均产出比率从3%上升到了19%，而印度则从3%上升到了7%。

沃尔夫指出，与美国相比，中国的人均产出与日本"二战"后经济复苏时相当。20世纪70年代，日本的人均产出是美国的70%，1990年时则上升到90%。若中国照目前的趋势发展下去，到2030年时，中国的人均产出将达到美国的70%。但不同的是，到2030年，中国的经济规模将是美国的3倍，比美国和西欧的总和还要大。

美国联邦储备委员会主席本·伯南克在2010年11月的一次演讲中指出，仅在第二季度，新兴经济体的产出总量就比2005年年初高出41%，中国高出70%以上，印度高出55%以上。

这一切意味着什么？如果经济总产出以本世纪前8年的速度增长，油价将会迅速反弹到每桶150美元，甚至更高，进而推高其他所有商品和服务的价格，从而导致购买力的再次下降和全球经济的崩溃。换言之，在油价达到每桶150美元左右的时候，所有试图恢复10年前那种经济增长势头的努力都是徒劳的。最后的结局就是经济在恢复增长与崩溃之间反复。

反对者认为，油价上涨与供需矛盾的关系不大，而与投机商炒作关系更大。虽然投机商可能起到了推波助澜的作用，但不容否认的是，在过去几十年里，为找到 1 桶新的石油，我们就要花费 3.5 桶石油的代价。这个现实决定了我们现在的状况和未来的前景。

如今，中东地区的政治动荡加剧了石油需求不断上升与石油储备逐渐萎缩之间的矛盾。2011 年年初，在这一地区的突尼斯、埃及、利比亚、伊朗、也门、约旦、巴林，以及其他一些国家中，数以百万计的年轻人走上街头，反对统治了他们几十年的腐朽、专制政权，而在某些国家，这种政权甚至统治了几代人的时间。这些年轻人的反抗——使人想起西方 20 世纪 60 年代年轻人的反抗——象征着具有重大历史意义的代际转变。

对年青的、受过良好教育的一代来说，他们正成为全球性社会中的一部分，成为脸谱网的忠实用户，原来的方式已变得不合时宜。重男轻女的思想、没有活力的社会制度和长辈们的排外行为，与在社交媒体网络里长大的这一代格格不入。这一代人强调透明、合作、平等，标志着他们在观念上与前辈产生了重大的分歧。

由于厌倦了专制的统治和残暴的统治者，以及他们所生活的腐朽社会——在这个社会里，恩赐而非价值成为惯例，统治者以民众日益增加的贫困为代价获得了富裕——年轻人正寻求变革。短短的几个星期之内，他们就迫使突尼斯和埃及政府倒台，在利比亚发动内战，并且威胁到从约旦到巴林的政权。

在很大程度上，如果这个地区崩溃，石油将是重要原因。黑金成了黑色的诅咒，把中东变成了执政寡头控制下的资源社会。流淌的石油使酋长变成了亿万富翁，民众却由于福利微薄和受雇于政府而变得温顺听话。结果是，这些国家从来没有为建立一个健康、全面、创业型的经济或劳动人口而创造经济条件。一代又一代的年轻人变得冷漠，他们的潜力从未被完全地开发出来。

有了勇气和自信，年轻人不再胆怯，他们勇敢地面对以往难以想象的结局。旧秩序开始动摇，进步正处于缓慢的发展过程中。旧宗法在下一个 10 年已不太可能继续统治这个地区，虽然它掌控了阿拉伯世界几代人的命运。

在中东，我们看到的是权力从等级化到扁平化的伟大变革。通过挑战大媒体集团，互联网一代开始共享音乐与信息；通过挑战独裁统治，他们正逐渐显示出自己的力量。

在未来的几年中，中东的政治动荡将造成世界油价的波动。2011 年年初，利比亚的政治动乱迫使其全国的油田关闭，结果是原油产量每天减少 160 万桶，油价上升到每桶 120 美元。石油分析家担心沙特阿拉伯或者伊朗也将会发生类似的石油生产中断，这将导致油价一夜之间上升 20%~25%，从而严重破坏本就脆弱的全球经济复苏。

关注中东政治动荡的国际观察家认为，这个地区将很难恢复正常生产。历史上，独裁政府长时期地统治着社会精英并实行集权体制，石油时代的结束预示着独裁政府的末日，这并不是巧合。虽然中东地区年轻人的觉醒值得赞赏和支持，但石油危机后的几年，将有两个相关的现象出现：一个是总需求上升，它将把油价从每桶 150 美元推高到每桶 200 美元甚至更高；另一个是石油盛产国因政治动荡导致的生产中断，它将同样推高油价。

华尔街崩溃

信用泡沫和金融危机是怎样把第二次工业革命推上穷途末路的呢？要理解这一问题，我们需要再一次回溯到 20 世纪下半叶。第二次工业革命——伴随着集中供电、石油时代、汽车和郊区建设——经历了两个发展阶段。初期的第二次工业革命基本架构在大萧条时期确立，并持续到"二战"

结束。1956 年，《州际公路法案》通过，它为汽车时代完善基础设施提供了强大动力。州际高速公路网的建立——这在当时被誉为人类历史上最雄心勃勃和昂贵的公共工程项目——创造了空前的经济发展，使美国成为世界上最繁荣的社会。此后不久，欧洲也开始了类似的公路建设项目，并带来了巨大的乘数效应。

州际高速公路基础设施加速了公路建设商业化的发展，数以百万计的美国人搬迁到有新建州际高速公路出口的郊区。20 世纪 80 年代，随着州际高速公路建设的完成，商业和房地产的繁荣达到了顶峰，第二次工业革命也达到了顶峰。商业和房地产商的过度扩张，导致了 20 世纪 80 年代末和 90 年代初房地产市场的低迷，经济陷入严重的衰退。随后，经济衰退的影响蔓延到全世界。但是，20 世纪 80 年代末第二次工业革命开始走下坡路，美国是怎样摆脱衰退并在 20 世纪 90 年代重振经济的呢？

美国经济的复苏主要建立在大量储蓄积累的基础上，这些积累来自第二次工业革命时期太平的几十年，当然，这几十年也伴随着创纪录的信贷与债务。美国变成了一个消费毫无节制的国家。然而，事实是新经济并没有创造出我们所花的这么多钱。在 20 世纪 80 年代，当第二次工业革命进入成熟阶段后，美国人的工资逐渐趋于平稳，然后开始下降。

人们对新兴信息技术和互联网革命情有独钟，创新区如雨后春笋般发展起来，如加利福尼亚硅谷、波士顿 128 号公路干线、华盛顿 495 号州际高速公路，以及北卡罗来纳州的研究三角园区，这些地方有可能成为高科技产地。媒体则更关注微软、苹果和美国在线服务公司等企业最近取得的新成就。不可否认，20 世纪 90 年代的通信技术革命创造了许多新的就业机会，并帮助改变了经济和社会的状况。但事实上，信息技术和互联网本身并没有造就新的工业革命。要想产生新的工业革命，新通信技术必须和新能源体系结合，就像历史上的每次重大经济革新一样。新通信系统从来不会独立存在，它们是通过新能源系统管理流动性的机制。这为通信与能源相结合的基础建设奠定了基础，几十年后，它将确立新经济长期增长的趋势。

这里有个时机的问题。新通信技术与第一代电子通信技术有着根本的不同。电话、广播与电视是第一代通信技术的主要形式，这些技术用来管理经济和使经济市场化。这种经济的基础是化石能源，大量商业活动源于特定的能源体系。相比之下，第二代电子通信技术分布自然而理想，更适合管理分散式能源（可再生能源）以及与新能源相伴而来的扁平化的商业活动。新分布式通信技术需要再等20年才能与分散的能源结合，并为新基础设施建设和新经济打下基础。

20世纪90年代和21世纪的前10年，信息与通信技术革命和第二次工业革命完成了整合。从一开始，这便是不合时宜的。虽然信息和通信技术提高了生产效率，优化了操作实践，创造了新的商业和就业机会，这有可能延长传统工业模式的寿命，但它不可能完全发挥分布式通信的潜力，其阻力来自能源集中化的体制与商业基本结构的内在制约因素。

在没有出现新的强大的通信与能源经济模式前，我们以"二战"以来40年间积累的财富支撑经济增长。信用文化带来的信用透支，其作用如同一种使人易醉的物品。人们购物成瘾，消费变得更像集体炫富。我们似乎是在不知不觉中，以一种僵化的思维方式，降低直至毁掉了第二次工业革命的经济增长速度，挥霍了一生积累的财富。

我们"成功"了：20世纪90年代初，美国家庭平均储蓄率约为8%；2000年时，家庭储蓄率已锐减到1%左右；2007年时，许多美国人已入不敷出。美国以自己的购买力支撑了全球经济，但我们不愿承认，这是以减少美国家庭储蓄为代价的。

20 世纪 90 年代中期，美国人债台高筑，破产创历史新高。1994 年，多达 832 829 人申请破产。更令人难以置信的是，2002 年，破产人数飙升至 1 577 651。然而，信用卡债务仍然在继续攀升。

正是在这段时间，银行开始推行第二个信用工具——次级抵押贷款，这一业务只需要很少或不需要现金支付。数百万美国人以此方式购买他们原本负担不起的房产。房地产市场的繁荣创造了美国历史上最大的泡沫经济。仅仅几年，在一些地区房价就已翻番。房主们把房产看做有利可图的投资。许多人把他们的新投资作为摇钱树，再次进行抵押，以获取两到三倍的资金偿付信用卡，继续疯狂购物。

2007 年，房价暴跌，房地产泡沫破灭。数百万曾认为自己是富人的美国人突然发现，他们已无法支付即将到期的抵押贷款的利息了，丧失抵押品赎回权的房屋数量暴涨。银行和其他信用机构——它们的积极参与最终导致了这个复杂的全球庞氏骗局成形——也陷入了困境。2008 年 9 月，雷曼兄弟倒闭。随后，美国国际集团面临倒闭的威胁。如果这一状况发生，将会使美国经济的其他部分和世界经济的很多部分面临下行风险。银行停止放贷。类似 20 世纪 30 年代大萧条规模的经济崩溃一触即发，美国政府被迫救市，向华尔街非银行金融机构提供 7 000 亿美元救助资金。救助的理由仅仅是这些机构"太大了，不能倒闭"。

但所谓的大萧条还是开始了，实际失业率逐月上升。到 2009 年年底，全美失业率已达 10%（如果算上丧失信心的劳动者——放弃找工作而未计算在内和未充分就业的劳动者，这一数据将达到 17.6%）。这意味着有近 2 700

万人失业和未充分就业。这是 20 世纪 30 年代大萧条以来美国失业率的最高水平。

奥巴马总统采取一揽子措施拯救银行系统，但对美国家庭却几乎没有任何作为。2008 年，美国家庭累积债务逼近 14 万亿美元。为了理解美国家庭债务有多重，可以与以前比较：20 年前，普通家庭债务是其收入的 83%；10 年前，这一比例上升到 92%；而到了 2007 年，这一比例已上升至 130%。经济学家们创造了一个新词"负储蓄"，来反映美国家庭支出与收入方式的深刻变化。由于失业、未充分就业和负债，2010 年有 290 万房主丧失抵押品赎回权。

更糟的是，2010 年，家庭负债与国内生产总值的比率是 100%；而在 20 世纪 90 年代中期，家庭负债与国内生产总值的比率是 65%。这发出了一个明确的信号：美国消费者已不能用他们的购买力支撑全球化。

信用泡沫和金融危机不会凭空发生，它们发生在第二次工业革命减速之时。20 世纪 80 年代中期，经济增长开始减速，当时，郊区建设——建设州际高速公路网——达到顶峰，这意味着汽车时代和石油世纪已达到全盛期。

丰富、廉价的石油和汽车的结合，使美国经济在 20 世纪 80 年代雄居世界第一。然而，不幸的是，我们却以疯狂购物的方式，在不到创造这些财富所需的一半时间里，花光了这些积蓄，其目的是人为地促进经济增长。但是，实体经济正处在下滑通道中。当储蓄花光后，我们又借了数万亿美元，以继续生活在无可匹敌的经济神话中。我们继续花着我们还没有挣来的钱。以上所有这些都推动了全球化的进程。而为了获得美元，世界上数百万的人乐意提供商品和服务。

全球抢购风以及总产出的急剧上升，推升了对日益减少的石油的需求，并导致世界石油价格的上涨。石油价格的急剧上涨引发了全球供应链中从谷物到汽油等物品价格的上涨。2008 年 7 月，当石油价格飙升至创纪录的每桶 147 美元时，全球范围内的购买力崩溃终于发生了。60 天后，由于大量借款未得到清偿，银行业停止了放贷，股市崩溃。全球化停滞了。

美国 18 年信贷宽松政策的结果是经济的失败。美国财政部门总负债 1980 年时占国内生产总值的 21%，在过去的 27 年里逐年上升，2007 年时达到惊人的占国内生产总值的 116%。由于美国、欧洲和亚洲的银行、金融相互交织，这次信贷危机超越美国，席卷全球经济。更令人不安的是，国际货币基金组织预测，美国联邦政府债务在 2015 年时将等于其国内生产总值，美国经济的未来存在严重的不确定性。

工业时代的熵账单

如果这还不足以说明问题，我们来看另一个例子。第二种债务远比第一种更加严重，更加难以偿还，并且正在源源不断地积累起来。第一次和第二次工业革命的熵账单即将到期。近 200 年来，燃烧煤炭、石油、天然气推动了人类的工业化进程，向地球大气中排放了大量的二氧化碳，阻止了太阳的热量从地球上空散去，导致地球温度灾难性的转变，继而会造成对未来生命的毁灭性打击。

2009 年 12 月，192 个国家的政府首脑聚集在哥本哈根，共同商讨应对人类面临的历史上最严峻的危机——由工业化引发的气候变化。2007 年 3 月，联合国政府间气候变化专门委员会曾在巴黎发表了一项有关气候变化的报告，阐述问题的严峻性，共有来自 100 多个国家的 2 500 多名科学家参与了此项报告。这是 15 年中发表的第四份类似报告。

当我读到联合国发表的报告时，首先引起我注意的是这27年以来我一直误解的事情。我首次论及气候变化是在1980年出版的《熵》一书中，这本书第一次引起了人们对此问题的关注。在整个80年代里，我继续致力于促进公众对全球变暖引发的长期威胁的关注。

1981年，由100多名众议员和参议员组成的立法服务机构——未来国会交换所，邀请我作了两次非正式的关于工业化引发的二氧化碳排放造成的热力学影响的讲座。据我所知，这是美国国会中最早的几次关于气候变化的讨论。

1988年，我所在的部门首次召集世界各地的科学家和环境保护非政府机构成员，共同探讨应对全球气候变化的对策。我们成立了"全球温室网络"，召集了气候研究人员、环境保护组织以及经济发展专家，进行了10年之久的努力，推动有关气候变暖的讨论从学术走向公共政策领域。

虽然我早就意识到了全球变暖的紧迫性，但像我的许多同事一样，我仍然低估了地球温度上升的速度。我没有正确地理解协同效应，这种协同效应可能导致意想不到的正反馈。例如，由于空气中的二氧化碳增加，地表温度升高，进而导致北极地区冰层融化，这样避免了热量从地球上消失。雪面覆盖的减少，意味着反射能力的丧失——白色反射热量，黑色吸收热量——地球散发的热量减少。反过来，这又提升了地球表面的温度，以正反馈的方式加速了雪的融化。现在，可以认为，当地球生物圈中其他突变引发它们自己的反馈回路时，这一反馈回路及其乘数效应几乎是没有止境的。我们所面临的不确定性更加可怕。

第四次联合国气候报告提醒我们：地球的化学性质正在发生变化。这可不是什么好消息。科学家告诉我们，到本世纪末，地球表面的温度有可能上升至少 3 摄氏度，气温会显著升高。虽然 3 摄氏度听起来不高，但我们需要知道的是，这个幅度的上升使温度达到了 300 万年前的上新世的温度。那是一个非常不同的世界。

根据科学家的观点，仅仅 1.5~3.5 摄氏度的变化，就能导致动植物在不到 100 年内大量灭绝。这一观点意味着，将有最低 20%、最高超过 70% 的物种灭绝。我们需要领会科学家们所说的事情的严重性。在最近的 4.5 亿年里，地球上已发生了五次物种灭绝事件。每次都是一个大毁灭，需要 1 000 万年才能恢复生物物种的多样性。那么，地表温度的上升是怎样影响了生命的存亡呢？

让我们看一个简单的例子。科学家们一直担心生态系统中树木的消失。人们可以想象，21 世纪下半叶的时候，美国东北部地区气候的变化也会影响到迈阿密的气候。人类能通过迁移适应气候变化，但树木不能。几千年来，不同种类的树木已经适应了某个地区相对稳定的气候。更重要的是，树木生长缓慢。因此，当温度在几十年里发生急剧变化的时候，树木不可能快速迁移以适应气候的变化。这对地球生物的生存具有重大的影响。森林覆盖了地球表面的 25%，森林是许多生物物种的栖息地，树木的突然消失会严重影响动物的生存。

哥斯达黎加的科学家注意到，在过去 16 年里，随着气温的上升，树木的生长速度在稳步下降。研究人员援引的世界各地的类似记录，使人们更加担心我们可能已处在大灭绝时期的早期阶段。

全球气温上升最重要的影响是水循环。温度每升高 1 摄氏度，大气保水量将增加 7%。这将导致水分布的根本变化，虽然降水强度会增加，但是降水时间会减少或频率会降低，结果就是更多的水灾和长期的干旱。生态系统已经适应了长期稳定的气候环境，由于不能迅速适应这突如其来的变化，生态系统的不稳定和崩溃就是难以避免的了。

我们已经看到了温度上升半度后飓风强度带来的影响。2005 年发表在《科学》杂志上的一篇研究报告指出，从 20 世纪 70 年代以来，第四类和第五类风暴的数量已翻了一番。卡特里娜、丽塔、古斯塔和艾克等飓风为 21 世纪的人类敲响了警钟。

科学家们也预测了海平面的上升及海岸线的消失情况。一些小岛群，像印度洋上的马尔代夫群岛、太平洋上的马绍尔群岛，将会彻底消失在海平面下。世界一些大山上的积雪正在融化。到 2050 年，一些山上的积雪可能会融化 60%。超过 1/6 的人类生活在山谷，靠雪水灌溉农田、冲洗卫生设备，以雪水作为饮用水。而要在 40 年里迁移近 10 亿人，这几乎是不可能的。

科学家们尤其担忧北极地区。新的研究预测，到 2050 年时，夏季冰层覆盖面将不会超过 75%。2008 年 8 月，北极周围已有开阔的水域，这是至少 12.5 万年来第一次发生这种现象。

气候学家们最担忧的是难以预测的反馈回路，反馈回路会引起生物圈的巨大改变，导致地表温度大幅升高，而现有机制又无法预测。可以用 20 世纪前就存在的亚北极地区的永久冻土层的例子说明。这个地区的面积有法、德两个国家的大小，这里草原与野生动物和谐共生。就像一个时代文物密藏容器，这里的永久冻土层保存着大量有机物。科学家们说，西伯利亚永久冻土层的有机物存量比世界所有热带雨林的存量都多。

联合国政府间气候变化专门委员会在第四次评估报告中提到了永久冻土层问题，并指出如果永久冻土层融化，将会引起潜在的灾难性后果：二氧化碳进入大气层，进而导致地球温度急剧上升，其水平将远高于现在的预测。

但是，目前没有数据能够确认这一状况。

然而，最近刊登在《自然》杂志上的实地考察报告震惊了研究人员：由于温度上升，永久冻土层已经开始以令人惊愕的速度融化。阿拉斯加大学费尔班克斯分校北极生物研究所的科学家警告说，在本世纪的某个时间，随着数量可观的冰层消失、大量二氧化碳和甲烷排放到大气中，以及短短几十年温度的急剧上升，人类将迎来严峻的考验。如果这种情况发生，人类将无法阻止这一生态系统的毁灭，地球上的生命将会消失。

在哥本哈根气候会议上，欧盟提议，到2050年，世界所有国家将二氧化碳的排放限制在450ppm（浓度测量单位，指百万分率）。如果能达到这一目标，温度上升可能控制在2摄氏度。尽管上升2摄氏度也将会对地球生态系统产生严重影响，但人类仍然能够生存。不幸的是，其他国家不愿意采取哪怕最低限度的措施以避免气候变化导致的灾难。

另外，布鲁塞尔的建议意外地受到了质疑。美国政府气候学家、美国宇航局戈达德空间研究所所长詹姆斯·汉森在其小组研究的基础上提出，如果二氧化碳的排放限制在450ppm的话，那么欧盟对温度上升度数的推断就是错误的。汉森的研究小组指出，如果用冰芯作为样品测算，工业化前大气中二氧化碳的水平在65万年前就已超过了300ppm。当前的工业化水平远远超过那时的水平，目前二氧化碳的水平是385ppm，并且还在快速上升。根据汉森研究小组的研究结果，由人类活动引起的气候变化会在本世纪末或此后不久导致温度上升6摄氏度，并导致人类文明的消亡。汉森的结论如下：

> 如果人类希望保存一个文明发展、适合居住的星球，依据古气候证据和当前变化的气候，需要将二氧化碳由当前的385ppm减至最多

350ppm，但希望能减少更多。

世界上没有哪个政府愿意对经济结构进行根本性变革，让碳排放水平降到 350ppm——汉森所说的拯救人类文明所必需的程度。

哥本哈根气候会议争吵不断。政府间相互指责对方以地球的未来为筹码玩地缘政治游戏，并指责对方把短期经济利益看得高于人类的生存利益。最后时刻，奥巴马总统未经宣布出席了中国、印度、巴西和南非四个国家间的首脑会议——这一举动在国际外交会晤中似乎前所未闻。最终，各国没有就限制碳排放达成协议。总之，这是不负责任的行为。尽管由人类活动引起的气候变化是对人类生存最大的威胁，但各国领导人却不能就拯救人类达成共识。

我们正生活在醉生梦死之中。尽管越来越多的证据表明，基于化石能源的世纪正成为过去，地球面临气候恶化的现实，但总体而言，人类仍然拒绝承认这一现实。相反，我们继续寄希望于寻找越来越少的石油和天然气，以此来维持如同吸毒成瘾般的生活。如果我们真的处于最危险的阶段，我们应该做的就是努力避免这一困境。

2010 年 4 月，墨西哥湾发生漏油事件，民众的反应很短视。一个英国租赁的石油钻井平台在深水区突然爆炸，事故中有 11 名工人死亡，断裂的管道有 1 英里，接近 500 万桶石油流入世界上最重要的生态系统。愕然的公众接连几周眼睁睁地看着石油从管道裂缝中涌出，扩散成羽状带，杀死野生动物，破坏脆弱的栖息环境，甚至把墨西哥湾变成死海。环境灾难是人类痛苦的回忆，为了保持经济正常运行，我们乐于承担寻找化石能源所带来的风险，即使这意味着生态系统的毁灭。

人们可能会认为，历史上最大的漏油事件和随之而来的生态毁灭将促使国民对石油依赖与漏油对环境的冲击进行辩论。没错，许多美国人愿意进行这样的辩论。民意调查发现，更多的美国人甚至指责英国石油公司的罪行，斥责政府在确保安全生产、避免事故方面的无能。事实上，更多的美国人并不赞成在墨西哥湾及其他地方进行石油勘探，他们更赞成购买，认为这是确保能源自立最好的方法。

共和党前副总统候选人萨拉·佩林极力主张："钻井，宝贝，钻井！"虽然这一口号遭到环保人士的嘲弄，但却得到了大部分美国人的响应。在这次漏油事件前数周，甚至总统奥巴马——所谓的绿色总统——也呼吁解除长期禁止对沿东南大西洋海岸深水层海底石油勘探的做法。

佩林和奥巴马应该明白，这些在遥远地区进行的有潜在危险的石油勘探，从产量上看并没有多少价值。他们应该思考热点问题，比如，美国政府是否应该开放部分阿拉斯加国家野生动物保护区、东西海岸、东墨西哥湾和落基山脉进行石油勘探。根据美国石油研究所2011年的研究——这份研究涵盖了所有石油和天然气公司，到2030年，全美所有可能存在的石油储量也不过每天增加200万桶，低于目前消费量的10%。总之，增加少量石油对石油时代的终结没有太大的影响。

化石燃料驱动的工业时代即将结束，很多人并没有理解这一事实。这并不意味着明天石油就会枯竭。石油还会供应，但供应量会减少，价格会上升。由于石油的生产与定价都取决于单一的世界市场，所以，没有哪个国家能够在能源自立的旗帜下独善其身。至于天然气，其全球状况与石油大体相似。

那么，中国的煤炭、加拿大的沥青砂、委内瑞拉的重油、美国的油页岩情况怎样呢？虽然储量相对丰富，但是这些能源开采费用高昂，并且这些能源比原油和传统天然气都要排放更多导致全球变暖的气体。如果我们转而使用这些污染性的能源以推迟化石燃料时代的结束，那么，急剧升高的全球气温将不可避免地主宰人类的命运。

核能怎么样呢？ 20世纪80年代，自1979年宾夕法尼亚三里岛核事故和1986年苏联切尔诺贝利核事故后，大多数国家停止了修建核电站。不幸的是，人们的记忆经常是短暂的。近年，核工业开始重新启动。通过对气候变化的争论，人们认为，相对于化石能源来讲，核能是一个可替代的选择，因为它不产生二氧化碳，某种程度上可作为解决全球气候变暖的措施。

核能从来就不是清洁的能源。放射性物质和核废料对人类的健康、对生物和环境都是严重的威胁。2011年，日本地震和海啸引发的福岛核泄漏引发了世界范围的政治地震，大多数国家的政府推迟了筹建新核电厂的计划，降低了对这项20世纪技术的期待。

引用前总统克林顿顾问詹姆斯·卡维尔的著名口号："关键是经济，笨蛋！"这千真万确！但是，我们仍然错误地认为，我们的经济困境源于过度依赖中东石油（事实上，加拿大是美国石油最大的供应商）和过度严格的环境政策对经济增长的抑制。事实上，问题远非如此简单。

茶党运动

美国人意识到，在美国，有些事情正变得越来越糟，经济正被侵蚀，生活方式正被颠覆。2009年，随着茶党运动的壮大，这种意识有了公开的表现，基层民众反对管得太多的政府，反对官僚政治，反对过重的税负。

有近50万茶党党员对《美国契约》进行了在线投票，他们认为，有10项议程应被优先考虑。议程中的第二项——在"保护美国宪法"之后——是反对就二氧化碳排放量设定上限和就限制二氧化碳进行贸易立法。他们认为，同样应优先考虑的是批准"为减少对不稳定国家能源的依赖而进行的储量勘探……"

当我第一次听到茶党运动和它的议程的时候，就像在波士顿大街上遭受神秘惩罚，我深感震惊，并且远比37年前在波士顿油党大会上所受震惊更强烈。与把空油桶扔进波士顿湾抗议石油公司的政策，并齐声高喊"打倒石油巨头"不同，新口号"钻井，宝贝，钻井！"正变得越来越响亮。

茶党活动家以及数百万美国人有理由担忧美国正在发生的一切。并不仅仅是他们在担忧，全世界的家庭也一样恐慌。然而，由于石油本身就面临困境，所以，开采石油并不能使我们摆脱危机。现实是，以石油为基础的工业革命正逐渐衰退，永不会再回到其巅峰状态。人们不禁要问："我们应该做什么？"要想让人们重新工作，遏制气候恶化，从废墟上拯救人类文明，我们需要一个令人信服的新的经济构想，并且需要务实的策略，以完成这一伟大目标。

第二章

第三次工业革命新构想

经济是一种有关信任的游戏。虽然人们通常认为商业交往和贸易活动是靠黄金或者白银来维持的，但是，在现实中，它却总是以一种更为重要的资源——公众的信任为依托来运作的。这就意味着，当公众的信任足够时，经济就会繁荣，未来就有保障；反之，经济就会衰退，前景就会暗淡。

美国没有转机了吗？似乎每次在遇到危机的时候，总会爆发激烈的争吵，人们相互抱怨，相互推诿责任，重复着冷漠与伤害，想当然地沉浸于过去的美好时光，神化伟大的一代，美化充满爱心、爱好和平的"60后"，毁谤自那以后时代的人。这些人不仅包括自私、拥有过多权利的"70后"及其之后的几代人，也包括肤浅、亢进、发狂的千禧世代。正如孩子们所说的，一个过分沉湎于过去、不停抱怨当下、对未来没有信心的民族，现在到了振作起来的时候了。

奥巴马之所以能够顺利入主白宫，部分原因是在那一非常时刻，他提振了美国的民族精神，使他们摆脱了绝望的情绪，重拾了"我们能做得更好"的美国理想。奥巴马总统使美国人，尤其是年青一代感受到了希望，这种希望总结起来就是"我们能"。

遗憾的是，在这位刚上任的年轻总统熟悉白宫事务之前，他已经丢掉了以往总统所拥有的最珍贵的优点——使美国民众相信前途会更加光明的能力。公平地说，在我与政府领导人打交道时，这种现象已屡见不鲜。几乎每一任总统上任之初都对未来雄心勃勃，但这种雄心往往会逐渐消失在对日常琐事的处理过程中。

上任第一天，奥巴马总统就立即着手解决美国经济复苏的相关问题。奥巴马政府将经济复苏问题与国内所面临的其他两大问题——能源安全与气候变化联系在一起。奥巴马总统开始谈论绿色经济的前景以及该产业如何能够为美国带来成千上万的新企业和就业机会。

虽然这一想法得到许多国会议员的赞同与支持，但这一具有重要意义的新经济计划从来没有真正实施过。究其原因，用前总统小布什的话来说就是政府已经丧失了"洞察事物的能力"，而不仅仅是因为美国需要削减公共开支以及减少政府赤字。

每当奥巴马总统提到绿色经济复苏计划时，他总能列出一长串其政府将要实施或建议的项目方案和具体措施的名单。这些方案的确有资金支持。如联邦政府已经投入116亿美元用于提高能源效率，65亿美元用于可再生能源建设，44亿美元用于电网的现代化完善工作，20亿美元用于提高插电式动力车和燃料电池动力车的电池技术。此外，奥巴马总统总是利用一切机会参观国内的太阳能和风力发电公园、制造太阳能电池板的工厂，以及专注于测试电动汽车的公司等，这些都证明了他为推动绿色经济的发展所作出的不懈努力。

然而，奥巴马总统缺少宏伟的构想，摆在美国民众面前的只是一堆试验性计划和被搁置的项目，没有一项能够作为说明美国经济前景光明的有力证据。美国目前正被众多陷入僵局的项目所困，这些项目白白浪费了美国纳税人的钱，除此以外没有任何效果和作用。

在总统选举期间，奥巴马的激情曾感染了美国民众，使民众对美国的明天充满了希望。但如今，他突然变身为华盛顿政策专家，不遗余力地到处为美国最新的科技突破进行宣传。尽管如此，奥巴马政府缺乏将各项技术整合到一起从而使美国摆脱困境的根本性方案。假如奥巴马对下一次工业革命的潜在动力有比较明确的了解和认识的话，也许他当初向美国民众兜售的会是针对美国未来所提出的全面的经济振兴方案。

2002 年，欧盟也曾出现过同样的问题。当布鲁塞尔试图为欧盟寻找新的可持续发展的经济方案时，它面临着同样的问题，即虽然具体措施、计划众多，却缺乏将各种方案整合到一起的行之有效的全面规划。

制定全面规划的前提是要明白：历史上新型通信技术与新型能源系统的结合，预示着重大的经济转型时代的来临。此时，新通信技术变成了组织、管理复杂文明的手段，能源来源的多元化使复杂文明成为可能，相应的基础设施建设大大减轻了时间和空间的限制，并以一种更加多样化的经济关系将人们与市场联接起来。当这些系统的发展落实到位以后，经济活动呈现正态分布曲线，即先上升达到顶点，经历一段时间停滞之后进入衰退期，该阶段的衰退规律由通信与能源矩阵所建立的乘数效应决定。

根据一般的经济学知识，人们总是想当然地认为基础设施是充当经济活动基础的静态模块。然而从更深层面上来看，这种看法是错误的。基础设施实际上是通信技术和能源的有机结合，用以开创一种具有活力的经济体系。在这一体系中，通信技术充当中枢神经系统，对经济有机体进行监管、协调和处理；与此同时，能源起到血液的作用，为将自然的馈赠转化为商品和服务这一过程提供养料，从而维持经济的持续运行和繁荣。因此，基础设施就像是一种生命系统，把越来越多的人纳入更为复杂的经济社会中。

印刷业中蒸汽动力技术的引入使新闻媒体在第一次工业革命中一跃成为主要信息传播工具。带有油墨辊的蒸汽印刷机，以及之后的轮转印刷机和莱诺铸排机，不仅大大提高了印刷速度，同时也大幅度降低了印刷成本。以报纸、杂志以及书籍等形式出现的印刷材料，如雨后春笋般出现在美国和欧洲的大街小巷，促进了历史上第一次公众文化普及运动的产生。1830~1890年期间，在两大洲出现的公立学校培养了一大批劳动力人才，他们具有文字读写能力，能够对以煤炭为动力的蒸汽铁路以及工厂经济进行系统的管理和操作。

20世纪的第一个10年里，电信技术与燃油内燃机的结合引发了第二次工业革命。工厂的电气化迎来了批量工业制成品时代，其中最重要的就是汽车的出现。亨利·福特对T型汽油动力汽车的大量生产，从根本上改变了以往受时间和空间限制的社会。几乎在一夜之间，成千上万的人们卖掉马车换上汽车。为了满足人们对燃料持续增长的需求，新型石油工业加紧开采原料，从而促使美国成为世界头号产油大国。

不到20年，美国各地遍布水泥公路，美国人也因此开始迁移，在几年前还是偏远乡村的土地上重新安家。电话，以及随后出现的收音机和电视机，重塑了人们的生活，催生了一种全新的信息网络，使人们从此踏进了石油经济和汽车时代。

如今，我们正处在信息技术与能源体系相融合的时代。互联网信息技术与可再生能源的出现让我们迎来了第三次工业革命。在 21 世纪到来之际，数以百万计的人们将实现在家庭、办公区域以及工厂中自助生产绿色能源的梦想。此外，正如人们在互联网上可以任意创建属于个人的信息并分享一样，任何一个能源生产者都能够将所生产的能源通过一种外部网格式的智能型分布式电力系统与他人分享。

分布式技术的应用，使得数以百万计的年轻人能够在互联网上分享音乐，导致唱片公司销售收入跌至冰点，甚至低于 10 年前的水平，这时唱片公司才真正体会到这种技术的威力所在。分散式合作技术使得维基百科取代《大英百科全书》，成为当今世界最具权威性的开放式网络百科全书。同样的，报业也忽视了分散式技术所带来的"博客世界"的影响力，现在许多刊物要么停刊，要么将其所保留的大部分业务职能转移到互联网上。尽管如此，分散式技术所带来的影响还远远不只这些。

第三次工业革命的五大支柱

第一次工业革命使 19 世纪的世界发生了翻天覆地的变化，第二次工业革命为 20 世纪的人们开创了新世界，第三次工业革命同样也将对 21 世纪产生极为重要的影响，它将从根本上改变人们生活和工作的方方面面。以化石燃料为基础的第二次工业革命给社会经济和政治体制塑造了自上而下的结构，如今第三次工业革命所带来的绿色科技正逐渐打破这一传统，使社会向合作和分散关系发展。如今我们所处的社会正经历深刻的转型，原有的纵向权力等级结构正向扁平化方向发展。

正如历史上任何其他的通信、能源基础设施一样，支撑第三次工业革命的各种支柱必须同时存在，否则其基础便不会牢固。因为五种支柱是靠相互间的联系而发挥作用的。第三次工业革命的支柱包括以下五个：（1）向可再生能源转型；（2）将每一大洲的建筑转化为微型发电厂，以便就地收集可再生能源；（3）在每一栋建筑物以及基础设施中使用氢和其他存储技术，以存储间歇式能源；（4）利用互联网技术将每一大洲的电力网转化为能源共享网络，这一共享网络的工作原理类似于互联网（成千上万的建筑物能够就地生产出少量的能源，这些能源多余的部分既可以被电网回收，也可以被各大洲之间通过联网而共享）；（5）将运输工具转向插电式以及燃料电池动力车，这种电动车所需要的电可以通过洲与洲之间共享的电网平台进行买卖。

2010 年秋天，欧盟的发展使得其对整合以上这五大支柱的需要变得愈加迫切。一份欧盟委员会的解密文件显示，在 2010~2020 年间，欧盟需要花费1 万亿欧元用于更新电网系统，以使其与可再生能源流相适应。这份内部文件还显示"欧洲依然缺乏使可再生能源与传统能源在同等水平竞争的基础设施"。

欧盟希望到 2020 年，绿色能源可以生产出 1/3 的电力。这就意味着电网必须经过数字化以及智能化处理，从而能够储存足够的间歇式可再生能源，以满足成千上万的地方能源生产商的用电需求。

诚然，当间歇式可再生能源的总量超过电力总量的 15% 时，在欧盟基础设施建设中加快使用氢和其他存储技术是非常有必要的，否则大部分电能将会因此而丢失。同样的道理，用激励性措施来鼓励欧盟内部的建筑和房地产行业将数百万建筑大楼改变成微型发电厂，这一做法也十分重要，这样能够就地利用可再生能源，并且将多余的电力送回智能电网。只有以上这些条件都得到满足，欧盟才能够提供足够的绿色电力，用以驱动已经准备投入市场的插电式电动车和氢燃料电池汽车。如果支撑第三次工业革命的这五大支柱中的任何一个的发展出现滞后，那么其他的支柱也会因此而发展受阻，在这种情况下，基础设施自身会进行相应的调整。

欧盟在 21 世纪之初就为自身发展设定了两个目标：一是向可持续发展的低碳型社会转型，二是将欧洲建设成世界经济最具活力的典范。

低碳经济发展模式的建立意味着从以化石能源为基础的第二次工业革命向以可再生能源为基础的第三次工业革命的转型。时代的转型并非易事，人们应该记得，欧洲和美国经济模式由木质燃料到煤炭蒸汽技术的成功转型用了半个多世纪的时间；将煤炭和蒸汽火车技术转向石油、电能和汽车经济也同样如此。历史经验告诉我们，在一定时期内，向可再生能源时代转型是可能的。

找到第三次工业革命的宏伟构想并不容易。找到构想只是开始，我相信每个创新者都明白这一点。接下来，最重要的事情就是将这一构想论述清楚。好的构想是一个有机的过程，在这一过程中构想的内容不但会得到自我加强，而且会呈现出自身的特色，常常会给创新者带来意想不到的灵感。我的构想是：网络通信技术与可再生能源技术相融合。它引出我的构想内容，那就是支撑第三次工业革命的五大支柱。对这一问题的探索就像一次特别的旅行，前方总有意外的惊喜在等着你。

寻找绿色能源

在 2020 年前，由可再生能源提供 20% 的电力，这一问题曾在 2000~2001 年引发欧洲内部的激烈讨论。这意味着 2020 年前，30% 的电力将会来源于绿色能源。支柱一，也就是可再生能源提供 20% 的电力，已成为一项基准。

几年以前，任何人都不会想到，如今由传统发电技术向可再生能源发电系统的过渡会这样迅速。由于传统的化石燃料以及铀燃料的储量逐渐降低，导致其价格在国际市场上持续攀升。使用传统能源所付出的代价还包括其燃烧过程中释放的大量二氧化碳，这对地球环境以及生态系统的稳定性造成了显著的负面影响。

与此同时，受新技术突破、及早采用新技术以及规模经济等因素的影响，新型绿色能源的价格持续下降。光伏发电的成本有望以每年 8% 的速度下降，使得发电成本每 8 年可降低一半。如果全球用电量以每年 5% 的速度增长，到 2012 年，光伏发电将会在整个欧洲市场达到电网平价（电网平价是指使用替代性能源发电所消耗的成本与使用传统化石燃料或核能发电的成本相当，或者更低）。

传统化石能源成本不断上扬，可再生能源成本不断下降，两者之间的巨大反差引起了全球经济的巨变，从而催生了 21 世纪的新型经济范式。

太阳能和风能技术的商业价值不断升高，不禁使人联想到个人电脑以及互联网用户的急剧增长。20 世纪 70 年代末期，个人电脑第一次引入大众市场。截至 2008 年，个人电脑的数量已超过 10 亿台。与此类似的是，到 2010 年，互联网用户数量在此前的 10 年内增加了一倍，达到 20 亿。如今，太阳能和风能发电设备装置正沿着个人电脑以及互联网用户增长的轨迹继续向前发展。

尽管如此，传统能源产业仍然是一股强大的力量，这主要是因为其雄厚的财力能帮助这些企业对政府能源政策的制定和实施产生影响。因此，政府每年会对传统能源产业实施补贴以及其他优惠政策，对新绿色能源产业来说，这无疑是不公平的。虽然石油、煤炭、天然气以及核能等产业勉强承认人们对绿色能源的需求正在上升，但它们依然认为新型绿色产业太脆弱，不具备支撑全球经济运行的能力。但是，它们的观点经不起考验。

科学家指出，太阳光线一个小时的照射所产生的能量足以支撑全球经济运行一整年。以欧盟为例，约 40% 的屋顶以及所有建筑物 15% 的表面都适合安装光伏发电设备。欧洲光伏工业协会预测，在所有适合的建筑物表面安装光伏发电装置能够产生 1.5 万亿瓦特的电能，能满足欧盟所需电量总数的 40%。

2007 年，《科学美国人》的一项研究称，研究人员估算，如果能将美国西南地区太阳照射中的 2.5% 转化成电能，这些能量将与美国 2006 年全国用电量相当。该研究得出的结论是，依此标准，这一地区能提供美国全国用电量的 69%，到 2050 年时，能提供全国用电量的 35%。

在太阳能利用方面，欧洲独占鳌头。2009 年，欧洲提供的光伏太阳能占世界总量的 78%，遥遥领先于日本、美国和中国。

2009 年，欧盟的风力发电量超过其他能源的发电量，占新能源总发电量的 38%。这项产业目前在欧盟各国内共有 20 万工人，发电量占总电量的 4.8%。预计在 2020 年之前，风力发电将为欧洲市场提供 17% 的电量，并在 2030 年之前提升到 35%，那时，产业内劳动力总数则会增至 50 万人。

美国有相当充足的风力资源，足以满足全国数倍之需。2010 年 10 月，谷歌和好能源金融公司宣布了一项计划，决定投入 50 亿美元建造一条水下电力传输线路，主要用于沿岸从弗吉尼亚州诺福克至北部的新泽西州长达350英里的风力发电厂。新的风力传输干线将增加东部各州的沿岸风力发电设施，提高绿色能源在混合能源中的比重。

斯坦福大学的一项关于全球风能的研究预计，利用地球上现有风能的20%，所提供的电力将是当今世界所用电量的7倍。在城市及其郊区，由于数以万计的家庭住宅、办公场所以及工业企业将需要更多的电力，大楼附近风力涡轮机的发电量将极可能于10年内成为绿色的风力发电市场中成长最快的一部分。像美国西南风电这样的公司可以提供小型风力涡轮机，从而为每个家庭生产占其总需求25%~30%的电量。每台风力涡轮机价格仅在1.5万~1.8万美元之间，只需要14年就可以收回成本。水力发电目前占据世界绿色能源发电量的最大份额。在欧盟，水力发电量每年可达到18万兆瓦，大部分水力发电站规模庞大。工业专家认为，潜在发电量主要集中于小型水力发电厂。这些经济上可行的发电厂分散在欧洲各地，可以产生每年147太瓦小时的电量。在英国，根据政府能源部的数据，未来小型水力发电可以为85万户家庭提供电力。

在美国，水力发电量占当前可再生能源发电量的75%。美国电力研究协会的一份报告指出，预计到2025年，由大型堤坝、微型水力发电机以及潮汐所产生的发电量将达到2.3万兆瓦。

地热是地球蕴藏丰富但未被开发的绿色能源的典型代表。地球内部的温度高达4 000摄氏度以上，地热通过流动的方式被送到地球表面。欧洲地热主要集中在意大利和法国，其他国家如德国、奥地利、匈牙利、波兰和斯洛伐克地热储量也相当丰富。

在美国，地表下两英里以内的地热能源足以为全美国提供其所需要的能源长达 3 万年之久。在 2005~2010 年间，全球所安装的地热能装置增加了 20%。然而，在 39 个可以用地热能为整个国家提供全部能源的国家中，只有 9 个国家提升了设备容量。

虽然美国在开发地热能设备总量上领先（其发电厂的发电量达到了 3 086 兆瓦），但仍有很大的潜力。麻省理工学院的一项研究表明，只要持续 15 年，每年有 3 亿~4 亿美元的投资，地热能就能在美国的电力市场上获得一席之地。麻省理工学院专题研究小组预测，如果有同样长时间的 8 亿~10 亿美元的公共或私人投资，地热能可以于 2050 年之前生产出超过 10 万兆瓦的商业用电。

生物能源是新兴绿色能源结构中的最后一个领域，它包括油料作物、林业废弃物以及城市垃圾。在绿色能源家族中，生物能源是最有争议的一类。世界生物能源协会曾发表声明指出："到 2050 年，世界生物能源将能够完全满足全球对能源的需求。"美国电力研究院的布赖恩·汉尼根认同生物能源将在绿色能源的生产中发挥重要作用的观点，但同时他认为，以现在的经济数据分析，到 2050 年，生物能源仅仅能满足全球 20% 的能源需求量。尽管如此，这一数字仍十分可观。美国自然资源保护委员会的一份报告指出，仅美国一个国家，每年有大约 3 900 万吨的作物残茬没有得到利用，这些被浪费掉的资源倘若用于绿色能源发电，将能满足新英格兰所有家庭的用电量。

我们必须考虑生物能源生产的制约性因素。比如，用未成熟的玉米生产生物乙醇实际上是得不偿失的。这是因为种植玉米以及生产运输乙醇所付出的成本，要超过最终产品——生物乙醇的价值。

利用农作物和森林残留物发电所产生的问题主要集中于以下三个方面：(1) 这一过程中所占用的土地和水资源，如果用于生产食物和纤维，产量会更大；（2）生物燃料的焚烧导致全球温室效应加剧；（3）加工以及输送电力过程中产生的问题。

在应用生物燃料的领域中，最有发展前景的是将城市废弃物转化成电力和热力这一技术。仅在2010年一年，全球就产生了近17亿吨的城市固态废弃物。其中有10多亿吨废弃物被填埋，只有2亿吨被用来发电。从这些数据可以看出，绿色能源这一领域拥有巨大的发展潜力。由该领域产生的大约98%的电力来自对垃圾以及废渣提取燃料的焚烧，这一过程会对环境造成破坏，如产生有毒气体等。剩下的2%的电力则来源于相对安全的热能以及生物处理技术。

派克咨询公司在一份报告中指出，随着地方政府以及商业机构对新型、清洁转化技术的采用，到2016年，全球热能以及生物废物处理技术的市场收入将会由2010年的37亿美元上升到136亿美元。

将所有绿色能源联网的能力取决于商业的扩展性。为加快这一进程，各国政府正加紧实施各种鼓励企业向绿色能源产业转型的政策。现在，有超过50个国家、州以及省开始实施"上网电价补贴"政策。由于可再生能源的生产者将绿色电力卖给电网，政府的这项政策将对其进行奖励，其价格高于市场价格。"上网电价补贴"政策通过给早期进入该市场的商家提供丰厚的奖励，从而为太阳能发电以及风力发电打开商业之门。

在过去的几年里，"上网电价补贴"政策为人们提供了数以万计的就业机会。例如，2003年，德国的传统能源产业（如煤炭、石油、天然气以及铀燃料）为民众提供了26万个就业机会。到2007年，可再生能源产业为德国提供了249 300个就业机会。尽管如此，在主要能源消费量中可再生能源仅占不到10%。换句话说，消耗不到10%的可再生能源产生的能量所创造的就业机会，几乎相当于消耗其他所有能源所提供的就业机会。

另一个快速向可再生能源体系转移的例子是西班牙。在西班牙，可再生能源公司有 1 027 家，提供超过 18.8 万个与可再生能源相关的就业机会，这相当于传统能源产业所能够提供就业机会的 5 倍。

即便美国不出台"上网电价补贴"政策，可再生能源产业所提供的就业机会也在不断增加，与此同时，传统能源领域的就业机会则呈逐渐下降的趋势。在过去 10 年，仅在风力发电领域，就创造了超过 8 万个就业机会，这一数字是美国有史以来煤矿开采行业所提供的就业机会的总和。风力发电在美国能源生产中仅占 1.9%，而煤炭行业则占 44.5%以上。

1.9 亿发电厂

欧洲的未来系于绿色能源。问题的关键在于如何收集太阳能、风能、水能、地热能，以及生物能源。最初的尝试是去那些阳光充裕的地方，比如欧洲南部和地中海区域，并且建设大型的太阳能发电园区来收集能源。同样，去风力最充足的地方，比如爱尔兰海岸以及其他风力地带去获取风能，去挪威和瑞典获取水能等。

对于习惯于在有限地点集中获取化石能源的能源公司以及煤气电力公司来说——更不用说银行和政府部门，如能积极采用新能源，同样具有重要的意义。现在，以太阳能为主的大型发电园区以及风力发电厂开始在欧洲能源丰富的地方涌现。

在 2006 年左右，一些能源企业家、政策分析家、非政府组织以及政治家对新能源的简单评论将围绕可持续发展经济模式的讨论推向了深入。虽然太阳照射强度不一，但是太阳光确实照射在地球上的每一个角落。虽然风力频率不一，但是风也确实吹过世界上每一个角落。无论我们走在哪里，地下都有一个滚热的地热核。我们每一个人都会产生垃圾。在农业地区，有大片的庄稼和森林。而在那些人口聚集的海岸，波浪和潮汐每天都会出现。住在山谷里的人们靠从冰山上流下来的溪水发电。换句话说，与那些只能在世界某些地区发现的化石能源和核能等稀缺能源不同，可再生能源到处都是。这种现实让我同事的思想发生了根本性的转变。如果可再生能源分布广泛并以不同的比例和频率分布于世界各地，那么，为什么我们要集中在某一点收集呢？

我们意识到：我们的思维方式过时了，这种思维方式是基于 20 世纪关于化石能源的经验的。尽管我们当中并没有人反对大型风力发电厂和太阳能发电园区——我甚至认为它们对过渡到一个后碳的第三次工业革命经济至关重要，但我们开始相信仅仅这些是不够的。

如果可再生能源随处都有，那么，应该怎么收集呢？ 2007 年年初，欧洲议会能源和气候变化委员会正在为下一步能源安全以及全球变暖问题准备报告，我接到了欧洲议会可再生能源问题专家克劳德·图尔梅斯的电话。他敦促我努力将建筑工业纳入进来，因为他知道我与欧洲以及美国的一些主要以可持续发展计划为宗旨的建筑公司有接触，并且曾针对将大楼转换为小型电厂作过一些报告。他提醒我，在整体经济中，建筑业不容忽视，并且是欧盟国家中的最大雇主之一，其产值占国内生产总值的 10%。克劳德认为，建筑业可能是大型能源公司的重要伙伴和平衡者，这个行业之前一直在阻挠欧洲委员会及各成员国制定绿色法律以及可持续发展政策。

如果说"关键是经济，笨蛋"，那么就是建筑业引发了商业活动并且创造了新的就业机会。欧盟各成员国现在约有 1.9 亿栋楼，而每一栋楼都是一个潜在的小型发电厂，它能吸收可再生能源——照射到楼顶的太阳能、墙外的风能、从房子里排出的污水、楼房下面的热能等。

如果说第一次工业革命造就了密集的城市核心区、经济公寓、街区、摩天大楼、拔地而起的工厂，第二次工业革命催生了城郊大片地产以及工业区繁荣的话，那么，第三次工业革命则会将每一个现存的大楼转变成一个两用的住所——住房和微型发电厂。我们已经找到了第二个支柱。

现在，建筑业和房地产行业正与可再生能源公司联合，将大楼转变成小型发电厂，就地收集绿色能源，为整栋楼房供电。

菲多利公司位于亚利桑那州卡萨格兰德的工厂就是这些新一代小型发电厂中的一家，它的理念是"零排放"。工厂利用太阳能聚光器产生的电来炸制薯条。在西班牙的阿拉贡，通用公司的生产装备顶端装有一个10兆瓦的太阳能发电机，产生出可以供4 600个家庭使用的电量。最初7 800万美元的投资将会在10年内收回成本，在这之后发电的成本将几乎为零。在法国，建筑业巨头布依格公司则更进一步，它在巴黎郊区创建了一个先进的综合商业办公区，这个地区收集的电能不仅能供自己使用，甚至还有节余。家庭居民也可以将他们自己的房子改成小型发电厂，只要提前交付6万美元定金，就可以在自己的房顶上安装太阳能电池板，这些电池板能生产出足够的电力，满足房子所需的电能。如果有剩余，则可以卖给电厂，投资回收期为4~10年。

从现在起25年内，数百万的建筑——家庭住房、办公场所、大型商场、工业技术园区——将会一物两用：既可作为发电厂，也可以作为住所。接下来的30年，商业和居住用房大规模转变成发电厂将引发建筑业的繁荣——创造出数以万计的新商业机会和就业机会——同时，也会对其他行业产生乘数效应。

那么，在地区层面上情况怎样呢？仅以英国为例，卡梅伦政府预计，单是将全国 2 600 万家庭装上能有效利用能源的隔热装置，并且使他们用上更加清洁高效的能源一项，就可以创造多达 2.5 万个就业机会。

将楼房转变为微型发电厂，会创造大量商业机会和数百万的就业机会。以建筑和房地产行业为例。2008 年，我的全球政策研究团队开始与西西里大区主席拉法埃莱·隆巴尔多商讨如何将这一地区改造成第三次工业革命经济模式。按照西欧的标准，西西里地区的 500 万居民是相对贫穷的，但是那里的日照却很充裕。一项有关这个地区的研究表明，今后 20 年，只需把 6% 的屋顶装上太阳能板，这个地区就可以产生 1 000 兆瓦的电量——完全能满足西西里地区 1/3 居民的用电需求。同一研究显示，当地有超过 3.6 万家中小型建筑公司、建筑事务所以及工程公司都有能力完成这项工程。改用第三次工业革命经济模式后，在未来 20 年内，这一模式将为中小微企业和家庭创造出 40 亿~50 亿欧元的市场价值，并将产生 350 亿欧元的额外回报。

意大利的税收返还政策为这一进程提供了重要动力，它是通过为市民承担 5% 电费的方式实现。至今为止，申请安装太阳能供电系统的大多数是大型光伏发电厂，申请分散式发电项目的很少。但是，如果政府能为中小微企业和业主提供资金来帮助安装这种太阳能装置的话，这种情况是完全可以改变的。

绿色抵押贷款同样也可以起到促进作用。银行和其他贷款公司可以以较低利率为安装太阳能电池板的企业和业主提供贷款。假设平均 8~9 年可以收回成本，企业和业主抵押贷款 20 年，那么，在还完贷款后的 11~12 年里，所发电量完全由自己支配。每个月节约的电费可以用来偿还贷款，这是降低利率的基础。房屋兼做电厂，这反过来也促进了房屋增值。一些银行已经开始提供绿色特别抵押贷款，在未来的几年中，绿色抵押贷款很有可能带来抵押贷款业务的重组，促进世界各国建筑业的发展。

现在，让我们从更宏观的角度看看提升能源利用率、使用可再生能源对劳动力就业的影响。能源资源组织和加州大学伯克利分校汉斯商学院的研究人员发明了一种就业创造分析模型，来分析2009~2030年的电力部门，数据来源于15个单独的案例。这个模型将多个变量纳入其中，比如，电力系统中其他部门在向高效能、可再生能源行业转移时减少的岗位，因消费增加而创造的间接就业机会，以及其他商业活动中经济行为带来的乘数效应等。这项研究预测：如果将年发电量增长率减半，可再生能源组合标准达到30%，那么，2030年就能增加约400万个就业机会。如果将整体标准提高至40%——世界上一些地区可再生能源组合标准已经达到60%，2030年时，将有更多的国家对此有更高的标准——那么在美国净增加的就业机会将超过550万个。

正如我们将在后面的章节讨论的，这些新增就业机会只将第一支柱和第二支柱——可再生能源和将建筑转化成微型发电站——作为一个独立变量来对待，它与能量储存、分布式智能网的建立、交通工具改用插电式电动车和燃料电池无关。通过比较发现，上述模型的预测与利用信息技术革命实现20年就业增长非常相似，当时处于20世纪80年代末，互联网还没有发明出来。当第三次工业革命的五个支柱都相互关联时，便创造出了一种新的经济枢纽系统，它能显著提高能源利用率，并创造数以万计的商业和就业机会。

在大型能源公司统治经济领域长达一个世纪以后——且不说它们对政府的政策和国际地缘政治的影响，一个新的倡导民主分配能源的计划出台。这个计划将通过创建数以百万计的微型能源企业来实现。正如一位观察员评论的，这是"权力属于人民"的体现。

阳光不会一直明媚，风力不会一直充裕

尽管可再生能源总量多、清洁，让我们得以生存在一个可持续发展的世界，但它们也存在一定问题。太阳不会一直照耀，风不会一直吹拂，或者即使有风，也可能不是我们需要的那一种。可再生能源多半是间歇式供应的，而传统能源虽然有限且造成污染，却能提供稳定的供给。

2002 年 5 月，我与当时的欧洲委员会主席罗马诺·普罗迪在华盛顿的欧盟使馆里进行了短暂的交流。我向他坦承了自己的想法：我对到 2020 年可再生能源达到 20% 这一目标的实现十分担忧，这意味着欧洲 1/3 的电力将依靠太阳能、风能以及其他不稳定的能源来供应。我说："我来描述这样一幅画面：现在是 2020 年，欧洲已经实现了这一能源目标。在 6 月中旬——一个非常炎热的夏天，欧洲大部分地区上空的云层遮住了阳光，时间长达数周。不幸的是，同时还没有风。如果这还不够，再加上气候变化带来发电区地下水位下降导致干旱，全欧洲都没有电了。我们该怎么办？"

普罗迪虽然是德高望重的经济学教授，两次担任意大利总理，又是欧洲最受尊敬的政治家之一，但却十分谦虚平和。他用手托着下巴，似乎在思考我说的话，然后把问题又抛给了我："有什么建议吗？""是的，"我说，"我们需要尽快投资，对储存可再生能源的技术进行研究。否则，我们将无法实现可再生能源的大规模应用。没有一定规模的储存，我们可能会遇到困难。"（8 年以后，比尔·盖茨再次提到类似想法，认为划算可靠的储存技术对于可持续发展的未来是一个关键因素。）

电力和公共事业公司抱怨说，当电网中有 15%~20% 甚至更大的比例来

自可再生能源时，电网供电就会受到天气影响，我们将面临着周期性断电、限电的状况。有一些前景较好的技术，包括流电池、飞轮、电容器、水泵等。我一直在研究这几种不同的技术，最近得出结论：虽然我提出了不同的储存方法，但氢气由于具有较大的灵活性，很有可能成为解决长期储存介质问题的关键。

长久以来，作为后碳时代的制胜法宝，氢气备受科学家和工程师的推崇。这是宇宙中最轻、最多的气体，并且是恒星的组成成分，包含不止一种碳原子。地球上到处都能找到氢，但在自然界中，它不是以独立的形态存在的，而是以不同形式存在于其他能源之中，比如，煤炭、石油、天然气中。事实上，大部分用于商业和工业的氢气是从天然气中提取的。氢气也可以从水中分解出来。大家都知道高中化学课的电解实验，将阴阳两个电极放置在具有更好传导性的电解液中，当直流电通过时，氢气便会在负极释放出来，氧气在正极释放出来。关键的问题是，从无碳的光、风、氢、地热等能源中产生电、再用这些电去分解水中的氢气、氧气，是否是个划算的选择。

我提醒普罗迪说，宇航员在太空中以氢为燃料绕地球飞行已近50年，是将其拿回地球用做可再生能源储存介质的时候了。

它的工作原理是这样的：当阳光照射到太阳能电池板上时，会产生电能，其中大部分用于给建筑物供电。如果电能出现了盈余，便可以用做储备能源。如果太阳光不好，氢气便可以再提取出来用于发电。普罗迪对此表现出极大的兴趣。他对氢知之甚多，他的哥哥维托里奥是一位世界级的核物理学家，也是欧洲议会成员之一。我和维托里奥成了好朋友。在对议员和企业界有关将氢用做可再生能源储存介质的工作原理和好处这方面知识的普及上，他开始发挥重要作用。

在接下来几周的会议里，我向意大利总理罗马诺·普罗迪提交了一份关于利用氢作为可再生能源储存介质可行性的战略备忘录，普罗迪随即在 2003 年 6 月的布鲁塞尔会议上宣布了一项价值 20 亿欧元的氢能源研究方案，这项由欧盟委员会授权通过的方案旨在为欧洲今后实行氢能源经济奠定基础。在开幕会致辞中，普罗迪总理阐述了在第三次工业革命基础设施建设中，采用氢能源作为储存介质的重大意义。他说："我们必须明确是什么在推动欧洲氢能项目的发展。我们一直倡导，到本世纪中叶，以可再生能源为基础，稳步迈向全面整合的氢能经济，正是这一目标在推动着欧洲氢能项目的发展。"至此，第三次工业革命的第三个支柱已经落实到位。

2006 年，我就同一问题为德国总理默克尔准备了第二份备忘录，建议德国政府批准实施氢能研究发展方案。结果，默克尔总理同意了我的建议，并为优化新型存储技术投入了大量资金。第二年，欧盟委员会主席巴罗佐宣布了价值 74 亿欧元的公私合营计划，这就是囊括整个欧洲氢能的研究发展以及相应部署的联合技术行动草案。

包括可再生能源体系的建立、建筑物载能以及以氢的方式部分储能在内的三大支柱，引出了第四个支柱，那就是将由数以百万计的建筑物生产、存储的能源传输到整个欧洲的途径。

能源互联网

截至 2005 年，尽管智能电网的创建已经开始为人们带来物质上的回报，但人们始终没有找到把这一方法融入欧盟或其成员国的途径。IBM 公司、思科系统、西门子以及通用公司都跃跃欲试，期望把智能电网变成能够运输电力的新型高速公路。由此，电力输送网络将会转变成信息能源网络，使得数以百万计自助生产能源的人们能够通过对等网络的方式分享彼此的剩余能源。

这种智能型能源网络将与人们的日常生活息息相关。家庭、办公室、工厂、交通工具以及物流等无时无刻不相互影响，分享信息资源。智能公用网络系统还与天气的变化相关联，使得电流以及室内温度会随着天气状况和用户的需要而改变。此外，这种智能网络还能够根据家用电器用电量的多少来进行自我调节，如果整个电路达到峰值，软件就会进行相应的调节以避免出现电网超负荷的情况，举个例子，为节能省电，洗衣机每到一定的负荷量便会跳过一次清洗周期。

由于电网电流在一天24小时内是不断变化的，因此每栋大厦中分布在数字仪表上的实时信息会采用动态定价的形式，以便消费者能够根据价格变动自动调整用电量。此外，能够接受用电调整的消费者将会享受相应的优惠。与此同时，动态定价也将促使能源生产商们把握回收电流的最佳时机。

最近，美国政府划拨资金发展全国智能电网。这些资金将被用来安装数字电表、高压输电传感器以及发展实现高科技电力分配的能源储存技术。这将使现有的电网转变为互联网式电网。得克萨斯州圣安东尼奥的城市公共服务能源公司、科罗拉多州博得市的艾克赛尔公共事业公司、加利福尼亚的南太平洋电气公司、森普拉能源公司、南爱迪生电力公司将在今后的几年间架设部分智能电网。

智能电网是新兴经济的支柱。正如互联网创造了数以千计的商业机会和数百万的就业机会，智能电网会带来同样的辉煌。只不过"它将比互联网大100或者1 000倍"，思科公司副总裁玛丽·哈塔尔指出，虽然有一些家庭已经接入互联网，但是还有一些没有接入网络。由于每个家庭都连接了电网，因此所有家庭都有可能通过电网连接起来。

20 年来，许多政府和全球企业的领导人问我："你对运用'软性'可再生能源应对复杂多变的全球经济对能源的需求有什么期待？"政府以及能源与公共事业行业的老一代的领导者，如同当年唱片业巨头们面对文件共享的挑战时一样，没有意识到分散式能源能够改变能源本质的潜力。

第二代信息技术改变了以往影响经济的因素，从分布集中的传统化石燃料以及铀能源向分散式的新型可再生能源转移。如今，人类已掌握了一种先进的软件技术，能够帮助相应的企业与成千上万甚至上百万的小型台式电脑相连接。一旦成功连接，这种扁平化技术的威力将大大超越世界上最大的集成式超级电脑。

与之相似，互联网式电网已经应用到一些地区，改变了传统输电网的模式。当数以百万计的建筑实时收集可再生能源，以氢的形式储存剩余能源，并通过智能互联电网将电力与其他几百万人共享，由此产生的电力使集中式核电与火电站都相形见绌。

荷兰电工材料协会曾为电网智能化联盟——一个由美国信息技术、能源、公共事业企业、学界、风险投资者组成的智能电网联合体——进行了一项研究。该研究表明美国政府只需投入 160 亿美元以鼓励全国电网智能化，就可以带动 640 亿美元的项目投资并创造 28 万个就业机会。智能电网对其他四个经济支柱产业的增长十分重要，它的实施将为可再生能源行业、建筑业和房地产市场、氢能源储存工业、电气运输部门创造几千万个新就业机会，因为它们都依赖于智能电网为其提供平台。但是，与欧洲委员会所期望的通过智能电网计划创造的就业数相比，这一估计数字还是较小。欧洲委员会预计通过公共与私人部门 1 万亿欧元的投资，未来 10 年间在这个世界上最大的经济体建设分布式智能电网网络。

今天的分布式智能电网的概念已经不是大多数主要信息通信技术公司刚开始讨论智能公共事业网络时所设想的模样了。它们早先的观点是建立集中式的智能电网。这些公司预见到通过智能仪表和传感器的应用将现有的电网数字化，使公共事业公司能够实现包括实时电流量监控在内的远程收集信息。它的目的是提高电流在电网中的输送效率，降低维护费用，并且更精确地了解用户用电量。它们的计划是改良性的，而非根本性的创造。正如我所知道的，关于使用互联网技术革新电网使其成为相互连通的信息能源网的讨论寥寥无几，而这样做将能够使数百万人自主创造可再生能源并与他人分享电能。

2005年，IBM公司在德国的主管们开始就未来智能电网应用的可能与我进行沟通。我已经在沃顿商学院行政管理人员教育课程以及与苏格兰能源、辛那杰公司和国家电网公司等公共事业企业的座谈会上，深入讨论了将传统电网转变为可分享能源的互动网络的可能性。智能电网就是我2002年出版的《氢能源经济》一书的中心主题。我并不是唯一一个讨论这件事情的人。艾默里·洛文斯许多年来一直提倡这一观念，并且拥有很多能源与公共事业领域的追随者。

早在2001年，美国电力研究所在它的报告"未来展望"中评述道："分散式能源生产的发展可能会采取与计算机产业发展极为相似的路线。大型主机电能已经让位于小型化、在地理上分散分布的台式和笔记本电脑，它们相互连接、充分整合，成为一个极富弹性的网络。在电力行业中，集中式电厂仍将发挥很重要的作用。但是我们更加需要更小、更清洁、分散化的发电厂，能源储存技术将支持它们的发展。对这样一个系统，最基本的要求是先进的电子控制技术，对于控制、处理由如此复杂的互联系统所带来的海量信息与能源流通，它绝对是必不可少的。"

德国IBM的伙计们让我接触到了吉多·巴特尔斯，他是一个一直致力于在全球推广IBM智能公共事业网络概念的荷兰人。吉多也是电网智能化联盟的主席，这个联盟是由信息技术、能源及公共事业公司所组成的财团，它与美国能源部合作以推动智能电网发展。对于IBM的未来，我和吉多进行了一系列的讨论。然而，有一点是十分明确的，IBM的首要动力是以传统的、中央集中管理的方式来改革现有电网。通过微电网将能源连通并回售给输电网的观念，虽然被公认为是IBM智能公共事业网络的一项潜在功能，但现在还不是它成为新型经济观核心的最佳时机——虽然IBM明确表达了下一步将会进军第三次工业革命。巴特尔斯和艾伦·舒尔理解真正的分布式智能电网的潜力，并与全球客户合作推动第三次工业革命的基础设施建设。

另一个叫皮尔·纳布厄斯的荷兰人——他是荷兰电工材料协会的首席执行官——也开始谈论双向信息化能源网的优点。纳布厄斯在欧盟的地位与巴特尔斯相同——领导着欧洲智能电网技术平台。如同美国的电网智能化联盟，欧洲智能电网技术平台是由信息技术、能源与公共事业公司所组成的，它与欧盟合作，致力于推动欧洲大陆的智能电网建设。纳布厄斯强烈呼吁建立能够将数千个小型电厂产生的电流汇集并输送的能源互联网。

纳布厄斯意识到了欧洲能源与公共事业公司中正在发生的变化，而他们的美国同行还没有意识到这一变化。在企业内部管理人员中已经进行了许多讨论。这些公司在长达一个世纪里无法与那些依靠化石能源发电的能源巨头们相提并论。但是，新一代的企业管理者意识到了地方市政当局、各个地区、中型企业、合作社以及业主们对利用微电网自己生产可再生能源的浓厚兴趣，认为这将是一个重塑他们企业地位的好机会。他们设想为能源和公共事业公司注入新的功能，并且在他们传统的能源供应者与输送管理者的角色之外，推行这一新的商业形式。为什么不利用智能公共事业网络来更好地管理从利用化石燃料或核能的集中式电站所输出的电流，并且利用全新的智能电网的输送功能来汇集、传输来自数千微型电站的电力呢？换句话说，从电流单向管理转变为双向管理。

在新的环境下，公司将放弃一些传统的自上而下的电力输送和供给控制方式，转而成为一个拥有数以千计的小型能源生产者的不可或缺的一部分。在新的方案中，能源类的公共事业公司将变得更加重要。一个公共事业公司将会成为一名信息能源网络的管理者。它将迅速从能源销售者转变为服务提供商，利用专业技术来管理其他人所生产的能源。因此，未来的公共事业公司将与客户一道共同管理整个价值链的能源利用，就像IBM这样的信息技术公司帮助客户管理他们的信息一样。潜在的新兴商机将最终超越它们的传统业务——单纯地销售电力。

这些后起之秀们从一个不可能之处为他们的观念找到了动力源泉。2006年，欧盟负责竞争政策的专员内莉·克勒斯向能源和公共事业行业传达了令人震惊的消息。对电力市场撤销管制的决定，促使许多国有能源与公共事业巨头将它们的电网跨越国界并开始收购规模较小的公司。欧洲委员会担忧，少数能源与公共事业巨头通过垄断能源的供给与输送来控制其他公司进入该行业的途径。克勒斯向那些能源与公共事业公司宣战了。从那一刻起，企业被要求将输电网络业务从能源供应业务中分离出来，或者，简单地说，就是不允许它们同时拥有能源供给与输送能源的传输线路。克勒斯非常清楚地表达了欧洲委员会的意图，她说："所有问题中真正令人关切的，是输电基础设施与供给业务混业经营的市场结构。对所有网络行业来说，这都是令人担忧的。在这些行业中，重复建设基础设施的耗费是很大的。重要网络设施的所有者和运营者经常与那些需要进入相同网络设施的公司竞争。我们能希望那样的混业公司完全公平地对待它们的竞争者吗？它们的自身利益将不会让它们那样做。该行业的调查已经表明，新的竞争者往往缺乏进入网络的有效途径，这些网络的运营商被指控为它们的附属公司提供便利。"克勒斯用一种非常个人的口吻说："我非常欢迎推行完全的结构性分业经营（也就是说将供给与销售业务从垄断性基础设施业务中分离出来）。"

竞争政策专员的行为并非毫无目的，它是更大规模的共同行动的一部分，它希望能够为第三次工业革命中的新兴绿色分散能源提供机会。整个欧洲都流传着许多传闻，说那些能源与公共事业公司使得当地可再生能源的生产者向电网出售电力变得很困难。当面对欧盟支持发展地方可再生能源生产的法规时，能源与公共事业公司蓄意阻挠的政策失去了效果。

就欧洲而言，克勒斯说："显而易见，自由化进程的目标是保障新的公司可以进军市场并获得发展，其目的是促使企业进行竞争，从而给消费者提供更好的选择，例如，绿色能源。"

德国和法国政府很快便向克勒斯表达了它们的不满。这两个国家都是欧洲能源和公共事业巨头的大本营，比如，在德国有意昂集团和莱茵集团，在法国有法国电力公司。媒体和公众所不知道的是，在如此光鲜外表的背后是地狱之门徐徐开启，而政府的一些部门就是推手。

2006年3月，即克勒斯在议员竞选活动中公开提出分类计价时，德国第四大能源与公共事业公司巴登能源公司首席执行官克拉森邀请我去他的公司发表演讲，听众是公司员工以及与气候变化、能源安全、能源与公共事业转型有关的客户。尽管巴登能源公司是法国电力公司持股45%的公司（法国电力公司的核能产量占法国核能产量的78%），克拉森仍然选择了可再生能源的年代分布这一主题。三个月后，他邀请我去德国的海尔布隆市参观公司总部。演讲大厅里约有500名员工，当我讲完第三次工业革命的前景后，克拉森走上了台。令大多数员工感到惊讶的是，克拉森说能源市场正在改变，巴登公司也一样，因为员工们从小就被灌输了这样的观念，即化石燃料和核能源应该通过自上而下的集中模式管理。他声称，巴登公司会进入可再生能源领域的前沿，在新的分散式能源时代承担领导责任。他迅速得出结论说，虽然旧能源和商业模式还没有退出市场，但巴登公司需要给新能源和新的经营模式留出空间。

到2008年年初，欧洲的能源与公共事业公司正步履蹒跚地迈向新能源时代，包括爱尔兰的国家公路收费公司和苏格兰能源集团。甚至像大型能源集团德国意昂这样的旧模式拥护者，也在重新思考它们的未来。

2008年3月，我受意昂集团的邀请，在鹿特丹与集团主席兼首席执行官约翰内斯·泰森进行了讨论，这个马拉松式的讨论持续了两个小时。当我见到他时，他如同传统德国商业领袖的代表，一副严肃的表情，穿着传统的黑色套装。事实上，他非常热情。泰森认为，在未来几十年，欧洲需要所有的能源来满足其需求，包括化石能源、核能源，甚至可再生能源。但他并没有提及分散式能源。

在讨论的过程中，我注意到一个大约40岁的英国男士，在我说话时他一直在泰森的耳边低语。讨论结束后，他站起来自我介绍说，他叫肯顿·布拉德伯里，是意昂集团负责基础设施建设和未来战略规划的副总裁。他说，公司正在关注包括智能电网、微产能、分散式能源等在内的议题。他渴望知道更多，特别是关于能源与公共事业公司与建筑公司合作开发的智能建筑，这种建筑可以用做小型发电厂并将产生的电回输到输电网。

接下来的几个月里，我们通过邮件、电话进行沟通与交流。我也让我们对策小组的其他人与他保持联系，包括IBM公司的吉多·巴特尔斯、荷兰电工材料协会的皮尔·纳布厄斯、飞利浦的首席执行官鲁迪·普罗沃斯特。几个月后，肯顿·布拉德伯里在意昂集团董事会上介绍了一些在第三次工业革命基础设施建设中可能出现的新商业机会。

记得我曾提到过，新的一代公司高管迫切希望在不抛弃原有商业计划的前提下将公司转型为新的商业模式，这样他们就可以充当顾问，与客户一起管理能源，正如IBM公司和其他信息技术公司管理信息一样。令人关注的是，我听说意昂集团在2008年秋季陷入了严重衰退，他们曾以IBM公司的断裂性变革模式为案例，考察了向第三次工业革命模式转型时可能面临的各种问题。

IBM公司已经成为工商管理硕士课堂教学中的经典案例，它在20世纪90年代中期由一个专注销售电脑的企业成功转向以服务为主的模式。当时，IBM公司意识到，仅靠销售电脑所得利润已非常少。那时，亚洲的一些公司已经可以生产质量过硬，而价格却很低廉的同类型产品。这使IBM公司看到，仅仅依靠销售电脑产品本身必将导致收益降低。

IBM公司首席执行官路易斯·郭士纳预见到了公司内部潜在的危机，并开始着手创立一种新型的商业运作模式。为此，他做的第一步是明确IBM公司的核心竞争力为"管理流动的信息"。在弄清楚这一点后，这个20世纪技术行业的巨人开始转而向新领域发展，向那些想要更好地管理自身信息的公司出售专业咨询服务。受IBM公司的影响，相关领域的许多公司都开始在领导层设置信息主管一职。

对专注于能源效用的企业来说，"能源管理"就是这类企业的核心竞争力。然而，对于它们的客户而言，最希望从企业获得的是关于如何高效、节能地使用能源系统的建议。在当今这个竞争激烈的社会，这些企业用于能源的支出甚至要高于劳动力方面的支出，因此该行业的主题就是节约能源。

德国意昂集团和其他能源与公共事业公司怎样从以出售产品为主的模式向以提供服务为主的新商业模式转型呢（这种新商业模式的核心在于为客户提供咨询服务和创建使用更少电子的程序）？从管理学的角度来说，最困难的地方在于这样的一个过程，即旧的商业模式随着时间的流逝逐渐被淘汰，而同时企业也可以使用新的商业运作模式。因此，这对能源和公共事业公司部门新领导人的管理技能提出了更高、更严格的要求。

IBM公司在智能电网的建设方面提出了两种设想，分别是针对美国的改良型模式和针对欧洲的创新型模式。正如前面所提到的那样，IBM的初衷是要建设一种超级电网，这一想法很明显出自改良型思维，它的具体实施方案是将电网数字化从而提高其工作效率，为能源企业和公共事业公司提供及时的信息，以帮助这些企业优化其自身的运作和管理。

2007年上半年，第三次工业革命所带来的商业运作新模式深深吸引了欧盟国家以及众多的商业团体，IBM公司也开始着手对其运营模式进行调整和改革。IBM公司决定为欧盟提供分布式智能效用网络的技术支持。曾经有一位商业分析人士向我透露，由于欧盟本身是一个区域一体化组织，分散式模式更适合欧盟的进一步发展。除欧盟以外，IBM公司为美国和北美地区提供怎样的技术方案呢？答案不言而喻，是集中式超级电网系统。

迄今为止，大部分美国能源与公共事业公司对于引进第三次工业革命商业模式持保留态度。美国能源与公共事业公司游说集团的重要人物、爱迪生电力研究院的埃德·莱格对这个问题直言不讳:"我们反对缩小我们商业规模的行为。所有投资人拥有的公司都是在集中管理模式下建成的。爱迪生曾说过,你有个大型发电厂……分散式发电会使此情此景一去不复返。"

不论选择建设哪种模式的电网——美国的集中、自上而下模式,或者欧洲的分散、合作模式——都有很多重要的问题需要考虑。行业观察家预计,从 2010~2030 年,美国需要花费大约 1.5 万亿美元才能将目前的电网改造成智能电网。如果美国的这些电网是单向而非双向的,那么美国将失去参与第三次工业革命的机会,随之而来的是,美国将失去其在全球经济中的领导地位。

与运输系统相结合

最后一个支柱是运输,它是整个体系向第三次工业革命迈进所不可缺少的。建筑物转变成小型发电厂和创建能源互联网,使这些基础设施可以为插电式电动车、氢燃料电池车提供动力。插电式电动车已在 2011 年投入生产。美国政府已经投资 24 亿美元,旨在将新一代电动车推向市场,还将为电动车购买者提供 7 500 美元的税收优惠,以鼓励人们购买新型电动车。

插电式电动车正在能源与运输界掀起一场巨大的变革。几百年以来,汽车产业与石油公司保持着密切的关系,如同过去的能源与公共事业公司一样。现在这种关系正慢慢变得松弛。在过去的一年里,主要的汽车生产商和电力能源公司、公共事业公司已签署协议,将为 21 世纪的插电式运输工具创造新的基础设施。

电力公司正忙于在高速公路、停车场、车库和商场安装充电设备,以便为新型电动车提供电力。通用汽车公司正与公共事业公司合作,包括爱迪生电力研究院、纽约能源局，以及东北公共事业公司。在柏林，戴姆勒和德国第二大能源公司莱茵集团合作开发了一个项目——用于给斯玛特和梅赛德斯车在德国首都充电。丰田与法国最大的电力公司法国电力集团合作，在法国和其他国家建立充电站，服务于插电式汽车。

小型公司如航空环境公司、库伦科技公司、依考泰乐公司等已经进军电力驱动车的充电市场，通用电气公司、西门子公司、伊顿电气集团则带着自己的电力汽车充电站准备加入这场竞争。虽然这些公司建议政府对大部分需要 3 000~5 000 美元才能运营的充电站进行投资，但是，它们现在也开始紧盯潜在的有利可图的当地市场，这些公司希望未来数百万的电动车购买者也将为购买它们的充电站而支付 1 000 美元。当电动车大规模投放市场时，电力充电市场的利润预计在 2013 年将由现在的 6 900 万美元迅速上升至 13 亿美元。

据柏亚天管理咨询公司 2010 年的研究报告，到 2020 年，全球范围内与电动车相关的行业的产值将达到 3 000 亿美元，将创造 100 万个以上的就业机会；经过努力，美国汽车制造商将创造 27.5 万个就业机会。

到 2030 年，插电式电动车的充电站和氢能源燃料电动车会普及全球，将为主电网的输电、送电提供分散式的基础设施。据预测，到 2040 年，75% 的轻型汽车将由电力驱动。

当我们把插电式汽车和氢燃料汽车看做潜在的发电厂时，第三次工业革命基础设施提供的分散式电能数量将是巨大的。一般的电动车处于非行驶状态的时间大约是 96%，这时，它可以接入交互式电网，为电网回输电能。这种绿色能源为完全由电或燃料驱动的汽车提供的电能是美国全国电网电能存量的 4 倍。只需把 25% 的电能回输到电网——当电力价格居高不下时——它就可以代替全国所有的常规发电厂。

在插电式电动车和氢燃料电池车市场上，汽车公司陷入了激烈的竞争；在汽车行业内部，也有一个激烈的争论：一方支持插电式电动车，另一方认为，插电式电动车只是一种向氢燃料驱动车的过渡产品。大多数汽车公司作了两手准备，戴姆勒汽车公司就是其中之一。投资方特别看好燃料电池车的前景。让我们看看我初次听到的戴姆勒汽车公司的计划。

我曾问过默克尔总理的经济顾问基恩斯·魏德曼，总理是否愿意举办宴会，邀请德国十几家重要企业的领导者共进晚餐，讨论德国绿色能源的前景，特别是德国在世界进入第三次工业革命的过程中所扮演的角色。几个星期前，全球金融系统刚刚崩溃，因而，晚宴的气氛很压抑。傍晚时分，一位工作人员急急忙忙走进房间，在总理耳边低语了几声。她停下谈话，告诉大家美国众议院刚刚否决了布什总统的一揽子经济紧急援助计划。大家都在怀疑她刚才所说事情的真实性，我能看得出，他们在考虑美国国会的否决票对自己公司的影响。

为了缓解阴郁的气氛、激发大家的乐观情绪，默克尔总理转向戴姆勒汽车公司总裁迪特尔·泽金博士，询问他们公司未来的计划。迪特尔·泽金博士说，公司正在对汽车工业实施改革，打算在 2015 年大规模生产氢燃料电池车。根据他的说法，从内燃机车到燃料电池车的转变，将成为德国经济变革的一个极为重要的分水岭。

正如其他人的反应一样，默克尔也流露出了惊讶的表情。虽然我们知道戴姆勒汽车公司正和其他公司合作关于电力和燃料电池车的项目，但从公司总裁口中说出他们公司正向这个目标努力，这还是第一次。这正如美国人所说的：把未来带到现在。

默克尔快速地扫视了一下大家的反应，当经过我时，她短暂地停留了一下。记得我早在 2006 年就让她向德国政府提交关于氢能源研究项目的建议，她当时采纳了我的建议。迪特尔·泽金博士将世界上历史最悠久的汽车公司的未来寄希望于氢能源的决定似乎预示着，在这个曾因内燃机而发起第二次工业革命的国家，新经济时代即将开始。

在 2009 年 9 月，戴姆勒公司与其他七个行业伙伴——巴登能源集团、林德公司、奥地利石油公司、壳牌石油公司、道达尔公司、瓦腾福能源公司、国家氢能与燃料电池组织建立了一个横跨德国的燃料电池站点网络，为 2015 年大规模引入燃料电池交通工具作好市场准备。

戴姆勒的计划能否成功仍需拭目以待。不论我们选择以电驱动的方式，还是以燃料电池驱动的方式，甚或二者结合的方式，有一点是清楚的，那就是第二次工业革命的核心技术——石油驱动内燃机车已经落伍了。我们的孩子们驾驶的汽车将是清洁、无噪音、智能化的，这些汽车与扁平化、分散式、合作化的交互网络连接在一起。仅这一个事实就说明，我们正处在一个向新经济纪元过渡的时期。

可再生能源体系的创立开启了第三次工业革命的大门。这种体系由建筑装载、部分地以氢的形式储存、通过智能网络分配、由插件连接，并且是零排放。整个系统是交互式的、整体的、无缝的。这种互联性正在为跨行业关系创造新的机遇，并且在这个过程中，也服务于其他传统的第二次工业革命的商业伙伴。

要理解第三次工业革命对于我们现有经济生活方式的影响，需要考虑过去 20 年中由互联网革命导致的深刻变革。就像早期的印刷技术一样，信息和沟通的民主化也深刻地改变了全球经济的本质和社交关系。现在，我们能想象得到由于网络技术的主导，能源的民主化对于整个社会可能造成的冲击。

第三次工业革命与较贫穷的发展中国家密切相关。我们知道，世界上有40%的人生活在贫困线以下，以每天不足两美元的生活标准度日，并且，大多数家庭仍然用不上电。因为没有电，他们很多事情都不能做。一个重要的可以使他们摆脱贫困的方法就是拥有稳定且能用得起的环保电能。没有电，任何经济发展都无从谈起。作为改善世界上最贫困的人们生活的起点，能源的民主化和电力的普遍接入是必不可少的。小额贷款的扩展产生的微小力量正改变着发展中国家人们的生活，为众多穷人改善经济状况带来了希望。

我们会有一些大的飞跃吗？对于由五大支柱构成的第三次工业革命，虽然人们已经有了整体的理解，但仍有一个强大的力量在阻碍着它的正常发展。

谁来做行业先锋

这次会议从另一个侧面反映出，在这个领域没有先驱。讨论时，大家的目光集中在戴姆勒公司负责集团调研和高级工程的副总裁赫伯特·科勒身上。坐在赫伯特·科勒旁边的荷兰电工材料协会首席执行官皮尔·纳布厄斯脱口而出："我们是被引导者。"大家的目光投向主持会议的欧洲委员会主席若泽·曼努埃尔·巴罗佐，观看他的反应。他停了一下，嘴角浮起了一丝微笑，随后，会议室的气氛变得轻松起来。

科勒表达的是大家共有的挫折感。与会的都是世界主要企业的代表，他们的共同之处是他们的公司正从第二次工业革命中走出，踏上新的商业纪元的旅程；他们每个人也都是刚刚明白怎样将个人的追求融入更大的经济发展图景中去。他们都想壮大自己，深刻地意识到了确保快速进入市场的重要性。

2006年12月6日，我就请巴罗佐召集这个会议。我建议说，就如何使欧盟成为世界上最可持续发展的经济体，同时也是最成功的发展模式而言，召集欧美这些主要企业的领导者开会，听听他们的想法是非常有益的。

巴罗佐的议程非常复杂。在他的领导下，欧盟正为在 2020 年之前实现 20–20–20 模式而作准备。在应对气候变化方面，这个方案将使世界上的主要经济体欧盟远远领先于其他国家。该方案要求：在 2020 年之前，温室气体在 1990 年的基础上减排 20%；在同一年实现能源效率提高 20%；同样也是在 2020 年，要实现可再生能源的利用增加 20%。实现这一目标需要欧盟 27 个成员国的共同努力。德国总理默克尔随后将召集其他欧盟成员为这一远大的目标而努力。

欧盟也负有履行里斯本议程的责任——里斯本议程是 2002 年 3 月由欧盟各国首脑在里斯本达成的协议，其目标是把欧盟建设成为世界上最有竞争力的经济体。欧盟曾一度领导世界经济。正如先前所提到的，欧盟 27 个成员国的国内生产总值高于美国，而且现在欧盟的国内生产总值也高于美国。可是，仍然有一种担心，认为欧盟可能会在不远的将来落后于美国，甚至落后于正在觉醒的亚洲巨人中国和印度。

欧盟把自己定位为世界上最可持续发展的经济体。但它能在完成气候变化指标的同时实现经济增长吗？不仅在成员国内，而且在欧盟委员会内，这个似乎自相矛盾的方案正面临着持续的压力。

与会者将要告诉巴罗佐"是的，我们能"，而这又与"没有行业先驱"相矛盾。这种状况改变了会议的走向。

由戈特利布·戴姆勒和卡尔·本茨创建的戴姆勒公司，曾首先成功地把内燃机技术运用到汽车上，现在则要通过首先进行大规模生产的氢能源汽车来再次引领汽车制造行业。戴姆勒公司在几年间已经有效地测试了燃料电池车，在研发方面保持着领先地位。事实上，戴姆勒公司的氢气动力客车（其他公司也有）已经作为欧洲清洁交通项目的一部分在汉堡、阿姆斯特丹、伦敦、柏林、马德里及其他一些城市投入运营。这个项目由欧盟首先发起，旨在用只消耗纯净水和热能的零排放的交通工具来代替燃油驱动的交通工具。

像与会的其他公司一样，戴姆勒公司的难题也是推广。整个欧洲清洁交通项目的客车目前的订单只有47辆，订单数量少导致每辆车的生产成本高达100万欧元。如同在欧洲和其他国家——包括美国、日本、中国推广的项目一样，欧洲清洁交通项目是一个先行者。政府推崇这样有吸引力的项目，是因为政府不需要花很多钱就能够确保市场规模。事实上，赫伯特·科勒要表达的意思是：到了决定是全力以赴还是索性放弃的时候了。他意识到，唯一可以有效推动这场交通业革命进入消费者市场的方法就是首先让政府大量采购，把一笔相当可观的公共资金用于为公众大量购买这种交通工具。早期的由政府领导的大规模采购不仅能降低生产成本，也可以为进入一个更大的市场创造足够的优势。40辆客车是不能够改变什么的。

与会的其他人都有类似的故事可以分享。他们对是不是先驱不感兴趣，他们都急于发起一场经济革命，但在现实中却都遇到了难题，甚至是绝望——他们突破性的技术和产品可能在几十年中乃至永远无人问津。

筒仓效应

另一个与此相关的问题是，欧盟是否打算解决气候变化问题和确保能源安全，同时，把欧盟建成21世纪世界一流的可持续发展经济体。欧洲委员会建立了一些部门和机构来鼓励发挥筒仓的积极效应，即项目与工程自主、独立，与其他部门和机构的工作完全隔离。这个现象并非布鲁塞尔独有。事实上，这在世界各国的政府都很常见。由于筒仓思维没能在各部门和机构间发挥其积极性，政府降低了寻找协同优势和制订整体计划提高社会总体福利的预期。筒仓思维不可避免地导致先行项目的孤立。

巴罗佐和欧盟委员会的委员们意识到了这一问题，现在正努力促进各机构间的联合。这在贪恋权力、明哲保身的官僚体制中是一项很困难的工作。这也会导致我所说的"总干事困境"——在一些部长级或国家元首批准的重要计划往下级部门传达的时候，其重要性、分量会变得越来越小，视野、范围都变得越来越狭窄，最终，它们陷入无数的诸如报告、研究和评估等琐事中。

我们和巴罗佐共同赴会，准备讨论怎样保持领先和如何解决筒仓效应的问题。其中，有几位成员积极地参与了欧盟科技建设平台的工作。这个平台是欧盟正式的关于公共/私人部门的研究倡议，它由主要企业和关键部门的代表组成，它的任务是推荐新项目，促进欧洲经济的发展。

克劳德·朗格莱是法国建筑业巨头布依格公司的工程师，也是欧洲建设纲领的主要参与成员之一。如先前提到的，皮尔·纳布厄斯是荷兰电工材料协会的首席执行官，也是欧洲智能电网和由信息技术和能源与公共事业公司组成的欧盟科技平台的现任主席。他们两位都向巴罗佐指出，虽然欧洲36个技术平台间可能会有很多潜在的合作，但现在它们之间鲜有交流。我们只保留了36个平台中的13个。因为每个科技平台的使命对于彼此的成功都非常重要，所以，如果我们想设置综合性方案以引导第三次工业革命，这些平台就需要进行整合。其中包括建设技术平台、智能电网平台、各种可再生能源平台、氢能和燃料电池平台、欧洲公路与铁路交通平台和可持续化学平台。综合起来看，这些平台代表了科技、工业和新兴的第三次工业革命基础设施建设的某些部门。巴罗佐回应说："进行整合吧，促进它们间的相互交流，然后，我们看看情况会怎样。"于是，我们立刻行动起来。2007年春天，我们召开了几次会议，就这13个平台间可能存在的合作进行讨论。

巴罗佐正尝试着将它们联合起来。但是，欧盟及各国政府并不重视绿色试行项目，深陷筒仓困境，并且毫无突破，其中有一个更深层的原因：他们并不清楚"突破"意味着什么。绿色试行项目之所以无法推行是因为缺少一个令人信服的构想，这个构想将向人们讲述新经济革命的情况，并解释这些看似毫无关联的科技和商业模式是怎样融入更大规模的战略中去的。与会的商业领袖展望了更广阔的发展前景，他们希望能够说服巴罗佐，抓住机遇，带领世界最大的经济体欧盟向第三次工业革命进发。

在同年的早些时候，向第三次工业革命进发的基础就已经打好了。要使欧盟进行如此规模的变革——改变欧洲大陆经济的产业结构，开创新经济时代，就必须依靠德国这一欧洲经济引擎的支持。在默克尔担任德国总理之后的几个月内，她就邀请我去柏林与一位德国顶尖的经济学家针对如何增加就业、如何促进21世纪德国经济的繁荣等问题进行讨论。我以询问默克尔总理问题切入阐述自己的看法，我问的问题是："在一个严重依赖能源的时代，面对以能源为基础的工业革命，你会怎样发展德国经济、欧盟经济，或者进一步讲，发展全球经济？"（在世界石油市场上，油价已经不断上涨，2008年7月，油价突破每桶147美元。）接下来，我描绘了第三次工业革命的前景，并表达了我对德国将在新经济时代引领潮流的坚定信念。

在正式的讨论之后，我们休息了一下，然后进行了非正式的讨论。我知道，默克尔总理之前曾任科尔总理时期政府的环境部长，而且她是一位专业的物理学家。她完全明白分散式、合作性的第三次工业革命的科技内涵，同时她也意识到了背后巨大的商业机遇。默克尔总理对德国在其中扮演的角色尤其感兴趣，我问她个中缘由，本以为她是出于经济考量，希望当时出口额位居第一的德国引领变革，继续在全球经济中占据领导地位。但她却将话题从经济转移到政治上来。她说道："杰里米，你还是需要多了解一些德国的历史和政治。我们是一个联邦国家，所有的政治事务都是由地区推动的，联邦政府只是一个媒介。我们的职责就是寻求一致并促进区域间合作以推动国家向前发展。第三次工业革命的分散式和合作性的性质，恰好符合德国政治的特点。"

总理的热情是变革的重要因素，尤其因为我之前提到过的，默克尔将会在 2007 年 1 月担任为期 6 个月的欧洲理事会轮值主席。在她作为主席期间，欧盟成员国的首脑必须就解决能源安全问题和全球气候变暖问题达成具有约束力的协定。

我有必要说明，当时默克尔政府的执政联盟伙伴是社会民主党，他们同样对第三次工业革命怀有很高的热情，并且将在欧盟委员会提出的 20-20-20 标准能否在欧洲理事会上通过一事上起到很大作用。设定改善气候变暖目标时，德国社会民主党的环境部长西格马尔·加布里尔在促成其他 26 国的环境部长达成一致上尤其活跃。德国外交部长施泰因迈尔将确保欧盟成员国的外交部长也认同既定的改善气候变暖的标准。尽管绿党不是政府合作的一部分，但该党在德国政治中扮演先知性的角色已逾 20 年。它警告环境变暖带来的危害，提出向后碳时代转变，发展可再生能源的必要性。以目前德国政治的发展来看，在默克尔作为欧洲理事会主席期间，各方都支持促成 20-20-20 协定并推动欧盟成为全球实现新型可持续发展的经济和环境日程的主导力量。

欧洲议会认可第三次工业革命

默克尔任期内的欧洲理事会关注的重点是气候变化和能源自立问题，另外，为了实现 20–20–20 协定，应该采取何种经济措施也是他们思考的问题之一。21 世纪绿色经济在欧洲的前景在布鲁塞尔政治走廊和成员国内广泛传播。

我们中的一些人在布鲁塞尔举办了一系列战略研讨会。这些会议旨在将欧洲议会的目光吸引到第三次工业革命上去，并为欧盟制定应对策略。乔·雷诺是欧洲社会党的领袖，也是议会中最受尊敬的资深成员，当时还是宪法事务委员会的主席，由他起草宣言。议会中热衷于气候变化问题的核心人物、绿党领袖克劳德·图尔梅斯，以及代表布鲁塞尔的经验丰富的政治家安吉洛·孔索利也参与了宣言起草。一旦正式的宣言在议会通过，就将由欧盟立法机构制订欧洲长期的第三次工业革命经济稳定计划。

起草的宣言很难在欧洲议会获得通过，只有少数几个通过了。根据欧洲议会的规定和程序，我们只有三个月的时间争取必要的多数支持（起草的宣言必须在 90 天内获得通过）。我们小组决定重点寻求党派领袖和主要议会委员会主席的支持，这在充满错综复杂的利益纷争和难以应对的政治联盟的立法部门是非常不容易的。为了确保获得足够的票数，雷诺召集了五位声誉很高的议员，其中有欧洲人民党的安德斯·维克曼、自由党的维托里奥·普罗迪、社会党的齐塔·古尔毛伊、绿党的克劳德·图尔梅斯、左翼党派的翁贝托·圭多尼。他们分别代表了议会中的五个集团。由于大家不辞劳苦的工作——特别要提到孔索利先生所付出的努力，我们才能获得欧洲议会主席汉斯格特·珀特林的认可。同时，我们还获得了一些重要委员会主席的支持，其中包括来自具有影响力的工业研究及能源委员会的安格利卡·妮布勒尔、环境委员会的主席卡尔海因茨·弗洛伦兹、气候变化委员会的吉多·萨科尼等人的支持。2007 年 5 月，欧洲议会通过了一项正式宣言，该宣言将进行第三次工业革命的任务交付给了欧盟 27 国的立法部门。议会对新经济愿景的强烈支持向世界其他地区传递了一个清晰的信号——欧洲已经走上了新经济之路。

在德国即将卸任欧洲理事会主席的最后几周内，德国政府让我在埃森市向 27 国的环境部长作重要演讲，向他们展示配合 20–20–20 标准一起执行的第三次工业革命经济战略。我告诉部长们，欧盟需要的不是遏制气候变化计划或能源计划，只有可持续的经济发展计划才能带领欧洲，期望更高一些的话，带领世界在 2050 年达到零碳排放，进入后碳时代。只有这样，我们才能成功应对全球气候变化和能源安全问题的严峻挑战。许多环境部长已经意识到这一点，只有少数几个仍然拘泥于纯粹的环保政策，几乎没有认识到由此可以扩大经济主动权。

新经济系统的五大支柱

上面所列五个支柱组成了新经济系统的基础，这一系统将把我们带向绿色环保的未来。

以下五点应列入清单之中：变燃烧碳基化石燃料的结构为使用可再生新能源的结构；重新认识构成世界的一砖一瓦，将每一处建筑转变成能就地收集可再生能源的迷你能量采集器；将氢和其他可储存能源储存在建筑里，利用社会全部的基础设施来储藏间歇性可再生能源，并保证有持久可依赖的环保能源供应；利用网络通信科技把电网转变为智能通用网络，从而让上百万的人可以把周围建筑产生的电能输送到电网中去，在开放的环境中实现与他人的资源共享，其工作原理就像信息在网络上产生和传播一样；改变由汽车、公交车、卡车、火车等构成的全球运输模式，使之成为由插电式和燃料电池型以可再生能源为动力的运输工具构成的交通运输网。在全国和州际建立充电站，人们可以在充电站买卖电能。

把这五部分结合在一起就组成了一个不可分割的科技平台。这个平台是一个应急系统，它的价值和功能和其中的组成部分截然不同，换句话说，这五部分之间的协同作用树立了一个新经济的范例，它可以改变整个世界。

在第三次工业革命的变革中，欧洲比美国、日本、中国及其他国家走得更远，但我仍然不希望让大家认为德国正全速前进。事实正与之相反，它还处在起步阶段，商业圈、公民社会和政治走廊逐渐对欧洲的新道路产生兴趣，但并不是每个人都准备好或已经踏上了征途。不过至少人们已经有了意向，变革正在酝酿，尽管谁都不能保证欧盟将会坚定方向，很可能变革最终不能推行或是退回原点。如果那样的话，我就不能确定哪个国家将会站在机遇之门前，带领世界进入新纪元。

人类的发展停滞是可以避免的，历史上有很多强大的国家顷刻崩塌、前途光明的社会实验遭遇失败、美好的愿景最终破灭的事例，但这次有所不同。我们面临着更大的风险，人类面临着前所未有的外部灭绝的危险，这种事情是半个世纪前人类从未想过的。

大规模摧毁性武器的扩散同迫近的气候危机一起推动事态向更严重的方向发展，这并非由于我们所知的人类文明的衰亡，而是因为人类物种的灭亡。

第三次工业革命不是可以铲除社会病毒的灵丹妙药，也不是能带我们进入极乐世界的鸦片，它不是一个虚无的概念，它是一个可能带领我们进入可持续发展的后碳时代的实用经济计划。除此之外，我至今还未找到其他可供我们选择的方案。

第三章

世界大趋势：第三次工业革命从理论到实践

2008 年 9 月是有记录以来的第十二个比较炎热的夏天。气候学家记录下高温值，并警告说这是全球进入一个新阶段的又一个预兆。这里实时的气候变化比科学家预期的早了一个多世纪。

天气并不是唯一一个升温的事件。7 月，石油价格达到了每桶 147 美元的峰值，恐惧蔓延到全球，购买力随之下降。60 天之后，在次贷市场坏账影响下惨遭损失的美国银行业冻结了贷款，使得华尔街陷入了停顿状态。

全球经济何去何从充满了不确定性。我们还有未来吗？在这个时候，大家都不约而同地认识到，这一次的情况与之前不同。权威评论员和政治领导人开始使用经济萧条来形容这次危机。尽管并没有出现商业大亨们跳楼的情况，但是股票市场一直在下挫，不禁让人想起 20 世纪 30 年代失业者沦落街头靠卖苹果糊口的情形。

但是，当他们说"这次不同"时又是什么意思呢？银行家和政府官员们愿意花费两年多的时间来讨论危机的性质这样无关紧要的问题，却不愿意或没能力透过表面现象找到事情本质所在。如果他们找到了事情的本质，他们将会看到真实的第二次工业革命。如今，虽然人们能够接受谈论"太大而不能倒"的金融机构，甚至成了一种时尚，但是，要指责整个经济时代的错误，这个话题实在太大，一旦讨论开来，后果不堪设想，因此这类讨论也被无限期地搁置了。

我经常接触的许多全球性公司和政界人士并不愿承认第二次工业革命行将结束，相反，他们认可传统的看法，认为是由于管理、货币或财政政策的失败导致了如今令人失望的时代。尽管如此，他们感觉 20 世纪以来我们赖以生存的工业化生活方式的顶峰已经过去，正在显示出衰老和走下坡路的迹象。更为重要的是，他们每个人都在极力推动一种新的，甚至激进的经济观点，即假如把这些政策以恰当的方式组合起来，那将会是革命性的。

第三次工业革命的引领者

我联系过马克·卡索，他是华盛顿建筑行业圆桌会议的主席，对华盛顿的情况了解得比较多。建筑行业圆桌会议是由美国建筑行业的 100 位首席执行官组成的一个小型的精英同业公会。早在 2007 年 10 月，马克就邀请我去开曼群岛在该组织的年会上发表演说。当时，美国正在风传欧盟开始了第三次工业革命，马克认为他的成员对于重组全球建筑行业，将数百万栋建筑转化为小型发电厂来现场收集再生能源将会很感兴趣。许多美国公司正在考虑采取与欧洲同行相同的道路，并要亲身体验一下。我和马克约定要保持联络。

令我感到吃惊的是，第二年，我又被邀请参与讨论。这次会议过后，我们开始讨论是否有可能把与我的研究所合作的相关领域的其他公司和建筑公司联合起来。然而，直到2008年夏天，随着房地产市场的下跌，能源价格达到了最高值，金融市场处于敏感期，对于我来说这可能是一个合适的时间，可以以此为契机把很多萧条的公司（这些公司涉及第三次工业革命的五大支柱中的一个或者多个）联合起来，面对面地讨论我们是否有可能组合成一个集团来对第三次工业革命进行展望，并制订一个针对欧洲、美国和世界的计划。马克同意把他的行业工会进行合并。

10月24日，来自全球80个公司和行业协会的首席执行官和高管们聚集在华盛顿市中心城市俱乐部会议室，开了一天的会议。我们迅速地作好了前期准备，让大家围成一圈，这样方便大家进行自我介绍，同时要求大家谈谈他们的公司或者行业协会为什么来参会，以及他们想得到什么样的结果。自我介绍结束时，我们已达成了一个非正式的共识。

经济危机为推进第三次工业革命提供了机会。我们的个人努力并不会迅速形成规模，因为我们的努力建立在第二次工业革命的基础上，这不利于人们释放全部的潜能。我们不能单干。第三次工业革命的五大支柱组成的基础设施给我们提供了一个新的经济前景。组合成一个整体是关键，但结果会怎样呢？我们并不确定。我们同意称自己为第三次工业革命全球首席执行官圆桌组织，并且寻求和政府对话，共同推进一种新的经济模式。

12月，首席执行官圆桌会议的一个代表团和京特·费尔霍伊根进行了会谈，京特·费尔霍伊根是欧洲委员会副主席和企业与工业部专员。我们的代表团由一些重要的人物组成，包括全球最大的光电子公司Q-Cells的首席执行官安东·米尔纳、世界第一大建筑公司西图的董事长拉尔夫·彼得森，以及世界上主流的可再生能源公司安迅能能源公司的董事长卡门·贝塞里尔。

当巴罗佐的欧盟委员会提出气候变化议案时，京特·费尔霍伊根一直抱有怀疑态度。并不是因为他不相信全球变暖对地球构成了切切实实的威胁，相反，他对此深信不疑。但是他警告欧盟必须制定出一种针对全球变暖的方法来推进商业发展和减缓全球变暖，并且不能向任何目标妥协。京特·费尔霍伊根和我在过去几年曾共同出席过几个公共论坛，私下也会偶尔见面。他对以五大支柱为基础的发展战略既能够保持欧盟内部经济活跃，又能够保持欧盟全球竞争力很感兴趣。在我们的全球首席执行官圆桌组织的代表举办的正式午餐会和记者招待会上，他公开宣称他对第三次工业革命的支持。我们同意我们的研究小组可以就第三次工业革命的发展策略提出建议，并跟欧洲委员会进行协商。我们在国际舞台的第一次试验是成功的，这有助于坚定我们团队的信心。

但是，除了能把公众的注意力吸引到第三次工业革命的优点上外，我们脑海里仍然没有一个清晰的规划，我们需要一个令人信服的发展规划。我们后来终于找到了突破口，奇怪的是，不是在欧洲，而是在美国得克萨斯州的圣安东尼奥市。这是美国的第七大城市。

我刚刚在得克萨斯达拉斯举办的美国抵押贷款银行家协会会议上作了一个演讲。那时是 2008 年 3 月，房地产市场处于低迷状态，听众都是些在美国经营抵押贷款业务的人。当我说到一些关于第二次工业革命恶化的负面消息时，气氛是很压抑的。当我说到可以把住房和商业地产转为商住两用——住房也可以成为发电厂时，我希望他们的精神能振作起来。我告诉这些与会的人，把现存建筑改造成微型电厂将会振兴工业，创造出建筑业的春天，并且在接下来的 20 年促进房地产股票的升值。

然而，在金融危机如同海啸一般肆虐抵押贷款产业时，大多数与会代表们所思所想的可能只是如何保住自己的饭碗以及如何防止他们的公司倒闭。我走下讲台的时候，心里还存着一丝希望，希望我已经播下了一些种子，以后可能会生根发芽。但实际情况是：他们听完我的报告后，心情非常沉重，甚至难以承受。

演讲结束后，我正在同几位重要的嘉宾交谈，突然一位女士走到我的面前，向我介绍她自己。她的名字是奥萝拉·盖斯，她是 CPS 能源公司的主席。CPS 能源公司是圣安东尼奥市的一家市政电力和天然气公共事业公司。她说第三次工业革命的前景和欧洲的产业动态给了她很大的启发，问我是否能够在她们公司将于 6 月份举行的年度董事会上就这一议题发表演讲。我欣然接受。

参加 6 月份董事会年度例会的有 CPS 公司的高级管理人员，也有市政府的官员，有商界代表，也有民间社团的负责人。圣安东尼奥市已经充分作好了进行第三次工业革命的准备。该市市长菲尔·哈德伯格已经制定了一个宏伟的目标，使圣安东尼奥市成为得克萨斯州最好的绿色城市，圣安东尼奥市的定位是在实现可持续的低碳发展道路上成为一个全国领先的城市。盖斯希望我同市领导者们的会谈能够为绿色发展议程赢得更多的支持。

这次演讲受到了热烈欢迎，但我还是能够感觉到一丝不情愿的味道。毕竟，提出美好的愿景是一回事，而推动 CPS 公司以及整个圣安东尼奥市开始第三次工业革命又是另外一回事，尤其是因为美国国内从来没有人尝试过这方面的工作。我和奥萝拉·盖斯在她最喜欢的一家兼具美国风格和墨西哥风格的餐馆坐下来，品尝玛格丽特鸡尾酒。我对她说："奥萝拉，我有个想法。请让我给你描述一下第三次工业革命未来的前景。第三次工业革命已经开始了。请告诉你的董事会成员，让他们收拾好包裹，准备好护照，并作好安排，乘飞机前往西班牙，我在欧洲的同事安吉洛·孔索利会陪同你们在西班牙国内进行考察。你们会见到一些在第三次工业革命中走在前头的公司的高管，考察一流的太阳能和风能设施、参观零排放的建筑物和代表第三次工业革命的技术园区。"对于我的提议，她考虑了几天。经过与董事会成员的磋商之后，她表示了同意。

2008 年 11 月，我们前往西班牙考察，但这次考察绝非轻松的度假之旅。孔索利安排 CPS 的董事会成员每天考察 14 个小时。他们同西班牙的科学家、工程师、企业家、市政官员和社区团体举行了洽谈。这次西班牙之行接近尾声的时候，虽然董事们都十分疲惫，但重要的是，他们的思想观念得到了转变，这次考察堪称转变之旅。他们似乎能够看到和触摸到未来。

过了几个星期，我的研究所同 CPS 公司以及圣安东尼奥市政厅签署了一份咨询合同，为该市制定一份总体规划，以期将其转变成北美大陆上首个发展后碳经济的城市。

为世界制定总体规划

2009 年 4 月，我们在圣安东尼奥市设立了第一个工作室，筹备制定总体规划的事务。我们的团队都是由高水平的专家组成的，这些专家来自世界各地在第三次工业革命中走在前列的公司，比如 IBM 公司、飞利浦公司、施耐德公司、通用电气、美国西图公司、德国西门子、德国 Q-Cells 公司、加拿大水吉能公司、荷兰电工材料协会等。我们的全球政策制定小组的专家包括艾伦·劳埃德，他是加利福尼亚州环境保护局的前局长，现任国际清洁运输理事会理事长，还有通用汽车公司氢动力汽车研发项目的前主任拜伦·麦考密克。此外，我们的工作团队还包括全球知名的绿色产业设计公司和城市规划公司，比如意大利的博埃里工作室、西班牙的安迅能以及云九工作室。坐在桌子另一端的是一组同样备受尊重的专家，包括工程师、市政府各部门的负责人以及市长办公室的代表和CPS能源公司的管理团队。

我们的第三次工业革命全球首席执行官圆桌会议已经确定了自己的使命。在接下来的12个月里，我们的政策团队将会为摩纳哥亲王阿尔伯特二世和摩纳哥公国制定总体规划，为罗马市市长阿雷马诺以及这个城市制定总体规划，为荷兰乌特勒支省的省长沃特·德琼以及该省制定总体规划。这三份总体规划在我们的网站上都可以看到。

我想向你介绍一下我们已经做过的事情以及我们学到的经验，但是在此之前有必要先作个说明。这些总体规划都是正在制定过程中，而且都是处在不断的探索之中。我们目前共有四个绿色经济发展方案。但是我们每天依然在学习新的思想，同新的人士进行联系，不断思考过去的方案是否正确合理，并不断反思我们的预定目标。制定总体规划事宜的负责人尼古拉·伊斯利经常说，负责制定总体规划事务就像是在坐过山车一般，虽然旅途中充满了刺激和惊喜，但是也需要你在这个过程中不断地进行思想上的重新定位。作规划的目的是为新的经济时代创造基础设施以及一个容易操作的体系，与此同时还需要牢记一些金融方面的事务，比如制定可靠的投资回报时间表。伊斯利经常每天工作16个小时，一遍遍地研究我们的全球工作团队以及与我们合作的政治机构提供的大量数据和报告，目的就是找出可行的途径来落实工作计划。因此，实际情况是，我们所有人都处于一个巨大的课堂里，我们在前行的道路上不断相互学习、相互借鉴。

第三次工业革命的总体规划是基于生存空间的新的革命性理念。我曾经在前面提到，当能源机制和新的通信媒介并存的时候，空间导向就发生了根本性的改变，德国心理学家们称之为格式塔转换。第一次工业革命催生了大量垂直的、高耸入云的高楼大厦，而第二次工业革命催生了分散的郊区的发展，这种发展是线性的外延式发展。

第三次工业革命催生的结果却是截然不同的。我们的团队正在制定总体规划，以期将现有的城市和郊区空间纳入封闭的生物空间内。我们想象存在数以千计的生物地区，每个这样的地区都是一个点，而得益于第三次工业革命催生的能源、通信和运输系统，这些点被连接成一个网络，覆盖多个大陆。

我们几乎没有什么选择。如果我们不采取行动的话，现有的城市和郊区发展模式将会在 21 世纪下半叶继续存在。但是第一次工业革命和第二次工业革命催生的基础设施正在吞噬着大量的化石能源，向大气层中排放着大量的二氧化碳。在美国，楼房消耗了将近 50.1% 的能源以及 74.5% 的电力，由此排放的温室气体占美国温室气体排放总量的 49.1%。

2007 年，我们充分了解了人类居住地问题的严重程度。那年标志着人类历史上的一个重要的里程碑。联合国有史以来首次发布了《世界城市状态报告（2008~2009）》。根据这份报告提供的信息，大多数的人类都生活在城市中，而且很多是在人口超过 1 000 万的超级大城市及其郊区。我们已经变成了"城市人类"。

几百万人聚集在一起，以垂直的方式层层叠加在巨大的城市或郊区楼房里，这还是一个新现象。500 年前，地球上的每个人在一生中平均会遇到 1 000 个人。今天，对于纽约市的居民而言，在他家或者他在曼哈顿市中心的办公室周围 10 分钟车程的半径范围之内都会遇到 22 万人。在 19 世纪以前的人类历史上，只有一个古代城市，即古罗马，拥有超过 100 万的人口。1820 年，伦敦成为第一个人口超过 100 万的近代城市。截至 1900 年，有 11 个城市的人口超过 100 万；截至 1950 年，这样的城市增加到了 75 个；到 1976 年，人口超过 100 万的城市达到了 191 个。目前，人口超过 100 万乃至更多的城市已经超过 483 个，而且这种增长势头似乎看不到头，因为世界人口的增幅是非常惊人的。目前，地球上每个月出生的婴儿多达 36.4 万。

当人类简单地依靠太阳能、风能、水能以及畜力和人力来维持生活的时候，人口规模相对较小。后来，人类开始大规模挖掘深埋于地表之下的资源，先是煤矿，然后是石油和天然气。蒸汽机和内燃机使用的化石燃料被用来发电，这些电力通过电线输送出去，使得人类能够发明其他新技术，这些技术大幅提高了食物产量以及商品和服务的生产量。生产率的提高导致世界人口空前增长，城市化进程空前加快。

然而，对于人类居住方式发生的这种深刻变化，我们是应该弹冠相庆，还是应该扼腕叹息呢？谁都无法给出确定的答案。因为人口不断增长和城市生活方式出现深刻转变的代价就是地球生态系统的退化。

令人难以置信的是，我们人类在地球的生物量中所占的比例只有 0.5%，但是我们所消耗的资源却占净初级生产量的 31%。所谓净初级生产量是指由植物群落的总生产量扣除植物器官呼吸消耗后的剩余量。即一定时间内，以植物组织或其贮藏物质表现出来的蓄积的有机物质数量。预计到本世纪中叶，全球人口数量将从 70 亿增长到 90 多亿，地球生态系统所承受的压力可能会对各个物种的生存造成毁灭性的后果。

在当前的世界中，城市化进程不断加快，我们建造了上百层高的办公大楼，建造了高耸入云的居民楼，大片大片的土地被向外扩展的郊区所侵占。城市化过程也带来了很多后果。当我们庆祝世界的城市化之际，我们正在迈向另外一个历史时刻，在这个时刻，原生态地区逐渐消失。人口激增、粮食、水和建筑材料消耗量增加、道路运输和铁路运输增加、城市及郊区扩张等因素继续侵蚀着剩下的原生态地区，使生活在那里的物种接近灭绝。

我们的科学家告诉我们，在当前这些孩子的有生之年，"原生态地区"可能会从地球表面上彻底消失。茫无涯际的亚马孙热带雨林是地球上最后一片原生态地区，而横亘其中的亚马孙公路却导致这里的物种加速灭绝。其他的原生态地区，包括婆罗洲和刚果盆地等地区，也是每天都在减少，为那些寻找生存空间和资源的人们让位。

当人口规模超出了城市的负载能力时就会产生严重的后果，在这方面，古罗马人给我们提供了一个惨痛的教训。在罗马统治开始的时候，意大利是一个森林茂密的地方，这是很难想象的。然而，几个世纪之后，大片的森林被砍伐以获取木材，大片的土地被用来种植庄稼，大片的草原被用来牧牛，而森林的毁灭导致地表裸露，饱受风化和水浸，珍贵的地表土壤也被消耗掉了。

在同一个时间段，罗马人为了保证富人奢侈的生活方式，为了给他们的奴隶和士兵提供食物和衣服，对整个地中海地区的农业土地的依赖性越来越大。在罗马帝国统治的晚期，农业收入占政府收入的90%，罗马帝国停止了征服新领地的步伐，转而加大对农业用地的开发力度。有些土地的肥力原本就已经耗尽了，罗马帝国的统治者们为了确保政府能够拥有源源不断的收入，却依然过度开发这些土地，结果进一步导致土地的贫瘠。截至公元3世纪，北非地区以及地中海地区的土壤耗竭导致该国的人口急剧减少，大片农业用地变为荒地。

农业收入的流失削弱了罗马中央政府，并降低了整个帝国的服务水平。道路和基础设施年久失修。曾经强大的罗马军队，当时军装破败，装备很差，用于寻找食物的时间比用来保护帝国的时间还要多。士兵纷纷逃离军队，使得罗马帝国很容易遭受偏远地区部落的入侵。截至公元6世纪，入侵者兵临城下。曾经统治过大部分已知世界的罗马帝国分崩离析了。罗马城在高峰时期的人口数量超过100万，此时却已变成一片残垣断壁，人口不足10万。在让这个帝国屈服的能力上，大自然这位母亲比外来敌人更加强大。

现在，请设想一下40年之后存在1 000个罗马城，而每个罗马城的人口都达到100万乃至更多，那将会是什么样子呢？当然，这种情况难以维持。我不是想跟大家唱反调，而是当我们在2007年纪念人类城市化进程之际，我们也许错过了一个反思人类生活方式的机遇。当然，城市的生活方式肯定会赢得很多人的赞赏，在城市生活中，丰富的文化多样性、社会交往和密集的商业活动是广为人知的。但这是一个规模问题。我们需要考虑如何最有效地降低我们的人口和创造可持续的城市环境，从而更加高效地利用能源和资源，减少污染，培养良好的人类生活方式。

在城市化深入发展和郊区横向扩展的伟大时代，我们离自然界的距离越来越远，因为我们认为我们能够征服、改造和利用地球的丰富资源而不会对后代造成不利影响。在下一个人类历史阶段，如果我们想要人类继续繁衍下去，想要为其他物种留一片生存空间，我们需要找到一种让自身同其他生物和谐相处的方式。

基于这个目标，我们的总体规划建立了一个拥有五大支柱的第三次工业革命基础设施，将现有的生活空间、工作空间和娱乐空间同我们所属的生物圈的其他部分融合起来。

罗马的生物圈

在展示新的生物圈概念上，有哪一个城市比罗马做得更好呢？当罗马市长乔瓦尼·阿莱马诺邀请我们制订一个 40 年期的总体计划以将西方文明中第一个伟大的城市转变成体现第三次工业革命的城市时，我们毫不犹豫地抓住了这次机遇。

如果将罗马城的概念加以延伸，使其超越古代的城墙，进而包含整个生物圈的话，将意味着什么呢？所谓的生物圈是指从海平面以下 40 英里处到平流层之间的生态区，在这个生态区内，地球的生物化学作用与生物系统保持互动，以创造合适的环境使地球生命得以延续下去。地球生物圈复杂的反馈回路，像一个内部的中枢神经系统一样，保证整个系统的正常运转。

我们越来越认识到，地球生物圈就像是一个各部分不可分割的有机统一体，这种认识要求我们反思人类所走过的历程的意义。如果人类与其他形式的生命有力地交织在一起，形成共生共存的复杂关系，那么我们都依赖于整个有机体，并对其健康负责。履行这种责任就意味着我们在各自社区生活的过程中都要努力促进更大的生物圈的总体健康。

第三次工业革命的经济发展计划将把罗马地区改造成一个综合的社会空间、经济空间和政治空间，将其嵌入到一个资源共享的生物圈之中。罗马生物圈是由三个同心圆组成的。内圈包括具有历史意义的核心区和居民区。市中心有许多开放的工业区和商业圈。工业区和商业圈之外，土地变得更加开放，形成农村地区，围绕着大都市。这种生物圈模型注重不同区域之间的连接性，将周围的农业地区同商业区以及历史核心区和住宅区恰到好处地连接起来，当地居民可以利用可再生能源发电，然后通过便捷的电网输送到各个地区。市中心将进行整修，以保证空间的开放性和道路的畅通无阻，从而使行人重新享受街道的便利和历史建筑的韵味。并且将分阶段改善公共交通，修建自行车道和步行街以推动这种转变。

罗马政府关心的首要问题是如何在古老的城市心脏地带提高市内人口密度和维持人们的社区归属感。不幸的是，由于缺乏现代房屋，交通拥堵以及空气污染严重，目前的趋势是市中心的人口不断减少，郊区村落的人口日益膨胀。虽然罗马市中心的居民住房短缺，但是办公用房却很多。因此，我们的城市建设规划小组建议罗马效仿纽约和芝加哥，利用符合古罗马建筑特色的建筑技术，将市中心废弃不用的办公用房改建为住宅区。这个计划要求保留具有特色的历史建筑，同时将这些历史建筑的内部空间改造成为公共空间，就像古代罗马的别墅一样。

罗马城的绿化计划还包括在历史核心区修建数千个小型花园。慢餐运动的发起人卡洛·彼得里尼甚至同罗马市长阿莱马诺一道，共同发起了一个项目，即在罗马的校园里建造花园，然后由罗马学生负责管理这些花园。

修葺一新的居住区为主的市中心周围是绿化良好的工商业区，这是罗马经济的核心区。我们计划将工商业区转变为一个巨大的实验室，用以研发新的技术，将罗马变成一个低碳经济示范区。整个工商业区内遍布着代表第三次工业革命的企业，包括一些科技工业园区、新建的大学、高科技创新型企业等。

类似的工业园区已经在其他国家创建起来，并开始运营了。西班牙韦斯卡瓦尔卡科技园坐落在比利牛斯山脉的山谷中，是众多新兴工业园区中的一个典型。这些工业园区为几乎所有的生产活动提供可再生能源。瓦尔卡目前有十几栋办公楼已经投入运营，而在此开展业务的都是一些主流的高科技公司，包括微软、沃达丰和其他信息通信技术公司以及可再生能源公司。

按照设计方案，工商业区将被设计成有着大片绿色空间的工作区域，该区的建筑是无碳大楼和工厂，它们使用的能源都是当地生产的可再生能源，而且集中供暖、集中供电，其他能源也是通过一体化的设备集中提供。

在罗马的生物圈中，15 万公顷罗马土地中有 8 万公顷被规划为绿地，目前这片土地利用不足，而在新规划中则将其用来提高农业生产效率。在 20 世纪的城市化发展模式下，城市逐渐剥离掉了它们所消耗的粮食的生产。粮食在远离城市的地方生产出来，然后长途运输到城市，这个过程中产生了大量的温室气体，已经成为温室气体的主要来源之一。这个问题经常被低估，因为城市的碳足迹计算往往只注重城市内部的活动所引起的碳排放量，而忽视了城市居民消费的食品的生产所导致的排放。一个城市的饮食选择可以显著影响这个城市的生态足迹。尤其是以牛肉为主的饮食习惯，会大大增加甲烷、氧化亚氮和二氧化碳的排放，二氧化碳是对气候变化影响最大的温室气体。

根据罗马总体规划的要求，未充分利用的和被遗弃在罗马外围的农村土地将会重新开发，开发方式就是引进数百个种植当地水果、蔬菜和谷物的有机农场。农业地区将采用生态耕作方式，生动地体现出源自意大利的"慢餐运动"所提倡的理念。露天市场、乡村旅馆和餐馆将突出当地美食的特色，并宣传地中海饮食的丰富营养。此外，还将建立多个农业研究中心、动物保护区、野生动物康复诊所、植物种子保护机构和树木园以恢复罗马生物圈的活力。

罗马的绿色外圈也为实施大型可再生能源项目提供了极大的机遇，这些项目包括风能、太阳能和生物质能等项目。可再生能源园区将会遍布整个农业地带，恰到好处地融入整个环境之中。

所有这些创新的设计都是为了恢复罗马生物圈，将罗马地区改造成为一个自给自足的、可持续发展的生态系统，为罗马居民提供大部分基本的能源、粮食和纤维等。经过具有独创性的策划和营销，这个生物圈可以变成罗马的另一个旅游景点，这充分表明了罗马对于第三次工业革命的大力支持。

目前正在代表罗马市长阿莱马诺参与总体规划协调工作的是罗马大学建筑学院院长利维奥·德圣托利。这个总体规划方案目前已正式纳入罗马的经济和社会长期发展规划。

将都市及其周围地区重新定义为生物圈是一项极具挑战性的任务。但是，实现变革需要资金投入，尤其是当前，经济增长缓慢，政府财政收入萎缩，城市、地区和国家如何才能得到足够的资金来实现我们提出的大规模变革呢？

圣安东尼奥市的绿色商业规划

第一个落实我们的总体规划的圣安东尼奥市交上了一份令人满意的答卷。圣安东尼奥市虽然是美国第七大城市，但与其他许多大城市比起来却相对贫穷。该市的市营电力公司CPS每年贡献该市四分之一的财政收入，而且与私营电力公司相比，CPS公司历来保持较低的电力价格。

那么，我们如何能够完成在2030年年底之前将温室气体排放量减少20%，并将可再生能源产量提高20%的目标呢？如果CPS公司大幅削减其电力供应，那么该市的财政收入将会受到严重影响，如果该公司大幅提高电价以鼓励居民节约用电、减少浪费，那么居民将会更加贫穷，这将会对当地经济造成负面的影响。

圣安东尼奥市是美国的主要城市之一，也是大批拉美人聚居的地方。该市经济在第二次世界大战结束后保持了稳步增长，但是这些拉美裔的美国人却几乎没有得到什么好处。最早同该市官员、商业领导人和民间社团领导人接触的时候，我注意到一个现象，他们几乎不约而同地提到一个词汇：两个圣安东尼奥市。几乎在每一次对话中，他们都提到了这个词汇。这个城市南部以说西班牙语的居民为主，北部以说英语的居民为主，该市号称承北接南，然而该城市中富裕的中产阶级基本上以白人为主，而弥漫着失望情绪而且失业率较高的人群则以拉美裔美国人为主。这个现象成了这个城市每位居民心中难以消除的现实。

然而，文化之间的交流之所以受阻，还有历史因素的影响。在该市的市中心位置，有一个阿拉莫遗址。[①]1836 年，刚刚成立的得克萨斯共和国与墨西哥因领土争端在此地发生战争。尽管得克萨斯州在阿拉莫被打败，他们后来却赢得了战争，从墨西哥获得了大量的领土，并将这些新领土纳入得克萨斯的版图。阿拉莫遗址现在是得克萨斯州游客最多的旅游景点，是该市财政收入的重要来源，对有些人来说，阿拉莫是他们的骄傲，而对另外一些人来说，却无时无刻不在提醒着他们曾经的失败。

CPS 公司希望我们的总体方案在将圣安东尼奥市转变成为第一个几乎没有温室气体排放的可持续经济的同时，也能为该市的所有居民带来一股新的经济发展潮流。这是一个重要的任务。

幸运的是，这个城市在落实总体规划的时候并不是毫无资源。许多北方工业城市在汽车时代于 20 世纪 80 年代达到顶峰之后就开始衰落。与这些城市不同的是，从 1980~2008 年之间，占据圣安东尼奥市市区一大部分的贝尔

---

① 阿拉莫是指美国得克萨斯州圣安东尼奥的天主教方济各会传教区，曾于 1836 年得克萨斯独立战争中被墨西哥占领。——译者注

县的经济增速远远超过了美国其他城市的经济增速。这种现象的部分原因是该地区有着强大的金融业和保险业，这两个行业提供了 20% 的就业岗位。唯一一个衰落的产业是制造业。虽然美国制造业提供的工作岗位增长了 25%，但是圣安东尼奥市的制造业却失去了 4 万个就业机会。

该市目前正寄希望于我们制定的五大支柱的基础设施能够在未来 20 年里使数千人实现再就业，尤其是在制造业和建筑行业，希望能为快速增加的年轻人提供新的就业机会。

圣安东尼奥市薄弱的制造业基础却为其落实总体规划提供了便利。因为制造业活动与其他城市相比相对较少，而且制造业提供的就业岗位较少，所以该市可以在碳足迹较少的情况下落实新的规划。

如果圣安东尼奥市能够缩小拉美裔美国人同白种人之间的社会经济差距，并同时应对气候变化和能源安全的双重挑战，那么它将为其他地区指明一条前进的道路。

我们根据圣安东尼奥市的历史情况制定了一个详细的经济模型，预测温室气体的增长趋势。在这个模型中，我们综合考虑了各种经济变量和社会变量，然后基于 2005 年的温室气体排放量，计算出如果以往的情况持续下去的话，该市在 2008~2030 年之间的二氧化碳排放量将会达到多少。结果显示排放量将上升 17%，即二氧化碳排放量将从 2008 年的 2 720 万吨增长到 2030 年的大约 3 180 万吨。

然而，为了实现我们设定的全球温室气体减排目标，圣安东尼奥市及其下属各县必须把二氧化碳排放量从 2008 年的 2 720 万吨减少到 2030 年的 1 600 万吨。如果这个城市想要在本世纪中叶之前将其温室气体排放量减少 80%，那么它将不得不在 2030~2050 年之间采取更加有力的措施来减少温室气体排放。科学家们说，如果人类想将全球气温上升幅度控制在 2 摄氏度左右，那么所有的发达国家都有必要将其温室气体排放量减少 80%。

落实我们制定的总体规划，需要我们反思圣安东尼奥市的经济发展道路。根据我们的计算，如果要实现全部目标，那么 2010~2030 年之间需要投入 150 亿~200 亿美元。这里的关键词是投资。我们的总体规划，不仅是政府支出，而且是经济发展方案。虽然政府往往深入参与其中，但是它们也希望从它们的投资中获得回报。

政府收入下降，而且不断削减支出以平衡财政预算的时期，政府必然要问的第一个问题就是"我们如何才能承担得起这次转型"。但政府或许应该问"如果不转型，我们如何才能承担得起后果呢"。第二次工业革命的势头逐渐衰微，刺激经济实现增长的唯一途径就是促进经济转型。而且更重要的是，资金已经不是问题了。

每一个大都市、国家或地区每年总会将其国内生产总值的一部分用于投资以保持经济运行顺畅，不管是投资于兴建道路、学校、交通、工业设备、新的发电厂，还是输电线路等基础设施。

在过去几年里，尽管出现了经济"大萧条"，但是美国公司仍然获得了1.6 万亿美元的利润，因此它们有着充足的资金储备。按照财政支出计划，圣安东尼奥在 2010~2030 年间平均每年将会支出 160 亿美元用于经济发展，只需其中的 5%，或者说 8 亿美元，它就能够实现其目标，并实现向新经济时代的转型。换句话说，如果圣安东尼奥市的私营经济和公共部门能够在未来 20 年间投入该市一年的经济收入，它就将成为美国首个在第三次工业革命中走在前列的低碳城市。这也就意味着该市可以继续将其余 95%的资金用于支持第二次工业革命期间发展起来的基础设施，以防止在经济转型期间发生崩溃现象。

为什么需要的投资这么少呢？因为维持陈旧设施需要的成本不断增加，而创造一个全新的设施所需要的费用却相对较低。维护老旧的设施几乎不会提供什么新的就业岗位，也不会给经济带来什么新的实际价值。相比之下，新的基础设施能够催生出各种相互关联、相互依存的以及其他配套的企业。

同样，这需要城市采取系统化措施，建设新的基础设施。当各个支柱之间发生交互作用产生新的范式时，就会产生真正的乘数效应。构成第三次工业革命的基础设施有五大支柱，但是这五大支柱如果只是孤立地发生作用，只会增加经济的边际价值。当它们在一个交互式系统中发生交互作用时，这个系统就会像有机组织一样发生作用，产生高速发展的新兴经济。就如同任何有机体一样，这个交互系统也会经历未成熟、成熟和衰老等阶段。

就在CPS公司准备正式发布总体规划的前几周，我们的团队听到了一些可能破坏这项工作的传言，所以我需要在这里强调这一点。CPS公司向媒体透露，我们的第三次工业革命计划的花费将高达160亿美元，并大幅增加耗电量。这一数据完全是断章取义，没有任何相关的详细信息。

媒体的正常反应当然是大肆报道，说我们的总计划将会耗尽城市财政收入，增加市民的耗电量。我们抓紧时间采取补救措施，进行阐释：所谓的160亿美元项目是20年的总花费，平均下来，只相当于眼下私人和公共开支的5%。我们进一步解释了经济上的乘数效应将产生新的基础设施，这些基础设施将会反过来推动经济的发展，创造各种新企业和就业岗位。等到这份报告最终公布时，工商界、公民团体，以及市议会将会充分理解这160亿美元的具体支出。这样一来，该市就能对这一计划进行全面周详的评估。

核电站危机

媒体的误读其实算不上什么大事。到目前为止，我们还面临着一个更为严峻的问题。在总规划公布前的几个星期，CPS公司的行政主管们在对总规划的评估中出现了严重错误。这个错误引发了一场公共丑闻，迫使公司的高层职员和公司董事会主席辞职。市政府忙于应付丑闻，处理政治影响，总规划被束之高阁。万幸的是，这场丑闻本身，以及市长和市议会所采取的相关措施最终促使圣安东尼奥市第三次工业革命规划出台。

在和奥萝拉·盖斯对CPS公司的未来能源进行对比排名时，我们都十分关注圣安东尼奥市。CPS选择了两种能源道路，而且都进行了大量投入。这两条能源道路都很看重核能和风能，并且十分关注太阳能。

CPS是圣安东尼奥市两家核电站的主要股东，这两家核电站提供了该市相当一部分的用电量。2006年，美国经济和圣安东尼奥市的经济都欣欣向荣，增长迅速。CPS开始担心如果现有用电量持续增长，到2016年，圣安东尼奥市将会面临用电短缺。为了弥补可能出现的用电缺口，CPS公司管理层决定通过新建煤电站或者核电站大幅增加"基础发电量"（即一天24小时的最低用电量）。公司最后选择了核能，因为核电站没有二氧化碳排放，是清洁能源，有助于该市继续追求其可持续发展的目标。

CPS公司与NRG公司一道，准备与东芝公司合伙新建两个核反应堆。新组建的公司名叫"核创新北美公司"。合伙双方各持有该公司40%的股份，剩下的20%股份准备出售给第三方买家。2007年，CPS公司和NRG能源公司向美国核能监管委员会递交了建设核反应堆的申请书。自从1979年发生在宾夕法尼亚州的三里岛核泄漏事件以来，这是美国28年来首份新建核反应堆的申请。CPS本来计划将圣安东尼奥市用户电费上调5%，为新核电站的建设筹资。圣安东尼奥市政府出资2.76亿美元进行前期场地设计，前提是CPS将电费的涨幅降至3.5%。

与此同时，CPS公司大幅增加了风能发电能力。CPS现在拥有9.1亿瓦可再生能源的合同——94%都来自得克萨斯州的风能发电。可以说，CPS的可再生能源发电量比美国其他市属能源公司都要高。CPS是不是有足够的资金来扩充核能和可再生能源的应发电量呢？

有三个附加因素需要加以考虑。首先，公众强烈反对新建核电站。三里岛核电站泄漏事件的阴霾从未完全消退，公众对核电站的环境风险一直忧心忡忡。此外还要考虑一个棘手的问题，那就是核废料的运输和储存问题，这个问题自核能发电开始60年来一直没有得到解决。

其次，圣安东尼奥市议会担心建设核电站的费用超出预算，市政府和纳税人将陷入财务危机。这个项目可能会破坏该市的财政收入，并危及当地整体经济的发展。

最后，对于两条能源道路，究竟哪一条更有可能催生新的经济机会，增加当地急需的工作岗位？关于这个问题一直未有定论。

这些问题在我们的公开会议上，以及我们与CPS能源公司的私下谈话中常常被提起。奥萝拉·盖斯在从西班牙野外考察回来之后，对此事的深刻意义有所洞察，但是她是否能认识到CPS公司正在追求的两条能源道路之间的矛盾呢？圣安东尼奥市是继续依赖20世纪传统集中的能源供给，还是开始转向21世纪分散式的能源供给，这是CPS所面临的深层次问题。这个问题涉及两种完全不同的能源供给方式：一种是有一个总公司，剩下的都是分支机构；另一种方式的各个能源供给不分等级，一律平等。倘若选择第二种方式，就需要我们对能源公司靠什么能源和公共服务赢利进行全新思考。

有趣的是，在这份长达 133 页的总规划报告中，只有一处提到了核能。我们的团队在里面加了一张插图，对 CPS 公司正在考虑的集中能源来源的风险进行了详细的评估。根据 CPS 公司的分析，建设一家核电站的费用最低比原计划低 6%，最高比原计划高 50%（CPS 最早的两个核反应堆建于 20 世纪 80 年代，比原计划费用高出 5 倍）。与此相反，加强风能发电的费用最低比原计划低 10%，最高比原计划高出 15%。太阳能发电站的风险几乎与风能持平。图表还附有以下文字：

> 应该认真考虑关于这些选择的费用风险估计。有些投资具有高度不确定性，将可能束缚那些自由支配的资金。而这些资金本来可以投资于可持续发展的项目，推动城市向第三次工业革命转移。

这份报告中包括建设新核电站的潜在风险分析，将会反过来困扰 CPS 能源公司。就在我们的总规划正式发布一个月后，圣安东尼奥市议会进行投票（决定是否在原有的 85 亿美元投资的基础上再追加 4 亿美元）的前三天，市长办公室接到通知，说东芝公司将两个核反应堆的预计费用提高了 40 亿美元，这一数字非同小可。很显然，CPS 公司的高层在几周前就已经得知了这一费用涨幅，但却没有及时通报 CPS 公司董事会以及圣安东尼奥市议会。

消息一出，舆论哗然，高层应声落马。巴特利下台，CPS 董事会主席奥萝拉·盖斯虽然对此事毫不知情，但也在新任市长朱利安·卡斯特罗的压力下引咎辞职。早在这项开支预算上涨公布之前，盖斯就已经表示担心说，CPS 公司在核能源上投资过多，妨碍了公司向可再生能源和分散式能源供给方式的转变。她甚至在幕后悄悄地将市政府 40% 的股权降低到了 20%，这

20%股份仅仅能够支撑CPS核能需求的预计开支。卡斯特罗市长已于8月份同意了这一削减后的市政府股份投资。

项目预算开支高达120亿美元，新的独立机构估计这一数据应该在170亿~200亿美元之间，市政府决定伸出援手。在卡斯特罗市长的斡旋下，CPS公司、NRG能源公司和东芝公司签订协议。在协议中，CPS公司将其在得克萨斯州核电站的股份从40%降低到7.6%，即10亿美元。

顺便说一下，虽然圣安东尼奥市得以全身而退，美国纳税人却仍未解脱。由NRG能源公司、核创新北美公司、东芝公司组成的合资企业仍然在积极地寻求投资方，并向美国能源部寻求信贷保障，以确保项目最终获准。如果实际投资超出预期，危及公司偿还债务的能力，那么美国纳税人也将为一部分损失埋单。

圣安东尼奥市核能源之争的激烈角逐同时也彰显了该市另一个颇具争议的问题：就业问题。2009年4月，时任圣安东尼奥市长的菲尔·哈德伯格召集我们的全球团队举行了为期三天的总规划座谈会。他当时表示，圣安东尼奥市的主要兴趣是在采用可持续能源的同时，增加城市就业，特别是为城市工薪阶层以及贫困群体提供就业机会。我们的任务是探索既清洁又能增加就业的能源方案。

核能行业声称建设大规模核反应堆有助于创造就业，并四处兜售这一观点。2010年，前新泽西州州长、小布什政府环境保护局局长克里斯廷·陶德·惠特曼在一篇社论中声称，建设新一代核电站能够在全美范围内创造"多达7万个工作岗位"。但是，经过仔细推敲，建设新一代核电站的就业前景并没有那么吸引人。

建设一家核电站只需要2 400名建筑工人，完工后只需要800名全职员工。要实现这位新泽西州前州长预计的7万个就业机会，就必须新建24家核电站，耗资最少200亿美元，而且建设周期至少要20年——不仅创造的就业数量微乎其微，而且耗费资金和时间的数额十分巨大。与此相反，根据美国最受人尊敬的科学协会之一忧思科学家联盟估计，如果联邦政府要求公共事业公司的发电量中有25%是来自可再生能源，那么将新增近30万个就业机会。而且，在得克萨斯州新建两家核电站的费用高达120亿~180亿美元，这些费用几乎可以满足未来20年在圣安东尼奥建设第三次工业革命的五大支柱的需要，并且满足该市降低碳排放的目标。

新建的核电站产生的能源将会怎么处置呢？CPS公司采用的能源需求增长估计是根据传统的模式做出来的，在未来可能并不适用。长期以来，公共事业公司都指望着发电量和年销售量1%~2%的增长。在过去58年中的45年中，这一"金科玉律"始终如一，丝毫未变。但随着消费者开始减少耗能，增大自身的发电能力，电能需求将显著减少。2009年，得克萨斯州用电需求降低了3.2%。全美和欧洲范围内也出现了类似的需求减缓，这就要求人们不得不重新思考未来的能源需求和增长。

网络和其他通信服务，以及充电式混合动力汽车的使用将有可能在未来几年增加用电需求。问题是，传统能源能否基本满足这一新增需求。传统能源包括化石能源和核能——或者越来越需要可再生能源。显而易见，CPS公司现在正着力开发可再生能源。

核项目上的惨败使得圣安东尼奥市的第三次工业革命计划的揭幕搁置了大半年的时间。在作者撰写本书之时，市政府和CPS刚刚恢复元气，开始重新上路，和在得克萨斯州所宣称的一样，他们希望带领全美国走向一个无碳经济的新未来。他们提高能源效率的项目是全美国最好的项目之一。CPS公司和圣安东尼奥市政府在过去两年间共节约用电 1.42 亿瓦，并且制定了到 2020 年减少用电 7.71 亿瓦的目标。圣安东尼奥市可再生能源的发电量现在已经高达 9.1 亿瓦，该市计划到 2020 年这一发电量将达到 15 亿瓦。CPS 也已开始建设智能电网，计划两年内为圣安东尼奥大都市区新建 4 万米长的智能电网。此外，CPS 公司还与通用汽车公司达成合作协议，将为通用雪佛兰 Chevy Volt 车型建设充电站。总而言之，圣安东尼奥市已经踏上向第三次工业革命转型的道路。

不符合直觉的商业

CPS 公司面临的最严峻挑战是对其商业模式和管理方式进行改造，以满足新型分散能源供应的时代需求。这种新型的能源供给模式由网络通信技术进行管理。欧洲的能源和公共事业公司也面临着同样的问题。在不久的将来，全世界的能源和公共事业公司都将面临这一问题。

和其他能源企业一样，CPS 传统上一直是自己生产能源，然后出售给终端用户。而现在，新的商业模式要求 CPS 公司从自己的一些客户那里购买能源，再分销给其他客户。与此类似，CPS 以前的任务是尽可能多地生产和销售电能。而现在，公司的目标是提高能源利用效率，逐渐减少其出售的电量，所以看起来有点自相矛盾。在未来一段时间里，尽管 CPS 公司将延续传统，继续在集中模式下利用化石燃料和铀发电，但公司也需要加大在新型管理模式上的投入。这种模式需要它管理客户能源，一方面优化能源利用，一方面提高能源利用效率。

我们同时也建议 CPS 公司考虑第三次工业革命基础设施这一完整价值链上新出现的商业机会。举例来说，CPS 公司和圣安东尼奥市政府可以将业务拓展到第三次工业革命基础设施五大支柱建设组成部分和进程的融资、制造和服务等相关领域。

但是无论是CPS公司，还是圣安东尼奥市政府都无法单独承担起如此规模的经济计划，所以该计划并无实际意义。如果想要将圣安东尼奥市建设成为全美第三次工业革命的领军地区，市政府和CPS公司需要客户的全面参与。中小微企业、合作社、共有权益房产、社区协会、环保组织和消费者组织都有可能成为圣安东尼奥市和得克萨斯州南部地区推行第三次工业革命计划的参与者和合作者。

圣安东尼奥市周边的各个县区也面临和该市同样的各种挑战。我们建议圣安东尼奥市将自身定位成能源网络的中心枢纽，将各个公共事业公司、其他能源供应商、用户整合起来，致力于建设得克萨斯州南部地区的第三次工业革命基础设施。

跟CPS能源公司的人员在一起时，我不禁想起了我的母亲，不知道她将对CPS公司正在进行的大胆试验作何感想。我母亲于2007年逝世，享年96岁。她1911年出生于得克萨斯州的艾尔帕索。她的家人在19世纪90年代定居得州。1901年1月10日，正在得州博蒙特市纺锤顶油田进行石油勘探的人员将探井打到了1 020英尺的深度，引发井喷，高度达到150英尺。单是这一口油井每天的出油量就高达10万桶，比全美当时所有的油井出油量都多。

在我母亲长大成人的那个时期，成千上万的风险家在得克萨斯到处钻井，希望能够挖到"黑色的黄金"。许多人确实挖出了石油，那时的得克萨斯成了大油田的代名词。由此使得美国在第二次工业革命中成为世界强国。

现如今，得克萨斯州新的探险家们正在开发利用风能和太阳能，致力于使该州成为绿色能源大州。他们的努力将为美国引领下一波能源浪潮开辟道路，通过转向第三次工业革命的新型能源而重新取得全球领导地位。

毫无疑问，我母亲肯定会对得克萨斯州的转型感到高兴。她还可能跟我讲起一句得州老谚语："如果你发现自己的坑已经很深，就别再挖了。"在石油时代，这是得州一句经典的地方箴言。

快速发展的摩纳哥

我们全球团队为圣安东尼奥市举行了为期三天的总规划研讨会。研讨会三个月后，我收到了摩纳哥阿尔贝二世亲王的邀请。他邀请我带上我们的团队前往这个位于蓝色海岸上、法国南部海岸地区的小公国。

我第一次和阿尔贝亲王见面是在 2007 年，地点是巴黎。当时，我受法国总统雅克·希拉克的邀请，为全球各国政府和商界领袖们组织了一场高级别研讨会。研讨会当天，联合国政府间气候变化工作小组正准备在巴黎发布期待已久的《第四次综合评估报告》。那场研讨会负责讨论世界经济向后碳时代转移所需要的经济倡议。阿尔贝亲王当时是研讨会小组成员之一。

提到摩纳哥，大多数人都会想到该国吸引全球富豪名人的奢华生活，想到每年一度的一级方程式锦标赛，还有金碧辉煌的美好时代赌场，但是摩纳哥还有一个地方同样值得我们关注。阿尔贝亲王的祖父、阿尔贝一世亲王是首位开展全球海洋生态系统保护的国家元首。1906 年，阿尔贝一世亲王举行环球航行，搜集海洋生物数据，并进行研究。之后，他建立了享誉全球的海洋科学研究所——第一个深入研究海洋的科研机构，旨在保护海洋生物。兰尼埃三世亲王继承了他的事业，成为国际海洋保护方面令人敬重的人物。在兰尼埃三世亲王在位期间，摩纳哥成为地中海沿岸第一个"只向海洋排放清洁可饮用的市政废水"的国家。

在巴黎的研讨会上，阿尔贝二世亲王给我最深的印象是他对气候变化的深刻认识，以及他在摩纳哥为应对气候变化危机而采取的切合实际的方法。阿尔贝二世亲王意识到了气候变化已经对全球海洋造成了巨大影响，所以开始关注全球变暖的挑战，并成为全球领导人中的领军人物之一。在他的指导下，摩纳哥发起了一系列旨在为欧洲和全世界提供范例的环境计划。

2009 年 3 月，我再次见到阿尔贝二世亲王。当时我正在摩纳哥参加一场关于"第三次工业革命"的年会，参会人员中包括全世界科技界顶尖的人物，还有清洁科技方面的企业家和一些金融机构代表。那次年会的最初构想来自蒙戈·帕克。蒙戈是一位有见识的企业家，对科技界颇有了解，能够在数以千计的绿色科技中挑选出最有前景的技术。蒙戈与阿尔贝二世亲王私交颇好，提议和我一起拜见亲王，就共同感兴趣的话题进行探讨。

我们被带进了一间小屋，里面凌乱地堆放着各种书籍和旧地图。看起来就像是电影《夺宝奇兵》里面 20 世纪早期的书房一样。阿尔贝亲王性情安静谦逊。我心想，倘若不是出生在王室家庭，他很可能会全心全意地投身到对科学事业的追求中去。

亲王殿下对将在年末召开的哥本哈根气候会议表示担心，担心人们对开发应对全球变暖的系统化经济方式不够重视。他知道我为欧盟准备的新型经济发展模式，并且表示愿意协助推进第三次工业革命时代的到来，问自己能够提供什么帮助。我告诉他说，我们需要工作样板，摩纳哥是一些最新理念的理想试验场——特别是摩纳哥已经在长期推行应对气候变化的计划。亲王表示赞同，我们商定了一个日期，我们团队与摩纳哥各部长和技术专家将共同为摩纳哥公国起草一份第三次工业革命总规划。我们希望能够在 10 月份之前将总规划起草完毕，递呈阿尔贝二世亲王，这样他就能在哥本哈根气候大会上将这份富有远见的总规划展现给世界各国领导人。由于时间紧迫，我马上开始埋头工作。

摩纳哥公国和圣安东尼奥市一样，都邀请我们的团队协助在 2020 年之前完成 20–20–20 目标。但是这两个经济体却有着天壤之别。摩纳哥是独立的主权国家，实行君主立宪制。圣安东尼奥是个杂乱扩张的城市，拥有大量的社会底层人员。摩纳哥人口拥挤，地方闭塞，夹在地中海和山脉之间，生活着全世界最富有的一些人。摩纳哥的人均国内生产总值为 51 092 欧元，失业率为零，政府预算为 744 209 751 欧元。在摩纳哥，没有个人所得税。政府收入依赖增值税和营业税，增值税税率为 20%，营业税税率为 5%。摩纳哥公国国土面积不足 2 平方公里，居民人口 3.5 万人，而且由于通勤人口和游客的增加，该国居民还在不断增加。

我们的团队在与摩纳哥公国的监督工作者进行洽谈的第一天就被告知了允许在该国居住者的概念。实际上，我应该阐释一下这个概念。他们告诉我们，摩纳哥公国最富有的居民只是偶尔在该国居住，更多的是把这里的房产当做度假场所。由于这里没有个人所得税，所以他们会宣称这里的房产是主要居所。我们所得知的一切就造成了一个十分尴尬而又少有人提起的环境问题。为了证明这里的房产是主要居所，房屋主人就必须提供每月的水电费账单，表明自己居住在这里。这样一来，即使房屋里面无人居住，家电也每天24 小时开着，造成能源浪费，也增加了这个小公国的碳足迹。摩纳哥政府也在试图解决这个问题，作为解决方法的一部分，政府提供可观的补贴，帮助业主将住宅改建成微型的绿色发电站，可以向电网输入清洁的电能。（关于这个问题，本章随后还将进行更多阐释。）

我们问的第一个问题是，摩纳哥的能源来自哪里？该国 17% 的电能来自海洋发电，供热制冷所需能源的 25% 来自燃烧废物发电。绝大多数用电来自法国，而法国主要依赖核能发电。

摩纳哥的建筑挤压在如此狭小的地块上，根本没有多余空间可以建设大规模的能源园区。但是，摩纳哥拥有 6 公里长的海岸线，可以利用潮汐和风力发电，而且该国光照率较强，所以可以利用太阳能电池板或光伏电池板发电。

摩纳哥面临的最大问题是如何在不破坏传统建筑的同时，在建筑物上开发利用充足的阳光辐射。摩纳哥公国政府的态度十分明确，他们不想改变原有建筑的外观和风格，包括建筑的色彩和格局。

摩纳哥 24% 的面积都建了房子，这些屋顶中有一半都适合安装太阳能电池板（面朝南方而且不被遮挡的屋顶即可）。摩纳哥的目标是到 2020 年之前，可再生能源的发电量达到 5 000 万千瓦时。我们预计这个目标的 30% 的发电量可以通过屋顶的太阳能电池板获得。利用建筑物的正面作为聚光点，可以将太阳能发电量增加一倍。此外，还可以租用摩纳哥与法国边境的开阔地带，树立太阳能跟踪板，以开发剩余的太阳能潜力。我们团队还提议使用一项仍处于试验阶段的海洋光伏发电系统，这将使摩纳哥公国能够在地中海上收集太阳能量。一个直径 100 米的海洋光电太阳能电池板系统已经在波斯湾的阿布扎比投入使用。浮在海面的光伏电池板远离海岸线，超出视线范围，可以为摩纳哥生产 2020 年可再生能源发电目标电量的 15%。

摩纳哥政府对于将本国建筑改造成小型发电站的计划十分重视，并提供 30% 的政府补贴——最高额度达到 3 万欧元——来支持太阳能光伏发电系统的建设。可是我们要怎么做，才能避免使摩纳哥公国外表看起来像个发电厂呢？

　　我们的建筑团队和城市规划者与我们的能源专家进行了磋商，研究出了一些切实可行的方法，在不破坏城市建筑美感的同时获取能源。

　　通常情况下，多数太阳能光伏电池板是深蓝色的，安装在十分难看的脚手架上。如果摩纳哥的建筑上面都装上这种光伏电池板的话，其后果将不堪设想。

　　庆幸的是，很多企业正在将小型的太阳能光伏发电板直接安装在琉璃瓦、建筑物遮篷、墙体、玻璃、百叶窗甚至窗帘上，用各种方式加以隐藏。

　　风能发电科技也可以安装在建筑物上。一提到风能发电，我们首先想到的是大型风能园区里面成排的风车，所以在城市建筑上面利用风能发电的想法可能会令很多人吃惊。最近，人们研发出了纵轴风力发电机。这种发电机无须转动，可以在人口稠密的市区利用更多的气流。我们可以把这种发电机安装在摩纳哥现有建筑的屋顶上，以增加该国可再生能源的发电能力。

　　绿色屋顶和绿色墙体正日益流行起来。在现有建筑上栽培植物可以减少雨水流失，增加热调节（在夏天，这些植物可以降低城市"热岛效应"，在冬天则可以蓄热），并且增加市区生物多样性。1998 年，瑞士的巴塞尔市发起绿化屋顶计划，现在该市 20% 的屋顶面积都是绿色的。加拿大的多伦多和奥地利的林茨现在要求所有新建平顶建筑必须绿化。太阳能、风能和绿色屋顶，所有这些计划都能帮助摩纳哥重新融入当地生物圈，并且提高公民的环保意识。

　　关于摩纳哥最后一个值得注意的地方是：每个世界一流的地方都有其特有的文化内涵。在公众印象中，摩纳哥和赛车是同义词。摩纳哥公国的公交车数量很少，在总规划中，我们提议摩纳哥公国为世界树立榜样，将本国的所有公交车都由汽油内燃机引擎驱动改为氢燃料汽车。由于摩纳哥本身面积

狭小，所以这个转变可以很快完成，费用也很低，这样就能成为全球第一个
公交系统零排放国家。

我们在摩纳哥举行的研讨会结束后，我、研究小组的成员拜伦·麦考密
克，还有蒙戈·帕克三个人一起坐在酒店里探讨蒙戈突发奇想出来的一个点
子。要是每年在摩纳哥举行一场只有充电汽车和氢能源汽车参加的全球车赛
会怎么样呢？

这些参赛汽车的能源将来自摩纳哥建筑物上的太阳能电池板、纵轴风力
发电机和其他可再生能源。要展示第二次工业革命的结束和第三次工业革命
的到来，还有比这更好的方法吗？我很想看看拜伦会作何反应。拜伦终身效
力于通用汽车公司，现在是该公司少数几个负责未来车型发展的成员之一，
这些未来车型包括氢燃料汽车。拜伦对此提议的反应很快，也很真诚："那
我去哪里找你们签合同呢？"

结束了摩纳哥事宜后，我们的团队收拾行囊，向机场出发，我不禁开始
思索：摩纳哥这个全球新富和名人争相渴望的地方，能否焕然一新，成为全
球顶尖、科技先进的可持续发展中心，为世界树立新的审美标准？

"去碳化"的乌德勒支

如果说摩纳哥是游戏比赛的天堂，那么乌德勒支就是工作的圣地。天生
勤奋、富有开拓精神、务实到了极致水平，乌德勒支这个小省份地处荷兰腹
地，毫无浮夸之气，人人都务实工作。该省是欧盟发展最快的地区之一，失
业率极低，生活水平十分高。该地区还拥有一所全球一流的学府，使它成为
欧洲知识经济的关键枢纽。

和我们合作过的其他地区不同，乌德勒支并不缺乏规划。这里的方方面

面都有计划：各种 10 年计划、20 年计划。这些计划之详细，在省级治理计划中极为罕见。我想，这个地区的人们千百年来一直面临洪水的威胁，提前计划的本能已经根深蒂固地进入了他们的集体基因之中。

这一点值得注意，荷兰习惯为未来的危险作准备——现在更是如此，因为当今世界能源价格波动频繁，供给短缺频发，人类活动引发的气候变化问题可能会带来严重的生态破坏和社会动荡。

有鉴于此，乌德勒支省制订了一项宏伟的计划：引领欧盟地区迈入第三次工业革命时代，到 2020 年之前减少 30% 的温室气体排放量（比欧盟标准高出 10%），到 2040 年之前实现碳中和。乌德勒支省的计划是超前的，只有为数不多的地区有着同样的想法。

为了促进这一目标的实现，乌德勒支省政府和第三次工业革命全球首席执行官圆桌会议开展合作，探讨 21 世纪的经济发展模式。合作的目的是帮助乌德勒支省成功转型成为第一个生态省，率先迈入环保时代。如果乌德勒支省发展迅速，能够在 30 年内实现温室气体零排放，成千上万其他地区将紧随其后，争相效仿。

和其他人口稠密的地区一样，乌德勒支省也需要扩张自己的都市区，建设新的郊区，以满足未来 20 年人口发展需求。乌德勒支省已经计划建设两个新郊区：莱茵斯堡和苏斯特贝赫。莱茵斯堡将可容纳 7 000 个家庭，苏斯特贝赫计划容纳约 500 个家庭。此外，乌德勒支省还需要对老都市区的基础设施进行更新。

这个地区也面临着其他快速发展的城市和地区所面临的难题：如何在保证旧城区不被落在后面的同时，又能扩建新的城区。在减少地区"碳足迹"的同时，又要保证经济增长，并适应人口的迅速增长，这使得我们的任务变得复杂起来。

乌德勒支省没有将经济发展和环境的可持续发展对立起来，而是开始探索利用经济发展的成果来资助旧城区的二次开发。换言之，新建筑通常耗能更多，会增加二氧化碳的排放量。乌德勒支省则要求所有新建筑必须保证"碳中和"，同时帮助旧城区更新基础设施。

这种构想类似于靠增税筹资。在芝加哥、阿布奎基和阿尔米达等城市的旧城改造过程中都采用了这种方法。乌德勒支省的基本计划是，利用新开发地区的房产税来资助旧城区的改造项目。但是，这些计划的最终目标是经济上的，所以常常会遭人诟病，因为这与罗宾汉式的劫富济贫十分相似。

但是如果城市改建理念中也包含全地区节能和环保的话，这种"能源筹资"最终将会使富人和穷人都获益。从新开发地区征收的房产税可以组成一项旨在帮助穷人区房屋改造的基金。房屋改造将减少能耗，节约更多能源，减少空气中的二氧化碳排放量，所以房屋业主、周边企业，乃至整个社会都能从中获益。

但是，即使这样一种具有创意的筹资计划得以实行，要想重建整座城市也没有理论上那么容易。这个问题和所有的经济问题一样，都涉及先后排序问题。地方政府如何确定哪座建筑应该首先改建？改造独栋住宅的主意很好，而且对能源使用产生重要影响，可是以芝加哥为例，改造希尔斯大厦这一栋建筑所能节约的电能相当于 2 500 个家庭的用电总量。

很明显，乌德勒支省需要一个强有力而且具有延展性的计划。阿德里安·史密斯和戈登·吉尔建筑公司是一家芝加哥公司，也是全球开发团队的成员。这家公司为乌德勒支省提出了一项软件解决方案，调动整个社会一起完成零排放的目标。

　　这项计划包括建设一个虚拟的城市 3D 模型。第一步就是要与当地的学生和教授一起合作，审查统计乌德勒支省所有建筑的电费记录。首先审查统计政府建筑，然后统计居民建筑和商业建筑，最后对每栋建筑的节能潜力进行归类（红色建筑具有最大的节能潜力，黄色建筑其次，然后依次排名）。

　　各个建筑的节能潜力被量化之后，下一步就是估算每座建筑的改建费用。等到这些信息收集完毕，先投资哪座建筑就变得清楚多了。有了明确的节能潜力统计和改建费用估算，剩下的就是筹集资金，审查项目计划。

　　这个虚拟的 3D "去碳化"模型提供了一种在线能源市场。阻碍房屋改造的最大障碍之一就是赢利不足。能源服务公司主要关注大型商业项目，因为这些项目的利润更大，而相比之下，独栋住宅的利润却很低。通过在网络上免费提供能源信息，就提供了大规模解决的可能。不是单个公司为独栋住宅提供改造计划，或者单个住户寻找某个公司改造其住宅，而是所有的红色建筑联合起来，或者同一个社区的黄色建筑联合起来。这样一来，能源服务公司就能将一个建筑群联合起来，提供一个成本大幅降低的改建方案——这样的计划在规模和利润上可以赶上某些大型商业建筑的改造合同。通过公开的可持续发展谈话，这个集体解决方案将社区内部和社区之间，将能源服务公司和房产业主聚到一起。因为这种规模效应需要建筑群内足够多的业主同意，共同参加集体改建计划。要让业主买账，首先要在各个社区争取人们对第三次工业革命的支持。

　　乌德勒支省希望鼓励更多类似的社区参与，所以建设了一个网站，上面包括第三次工业革命的研究分析和建议以及优先计划列表，并且开始与市民、地方企业、高校研究人员，甚至高中院校开始接洽对话——实际上是要邀请整个社区都参与其中。第三次工业革命总规划现在已经完全开放，成为全省范围内探讨如何实现经济转型的平台。

人们对总规划的部分内容提出了批评，并提出了自己的见解，甚至对最钟爱的项目进行投票。在这一过程中，新的参与者正在分享自己的专业知识，整合共同利益，在第三次工业革命的五大支柱内部及相互之间创建网络联系。第三次工业革命计划成了社区的集体事宜，美国早期的"谷仓模式"正在荷兰上演——在美国早期，整个社区的人聚到一起，合伙建设谷仓。这就是能源服务参与的民主化，是分散型资本主义的本质所在。

这种模式的效果正在渐渐展现。乌德勒支省的所有居民正紧密参与这项关于他们未来经济的事业。"事不关己，高高挂起"的陈腐观念正在被集体努力所取代，人们都在关注居住社区的生态保护。

在参与第三次工业革命的过程中，我们获得的最重要的经验就是，这是一个全社会实践。换言之，这一进程需要社会各界的积极参与：政府、工商界、公民社会组织都要参与。城市、地区、国家基础设施的革命性变革，最终会影响到所有人，人们的生活、工作和娱乐的方式都将改变。在考虑这一计划的各个环节时，方方面面的利益都要顾及。只有这样，才能获得全社会的支持。倘若在目标上没有广泛共识的话，任何行政区域都很难获得足够的社会资本，动员公民参与如此宏伟的经济结构变革。

第三次工业革命总规划帮助开发团队和计划实行区域开阔了眼界，产生了很多新的认识。我们开始意识到，第三次工业革命所改变的不仅仅是我们的能源系统。在对"第三次工业革命"五大支柱进行协调整合后，产生的信息系统与现有系统有显著不同，同时也创造出了很多崭新的商业模式。前两次工业革命中主要利用只有少数人才能获得的化石能源，倾向于建立垂直的规模经济模式，在供应链中建立庞大的中央集权式企业。这种大型企业采取合理的等级结构，在各个市场上展开角逐。相对而言，第三次工业革命中可再生能源供应充裕，使成千上万的分散型企业得以开展商业合作，融入一个类似于生态，而非市场的系统当中。

　　在这个新的时代，竞争的市场将越来越向合作网络让步。随着分散型资本主义的崛起，自上而下的垂直资本主义模式将逐渐被边缘化。

THE THIRD
INDUSTRIAL
REVOLUTION

第二部分

新能源：将改变我们做生意的方式

第 四 章

能源改变了世界，也改变了我们

　　能源机制塑造了文明的本质，决定了文明的组织结构、商业和贸易成果的分配、政治力量的作用形式，指导社会关系的形成与发展。在 21 世纪，对能源生产与分配的控制将由石化能源巨头转向数百万自我生产并将盈余通过信息与能源网络共享的小生产者手中。能源的民主化对我们如何在下一个世纪安排人类生活的架构具有重要的意义。我们正在迈入分散型资本主义的时代。

　　为了更好地理解第三次工业革命如何彻底改变 21 世纪经济、政治和社会力量的分布，我们将首先回顾并仔细考量以化石燃料为基础的第一次和第二次工业革命在 19 世纪和 20 世纪影响整个世界的过程，这对我们大有裨益。

昔日的能源巨头

之所以将化石燃料（煤炭、石油和天然气）称为"精英能源"，原因很简单，它们只在特定的地域出现，需要政府动用大量的武装力量来占领矿源，以及持续的地缘政治运作来确保安全。此外，还需要中央集权、自上而下的命令与控制体系和大量的资本对其进行开采、加工与运输。因此，聚集资本的能力——现代资本主义的核心——对资源开采与利用体系的有效运作是至关重要的，而高度集中的能源基础结构，反过来又为其他经济产业的发展创造了条件、提供了样板。

以铁路为例，铁路被认为是以煤炭为能源、蒸汽驱动为标志的第一次工业革命的杰出成果。铁路系统也成为主导第一次和第二次工业革命的集中型商业巨头的原型。在其发展初期，修建铁路所需要的基础建设投资远远超过纺织厂、造船业、运河等同期的其他高价投资项目，即使是最富有的家族也难以独自完成一条铁路的投资。因此，铁路的发展需要大量的资金，无论其来自何处。为了筹集到所需的资金，铁路开始发行有价证券。来自欧洲的投资者（其中大部分是英国人、法国人和德国人）是美国早期的铁路大规模建设最初的资金提供者。也正是对大规模资金的需求催生了纽约证券交易所这一庞然大物，并使华尔街成为现代资本主义的集中地。

随着铁路的发展，资本同管理开始逐步分离。新型的职业经理人开始介入并主导了巨型企业的运营，通过债券和股票的发行，企业的所有权被分散到世界的每一个角落。这种新型的监管者与身处 18 世纪末期资本主义萌芽阶段的经典经济学家亚当·斯密和让·巴蒂斯特·萨伊所推崇的个体经济截然不同。

就结构而言，运营铁路所面临的最大难题是这样庞大的运营并无先例。在数百英里的复杂地质环境中铺设铁轨已是十分困难，维护铁轨、保养蒸汽机、修理机车、预防事故更是令人焦头烂额。安排运输计划、实时准确监测数千辆运行中机车的位置、严格执行安全可靠的运营时间表，并横跨整个大陆将旅客按时运送到指定车站则是一项极为艰巨、复杂的工作，需要严格的运营结构和大量的劳动力。

如果想要对这样一个新兴产业的规模拥有一个直观的印象，我们不妨关注以下几个数据：1891 年，宾夕法尼亚铁路公司拥有 11 万雇员，而同期的美国军队服役人数不过 39 492 人。1893 年，宾夕法尼亚铁路公司的年度预算为 9 550 万美元，相当于同期美国政府公共预算的 25%。以上只是冰山一角，当年宾夕法尼亚铁路公司的收入是 1.351 亿美元，联邦政府的总收入不过 3.858 亿美元。要知道宾夕法尼亚铁路公司仅仅是当时总计占美国市场份额三分之二的铁路七巨头中的一个！

运营这样一家全国性的铁路公司是一项艰巨的任务，确保商业运作的合理化成了将商业机遇最大化运作过程中不可缺失的一环。

合理化商业模式的基本要求是什么？对此，20 世纪初最受推崇的社会学家马克斯·韦伯对最先应用于铁路公司，并拓展到其他商业领域的运营模式进行了界定。现代的合理商业运营结构有以下基本特征：首先，结构本身是金字塔形的，拥有自上而下的权威。所有的运营活动、每个岗位的具体职责和每一层级之上工作的具体开展都有早已制定好的规则进行约束和指导。为了实现收益的最大化，每一项工作都进行了具体分工，并确定了固定的工作流程。员工的晋升则是以具体的业绩和客观的标准为基础。这些合理的流程使企业将纷繁芜杂的活动集中起来并加以整合，从而加速了生产流程，并对整体的运营实现了有效控制。

经济历史学家阿尔弗雷德·钱德勒对这种新型的铁路管理结构及其为其他工业建立一个标准模式的意义有着深刻的认识。他认为：

> 铁路是第一个要求大量雇用薪酬制管理者的行业，也是首先设立由高管领导、中层管理人员具体操作并向董事会负责的中心机构的行业。同时，铁路公司是美国最早确立权责明确、沟通顺畅的内部机制的行业，也是第一个通过财政收入和统计数据来对管理层业绩进行管理和评估的行业。

此外，需要强调的是，高度集中、由上而下的层级组织需要一支高素质的劳动力队伍。一个如铁路公司这样的工业巨头，如果不能通过书面命令下达指令，其分支机构无法以书面形式回复，庞大的物流如何管理？拥有现代通信工具的高素质劳动者可以将现代商业契约文化变为可能。同样，如果没有打印机，协调复杂的市场运作并时刻掌控供应链上的商业活动也是不可能完成的任务。现代的账本、提货单、发票、凭证和日程安排在现代企业管理模式中是至关重要的管理工具。而打印机同样也为统一报价系统提供了可能，这对现代工业的运作也十分重要。

高度集中的大型铁路工业对与其有业务往来的工业部门产生了巨大的、立竿见影的影响。铁路基础设施的建设这一大型的经济活动推动了巨型承包商的产生。承包商负责监督数百个次级承包商的具体施工。铁路系统同时也发展了自己的辅助产业。以宾夕法尼亚铁路公司为例，同其他的铁路公司一样，该公司也购买了煤矿以确保蒸汽机车所需的煤炭。宾夕法尼亚铁路公司甚至向宾夕法尼亚钢铁集团投资，以确保制造车头所需要的钢铁供应。

铁路同时也催生了电报行业。最初，机车通常是在单轨上进行双向运行，经常发生事故、损失惨重。很快，经营者意识到了电报的价值，将其作为监测和协调铁路运输的主要通信工具。西联在铁路沿线架设电报线路并在车站设立电报业务办公室，不久就使其他竞争者黯然失色。西联公司的成功在很大程度上要归功于其所采用的同铁路工业一样的高度集中、自上而下的管理体制。

铁路工业所采用的合理的集中化管理体制十分适用于煤炭和蒸汽为动力催生的更加复杂的商业关系。以煤炭和蒸汽为动力的现代科技同现代通信方式的结合，大大缩短了时空的距离，加速了处于供应链每一环节之上的产业发展，无论是煤炭或其他原料的开采与运输，还是工业制成品由制造商到批发商再到零售商、消费者的运输。

在商业迅速发展的同时，运输成本也迅速降低。巨型、高度集中的工厂所生产出来的大批量产品降低了生产的平均成本，并通过供应链将这一变化所产生的利益传递到最终消费者手中。廉价商品的大规模生产带动了消费的增长，需求的增加又驱使更多的企业生产更多物美价廉的产品。

规模经济成了第一次工业革命初始阶段最明显的特征，巨型的商业机构也成为常态。以铁路和电报业为模板，新型的商业组织结构扩展至每一个行业之中。在南北战争之后，大型批发商和零售商如雨后春笋般涌现出来，如芝加哥的马歇尔·菲尔德公司、纽约的梅西百货、宾夕法尼亚的沃纳梅克公司。蒙哥马利·沃德公司和西尔斯·罗巴克这样的邮购商行也在同期出现。

最初的商业连锁集团，如大联盟、克罗格、宝石茶业和大西茶业，充分利用了贯穿美国的铁路网络，开始实现并不断巩固对食品生产、供应链的控制。20 世纪初期，服务于地方市场的小型农场逐步让位于最初的农业综合企业，食品生产也被纳入企业系统之中。

贵格燕麦、金宝汤、皮尔斯伯利面粉、亨氏、英美烟草、胜家牌缝纫机、柯达胶卷、宝洁和钻石表业等著名品牌纷纷出现并很快占领了市场，将小型的地方性品牌挤出了市场。新品牌的出现为产品制定了可预测的价格和标准化的质量，将消费变成了可以在全国任意地区保证质量的理性行为。

生产的合理化和产品的销售同样需要理性的员工。不久，第一个管理专家——弗雷德里克·泰勒出现了，他被尊称为"科学管理之父"。泰勒设计科学管理理论的初衷是为工人确定一个具体的工作标准，用来维持新兴的、高度集中的企业结构。通过效率原则，泰勒制定出有科学依据的工人"合理日工作量"，将工人变成"活的机器"，实现工人的业绩最大化，并通过流水线源源不断地生产出标准化的产品。

泰勒认为，实现工人效率最大化的最佳方法就是将计划和执行的职能分开，设立专门的计划部门（实际是设立专门的管理部门），工人只承担执行的职责，"如果工人的行动受其自身观念的支配，他们就不可能达到理想中的效率或资方所期待的工作效率"。

泰勒认为科学管理的核心就在于企业采用高度集中、自上而下的管理体制，并将其应用于每个工人。他写道：

> 每个工人的工作都必须由管理层至少提前一天确定完毕，大多数情况下，每个工人会收到一份书面的具体工作指南，明确其所要完成的工作和完成工作的方法。不仅仅是告诉工人要做什么，还包括具体的工作方法和完成工作的准确时间。

　　科学管理的原则很快就从工厂和企业传遍了美国的每一个角落，使效率变为新兴工业时代最重要的价值理念。从此以后，以最小的时间、劳动力和资本投入获得最大的产出就成了指导当代社会每一方面的基本准则。

　　这种新兴的、现代企业的理性原则在公立学校系统中最受欢迎，最初是在美国和欧洲的公立学校系统中出现，随后很快便传遍了世界各地。培养高效的产业工人成了现代教育的中心任务。学校承担起了培养高素质劳动者和使其为权威主义和高度集中的企业服务的双重职能。在高度集中的企业模式中，工人只是严格执行从上层得到的指令，并作为最底层的执行者用最有效的方式实现产出的最大化，而从不质疑所服从的权威。

　　学校成了企业的一个缩影。单一校舍的小学校逐步让位于大型的、集中的学校。而这样的学校从外观来看，很容易让人同工厂弄混。学生们所学到的就是永不挑战教师的权威，他们每天要做作业，同时老师还会为其制定标准。学生的测验也是标准化的，表现则是根据反应的时间和效率来评估。学生被孤立在一个个单独的单元中，并被告知与同学交换信息是一种欺骗行为，会受到惩罚。学生根据客观的标准被分为三六九等，以成绩为基础升级。这样的教育模式时至今日仍在发挥作用。只有在第三次工业革命出现时人们才会提及这种模式的弊端，因为新兴的工业革命分散型、合作性的本质需要一个与之相对应的教育模式。

　　第一次工业革命中出现的集中化、理性化的商业模式一直延续到第二次工业革命。1868 年，约翰·D·洛克菲勒在宾夕法尼亚创办了美孚石油公司。11 年后，他就控制了美国 90% 的石油精炼业。1911 年美国最高法院下令对洛克菲勒所持有的公司进行拆分，美孚公司被迫以业务所在州为单位重组为若干个小公司，其他公司则进入市场。每一个公司都在寻求将石油工业的某一个方面整合为单一的公司，这样就可以控制油田、输油管道、精炼厂、产品的运输和销售，所有这些方面对我们的日常生活都有重要影响。

到 20 世纪 30 年代，新泽西标准石油、海湾石油公司、大西洋炼油公司、菲利普石油、俄亥俄太阳石油公司、辛克莱石油和德士古公司等 26 家石油公司的资本占美国整个石油工业资本的 2/3，拥有美国 60% 的钻井、90% 的输油管线、70% 的精炼装置、市场份额占 80%。到 1951 年，石油取代煤炭成为美国最重要的能源。

随着石油工业的发展，汽车工业紧随其后。在 20 世纪的前 20 年，美国和欧洲成立了数十家汽车公司。但到 1929 年，汽车工业已经被若干个巨头所把持，通用、福特和克莱斯勒三大巨头垄断了美国的汽车工业。

相比之下，巨型电话公司的数量更少。美国电话电报公司一家独大，成为实质上的垄断者，这种局面一直持续到 80 年代末（1984 年，美国司法部依据《反托拉斯法》拆分美国电话电报公司）。

20 世纪，尽管很多经济学家和几乎所有政客都在大肆鼓吹小型企业的价值（他们不停地描绘一幅数千家地方性小型企业推动现代资本主义发展的画面），但真实的历史却以相反的方式在商业和贸易领域展开。自诞生之日起，石油时代就是以巨人症和集中化为主要特征。这是因为石油和其他精英化石能源需要大量的资本作为后盾，同时也倾向于组织管理严密的规模经济。石油工业是世界上最大的产业之一，同时也是人类所发现的开采、加工、运输成本最高的产业。

事实上，几乎其他所有重要的产业都是由石油工业衍生而来，无论是现代的金融业、汽车业、电力和公共事业，还是电信和商业建筑，都需要依赖石油。而且这些产业也倾向于向巨型化和集中化发展。与石油工业一样，它们也需要巨额的资本来运作，在组织上也呈现出集中化的趋势。

　　当今世界上规模最大的四家公司中有三家从事石油工业，即荷兰皇家壳牌集团、埃克森美孚和英国石油。在这三家巨头之下，有近500家在世界各地从事各行各业而同时又与石油工业密不可分、紧密相连的巨头，这些公司的年收入达到22.5万亿美元，约等于全球国内生产总值的1/3。

　　20世纪50年代，通用汽车总裁查尔斯·欧文·威尔逊曾经说过："对美国有益的对通用汽车同样有好处，反之亦然。"事实的确如此，但是我们应该更清楚地认识到内燃机只不过是一台将汽油转化为动能和移动性的工具。化石燃料，或者更确切地说石油才是20世纪前进的动力所在。英国政治家欧内斯特·贝文曾开玩笑说："天堂可能是以正义为动力的，但地球却是烧石油的。"

　　毋庸讳言，石油时代的最大受益者大部分是供职于能源产业和金融部门以及第一次工业革命和第二次工业革命供应链上的重要产业部门的男男女女。他们积累了巨额的财富。

　　截至2001年，美国最大的几个公司的首席执行官的平均工资是普通工人的531倍，而这一比值在1980年只有42倍。更令人震惊的是，在1980~2005年间，美国人收入增长的80%属于1%的人。2007年，美国最富有的1%的人口收入占美国国民税前总收入的23.5%，而这一数值在1976年只有9%。而与此同时，美国中产阶级的数量在减少，赤贫人口的数量却在不断增加。

　　也许最能代表第一次工业革命和第二次工业革命主要特征——层级结构的应该是我们耳熟能详的"涓滴理论"，即处于产业结构的金字塔顶层的石油工业受益的同时，其所产生的剩余财富可以流入处于底层的其他小型产业和工人手中，从而带动整体经济的发展。我们从未否认与第一次工业革命初期相比，第二次工业革命末期已经有数百万人的生活水准大幅度提高，但同时那些处于金字塔顶端的人的收益也远远超出人们的想象。特别是在美国，由于市场限制较少，也没有采取适当的措施确保财富的平均分配，这种情况更为明显。

网络时代的合作经济

与第一次工业革命和第二次工业革命不同，日渐兴起的第三次工业革命是以分布在世界各地、随处可见的可再生能源为基础，而这些可再生能源大部分是免费的，如太阳能、风能、水资源、地热、生物能、海浪和潮汐能等。这些分散的资源被数百万个不同的能源采集点收集起来，通过智能网络进行整合、分配，最大限度地实现能源的有效利用并维持经济的高效、可持续发展。可再生能源的这种分散式的本质更需要合作性的组织结构而不是层级结构。

这一新兴的、扁平式的能源机制为由此衍生出来的所有经济活动提供了一个崭新的组织模式。一个更加分散、合作的工业革命也使其所创造的财富得到更加平均的分配。

由市场到网络的转向带来了一个截然不同的商业模式。销售者和购买者之间的敌对关系被供应者和使用者之间的合作关系所取代，利己主义被利益共享所取代。相比公开性和集体信任，狭隘的信息私有化黯然失色。这种专注于公开性而非秘密性的本质有一个重要的前提——网络的附加值并不会贬低个人的价值，相反，每个人的财富都会通过共同努力得到共同的增长。

在后工业时代，网络同市场展开了激烈的竞争，开放性的共同体正在挑战独占性的商业运作。以微软为例，微软作为一个传统的以市场为基础的公司，对其知识产权十分重视，但对Linux的出现并没有作好充分的准备。Linux是第一个开源软件，这一软件由数千个程序员共同开发，他们将时间和才智奉献于数百万使用者，为他们不断修正、改进代码。而且对开放性源代码所有的改动、升级都是公开完成的，向Linux网络中的每个人免费开放。目前，已经有数百家公司加入网络之中，成为其不断增长的程序员和使用者中的一员，其中包括谷歌、IBM、美国邮政和康诺克等商业巨头。

与此相似的是，如大英百科全书、哥伦比亚百科全书、微软百科等通过向学者付费购买学术文章，然后将各种知识精华集中起来出版发行的传统百科全书公司，也没有预料到维基百科的出现。将来自世界各地的数万个职业或业余的学者集中起来，共同努力，为每一个可以想到的问题、每一词条，编写学术或非学术的文章，这一设想在20年前根本就是天方夜谭。更难以置信的是，维基百科的英文版有350万个编辑者参与其中，几乎是大英百科全书的30倍。此外，更令人欣喜的是，有数万人对事实和参考文献进行了校对，使其拥有可与传统百科全书相媲美的准确性。今天，维基百科的访问量高居互联网的第八位，每天吸引着13%的网民。

音乐、视频、医疗信息、旅游信息和其他数千种共享网络早已十分普及。谷歌等扁平化搜索引擎和脸谱、MySpace等社交网站早已改变了我们的工作和休闲方式。拥有成千上万参与者的数以万计的社交网络在过去15年中如雨后春笋般涌现出来，为知识的共享、创新和发展提供了一个新型的分配、合作平台。这些社交网络有些至今仍然在网络的共同体之中实现共享，而另外一部分则商业化或转化为营利部门。

改变了我们做生意的方式

没有任何一个企业或商业模式能够比以重型设备和蓝领工人为基础，通过装配线大批量生产工业产品的高度集中的工业巨头对我们的生活产生更大的影响。但是如果有数百万的人可以在自己家中或企业中更廉价、快捷地同时生产一批或单独一个产品，而生产出来的产品可以与世界上最先进的工厂的产品相媲美，那又该如何呢？

正如第三次工业革命可以让数百万人生产自己所需的能源一样，一个新兴的数字生产革命为以相同方式进行耐用品的生产提供了可行性。在这一新兴革命中，每个人都可以成为生产者，拥有自己的公司。所以，欢迎来到分散式生产的世界！

这一生产过程被称为3D印刷，尽管听起来像科幻小说，但是在网络上已经出现，并对我们印象中传统的工业生产方式产生了威胁，实在是令人欣喜。

不妨想象一下，如果没有3D印刷技术，在你的电脑上点击打印键并将一个电子文档发送到喷墨式打印机中，你只能得到三维的效果图。但是通过计算机，3D打印机的软件可以对产品进行分析，就像复印机一样对物品进行分层、打印。无论是珠宝还是手机，抑或是汽车或飞机的部件，还是医疗移植物，乃至电池，所有的产品都可以通过"添加式生产""打印"出来。这种生产方式不同于传统的"减成法"，传统的"减成法"是对原材料进行剪裁、拼接然后连接而成。工业分析家预言，数百万消费者将会通过网络下载3D的日用品，并在家或单位将其打印出来。

3D企业家们对这种添加制造法极具信心，这一新生产方式所需要的原材料只有传统生产方式的十分之一，能源消耗也远低于传统的工厂式生产，大大降低了成本。

互联网大幅降低了生产和发布信息的进入成本，促进了谷歌和脸谱等新型企业的诞生。同样，"添加式生产"能够大幅降低耐用商品的生产成本，从而使数以万计的小型生产商（即中小型企业）对传统上处于中心位置的大型生产者提出挑战。

事实上，已经有大批新兴的公司进入了3D印刷的市场，并决心在第三次工业革命时代对制造业的概念进行重新界定。制造业正在逐步扁平化，并给社会带来了无法衡量的影响。

如果想对分散、合作式商业模式与19世纪和20世纪传统的集中型商业模式的不同有一个直观的了解，我们不妨将目光投向Etsy。这是一家极为活跃的新兴互联网公司，成立不到四年的时间。Esty由年轻的纽约大学毕业生罗布·卡林所创办。其创建的初衷很简单，卡林在自己的公寓制造家具，但是苦于没有途径直接接触对手工家具感兴趣的潜在购买者，因此和一些朋友一起创办了一个网站，为来自世界各地的手工达人和才华横溢的设计师提供一个平台，销售自制的商品。Esty很快就成为一个世界性的产品展室，来自五十多个国家的数百万个买家和卖家会聚于此，给手工生产带来了新的活力。而在此之前，随着现代工业资本主义的发展，传统的手工生产曾经急剧衰落，濒临死亡。

随着第一次工业革命的产生，纺织业和其他手工业成了工业化生产的牺牲品。地方性的家庭手工业难以同金融资本高度集中的工厂式生产和规模经济相抗衡。工厂生产出来的产品十分廉价，将传统的手工业生产逼向了灭绝的边缘。

然而互联网通过整合博弈场所改变了这场游戏的本质。通过网络将数百万生产者和卖家在虚拟空间中连接起来几乎是不需要任何成本的。一个由数百万人组成的分散式网络代替了从批发商到零售商在内的所有中间人，并且消除了传统供应链中每一个阶段的交易成本。Esty创造了一个全新的扁平式、合作性的全球手工业市场，而不是传统意义上的层级式、自上而下的企业结构。

此外，Esty给市场带来的另外一个新的维度就是卖家与买家之间的人性化关系。网络聊天室、在线的产品展示和产品论坛，为买卖双方提供了互动和交流的空间与场所，这种互动所产生的社会联系很可能会持续一生。而全球性的工业巨头通过匿名工人在流水线上的操作大规模生产出来的标准化产品很难同这种卖家和老主顾之间的一对一亲密关系竞争。卡林曾对此评论说："买卖双方的这种人际关系才是Esty的核心所在。"

扁平化的对等结构和虚拟世界中几乎不存在的交易成本（运输成本除外）使得手工产品可以在价格上与大规模生产竞争。尽管仍处于初创阶段，但Esty的成长十分迅速。在2009年上半年，全球性经济危机的阵痛尚未平复，传统日用品的销售仍处于瓶颈之时，Esty的销售额却增至7 000万美元，有近百万的新卖家和买家加入其中。2010年，Esty的销售额达到了3.5亿美元。

在最近一次交流中，卡林告诉我他的任务是促进全球经济时代的"情感植入"，并为一个更具包容性的社会打下坚实的基础。卡林关于"数百万的区域性活体经济将会在经济中重新塑造一种认同感"的观点正是第三次工业革命模式的本质所在。

正如Esty这样的网站为小手工业者提供了一个全球市场的免费接口一样，绿色能源的本地生产也将大幅减少其生产成本。随着越来越多的手工业者和中小型企业将自己的小作坊变为微型发电站，其生产的成本将大幅降低，而一个新型的网络经济模式也就更有可能成为现实。

我们已经指出，在第一次和第二次工业革命中，开采、处理和运输化石能源的成本非常高，只有少数几个大型的、集中型的企业能够筹集足够的资本来进行能源的运作。石油工业同大型银行从来都是密不可分的。

今天，孟加拉乡村银行、ASA、EKI等小额信贷机构已经向全世界赤贫地区的近1亿人发放了总计650亿美元的小额贷款。而这种小额信贷被越来越多地用于在之前根本没有电的地方进行绿色能源的生产。孟加拉乡村银行的分支之一格莱珉新能源为数千个偏僻农场安装太阳能系统和其他可再生能源系统提供了小额贷款。到2010年年末，在格莱珉新能源的支持下，孟加拉农村已经安装了近50万套家用太阳能系统，平均每个月1.7万套。与此同时，该公司还培训了数千名妇女作为技术人员，为她们提供工作岗位，并为确保太阳能系统的正确安装提供技术支持。

通过向赤贫人口发放小额贷款，孟加拉乡村银行已经成功地将传统的商业银行运作同消除贫困结合起来。作为非营利性小额信贷商之一的Kiva，则在此基础上又向前迈了一大步。2005年，Kiva创立了一种完全分散、合作性的银行业新模式。Kiva所奉行的理念同传统的银行业截然不同。其创立者坚信"人性本善，如果机会合适，每个人都会以透明、负责的方式帮助他人"。为实现这一目标，Kiva"鼓励在双方之间建立一种不同于传统捐赠关系的伙伴关系"。每一个申请贷款者都有一个档案，其中附有照片和希望获取贷款的具体用途。而贷款人可以根据自身的兴趣自行决定贷款的数额（不低于25美元），同其他贷款人一道为需要的人提供足额的贷款。所有的贷款人都会按月收到关于还款的最新情况说明。

这种借贷模式在结构上是完全分散式的。全世界不同地区百余个领域的创业者在贷款要求在Kiva网站上发布数周之前，就已经通过小额贷款机构完成了借款。然后，这些人就会在Kiva上获得贷款来偿还之前的贷款。申请贷款的创业者自行决定贷款的利率，Kiva并不收取任何费用，也不会向信贷提供者支付任何利息。在贷款全部偿还之后，信贷提供者可以自行决定继续借贷、将资金捐赠给Kiva或是收回。

通过这种创造性的小额借贷方式，Kiva成功地使来自全世界近209个国家的50多万信贷提供者同57个国家的469 076个创业者建立了联系。目前，其贷款总计达到178 338 325美元，81%的金额借给了妇女。平均每笔信贷额为380美元，还款率达到98.9%。所有的贷款都发放给了从事生态生产的小型企业。

新型的合作商业模式已经发展到了经济生活的每个领域。社区支援农业就是农业生产和销售方面一个很好的例子。以石化为基础的农业在经历了一个多世纪的发展之后，催生了嘉吉公司和阿丹米这样的巨型农业公司，并将传统农业挤压到了灭绝的边缘。然而，新一代的农场主正在通过向居民直接销售产品的方式扭转这一局面。这一新型的农业生产模式于20世纪60年代兴起于欧洲和日本，并在80年代中期传到了美国。

城市的消费者作为股东在每年的种植季节之前向农场主提供足以承担农场主年度生产费用的固定数额的预订款。作为回报，在整个生长季节中他们将收到固定的收益，通常是送货上门或分配给指定销售网点的新鲜蔬菜。这样，新鲜的蔬菜就会被源源不断地提供给消费者。

绝大多数农场都是采用生态农业的方式，利用自然和有机方法进行耕作。农场及消费者之间实行风险共担、利益共享的合作形式。消费者的主要风险在于一旦农作物歉收，他们将共同承担损失。如果天气恶劣或发生其他无法预计的情况，消费者作为股东获得的蔬菜份额将会减少。这种利益和风险共担的平等合作形式将所有股东紧密地联系在一起。

在将消费者和农场主以一种分散、合作的方式聚合在食品供应链之上的社区支持农业中，网络的作用是必不可少的。短短的几年内，社区支持农业的数量就由几个发展到包括超过 3 000 个农产品生产商和近万户家庭。

社区支持农业最吸引年青一代的地方就在于虚拟社交空间的运用。它的发展同时也反映出了消费者对日益减少的生态空间的关注。通过减少化肥和杀虫剂的使用和食品长途运输所产生的二氧化碳的排放，降低与第二次工业革命的食品生产和分配链紧密相连的广告、营销和包装费用，社区支持农业的每一个参与者的生活方式都具有了更多的可持续性。

越来越多的农场主开始将农场进行改造，使其成为微型发电站。他们利用风能、太阳能、地热和生物能，大幅降低了能源消耗。而这种对能源的节约通过逐年降低的年费传递给了他们的合作消费者。

同其他新型合作型商业模式一样，这种扁平化的结构已经全面超越了传统、集中型、层级结构的生产组织结构。

随着分散、合作式商业模式的引入，同传统的垄断式资本主义紧密相连的产业正在遭受严重的挑战。以汽车工业为例，作为第二次工业革命的关键产业，第三次工业革命越发强调增加能源效率和减少碳排放的趋势使遍布世界各地的非营利性汽车共享网络日益发达，对传统的汽车业产生了巨大的冲击。

在美国，汽车共享在各地风起云涌。克利夫兰的City Wheels、明尼阿波利斯的HourCar、Philly Car Share、芝加哥的I-Go和旧金山的City Car Share

就是此类非营利性汽车共享网络的杰出代表，为数百万人提供了便利。只需要缴纳少量的会费，用户就可以加入网络并收到一张可以进入停车场使用汽车的智能卡。用户根据里程数付费，但是因为大多数汽车共享网络是非营利性组织，因此费用远远低于汽车租赁公司。而这些网络所提供的汽车大部分都是市场上最节能的车型。

芝加哥的I-Go甚至提供了一种独创的互联网服务，允许会员通过多种交通方式组合完成旅程。会员可以先乘坐火车或公交车，然后再骑自行车，最后再使用汽车，方式灵活。此项服务的目的在于使会员减少使用汽车的里程数，最大限度地降低碳排放。

根据估算，汽车共享网络中每辆汽车的使用可以减少20辆汽车的上路。根据网络会员的反馈，加入网络之后，他们驾驶汽车的里程数降低了44%。所减少的碳排放更为可观。据位于加拿大魁北克的汽车共享服务商Commonauto所提供的资料，其11 000名会员共减少了13 000吨二氧化碳的排放。而欧洲的一项研究表明通过汽车共享，碳排放可以减少50%。

世界上最大的汽车共享服务商Zip Car创建于2000年。在10年的时间内，其会员发展到数万人。该公司在世界各地有数千个网点，有8 000辆汽车可供选择。2009年该公司的收入达到了1.3亿美元，年增长率为30%。2010年，其位于洛杉矶的分公司推出了一项混合电力汽车的试验。在环保意识日渐觉醒的千禧一代中，公司具有很大的影响力，公司的会员自称为"zipsters"。

随着可再生能源和第三次工业革命的日益推广，Zip Car等汽车共享服务商将会为电动汽车提供绿色充电站。而汽车共享网络将对传统的汽车市场产生严重的冲击，特别是在高昂的保养费用使汽车的使用价值日益降低的地区。

然而，对于新一代人来说，可共享的不仅仅是汽车。沙发漫游是一种新型的通过网络交换住宿的非营利性时尚旅游方式。这种方式减少了数万人的旅游碳排放。这一全球性的网络将旅行者和接待者串联起来，当地的接待者会敞开家门提供免费的短期食宿。目前，已经有百余万沙发客在全世界69 000座城市得到了接待。

会员们可以通过网络了解彼此的兴趣和爱好，同时也可以得到其他沙发客对当地接待者的评价信息。沙发漫游鼓励会员在去之前就同接待者建立联系并在离开之后保持互动。这种分散、合作式的社交共同体设计的初衷就是让不同文化背景的人分享自己的生活，"通过诚恳和真情的交流聚合你我"。沙发漫游的任务则是推进"我们都是地球村的成员"的理念。

自2003年成立以来，沙发漫游不断取得成功。成员所反馈的成功案例已经有470万个，99.7%的会员实现了沙发漫游。更令人欣喜的是，根据会员的反馈，已经有290万对友谊关系得到了确立，其中12万对成了好友。

随着全球公民身份的不断发展，我们的责任之一就是以更加低碳的生活方式来保护共同的生态环境。而沙发漫游通过为百万旅游者提供免费住宿，成功地减少了旅游者入住宾馆或旅店而可能引起的碳排放。

日渐兴起的第三次工业革命的生产方式孕育了很多数年前还从未听说过的合作型商业模式，越来越多的全球性大公司也涉足其中。其中一些新兴商业模式是如此的震撼和非传统，甚至引发了我们对传统交易的重新定位。"合同能源管理"就是一个极佳的例子。

像飞利浦照明这样的公司可能会同某一个城市签订合同，为所有公共和户外照明设施提供高效的LED照明。飞利浦为城市的照明项目提供财政资助，作为回报，城市将节约的能源费用在固定年限内支付给飞利浦作为项目成本。如果飞利浦没有实现预定的节能目标，那么损失将由飞利浦公司承担。这样的合作伙伴关系在第三次工业革命中将十分普遍。

"节能效益分享合同"是第三次工业革命的另一种商业模式，与合同能源管理有很多相像之处，但是设计的目的不同。节能效益分享合同已经在若干国家的住宅房地产市场投入试运行，并取得了初步的成效。尽管68%的美国人拥有自己的房屋，但是在很多国家还是租房的人比较多。在租房比例大于买房比例的国家，房地产的业主不大愿意主动地翻新房屋，或者将所出租的房子改造成微型的发电站，因为水电账单是由租客支付的。以瑞士为例，只有30%的人拥有自己的房屋，大部分的人选择租房，一些业主则开始选择同租客签订节能效益分享合同。根据协议，业主对房屋进行节能改造，而租客则同意将节省的电费在固定的年限内按比例返还给业主，业主获得的节能收益足以弥补其进行节能改造的费用。业主最后就会得到理想中的房屋，可以自行发电，这种新的附加值在其再次出租房屋时也有助于在合理的范围内提高租金。而新租客虽然多付了房租，但与省下的电费相比，仍然十分划算。因此这对业主和租客来说无疑是一桩双赢的买卖。

如果全球经济顺利完成第三次工业革命的转型，企业家和管理者必须主动学习如何利用新型的商业模式，包括开放性的网络商业、分散合作式研发战略以及可持续的低碳物流和供应管理。

社会企业家

新兴经济分散式、合作型的本质与经典的经济理论截然不同。传统的经济理论是以经济人的假设为前提，认为个体的利己性经济行为是推动经济增长的唯一有效途径。第三次工业革命也不同于传统的社会主义的高度计划的经济模式。新型模式在社会和市场结构上都追求扁平化，是实现经济可持续发展的最佳道路。这一崭新的时代体现出企业家更加民主化的趋势，每个人都将成为能源的自主生产者，同时也需要合作的途径实现能源在本地、地区间乃至整个世界的共享。

第三次工业革命本身就包含了席卷全球的社会企业家运动的精神。同时具有法人意识和合作精神不再是自相矛盾的无稽之谈，相反，恰恰是治疗 21世纪经济、社会和政治生活各项弊端的良方。

社会企业家从世界各地的大学源源不断地涌现出来，创造了连接营利和非营利经济部门的新的经济模式，而这种兼具两者特征的企业在未来的数年中将会十分普遍。

不知道你有没有听说过 TOMS？它是一家营利性的企业，同时也具有非营利性的成分，其主要业务就是用可再生、可循环利用的有机材料（帆布、棉等）制鞋。但这只是与传统制鞋业大相径庭的公司传奇故事的开始。其所制造的帆布或棉麻鞋的原型是阿根廷农民所穿的一种传统的帆布轻便鞋。2006 年，来自得克萨斯州阿林顿的年轻社会企业家布莱克·麦考斯基创立了 TOMS 公司。TOMS 的产品目前在全世界五百余家商店有售，其中包括内曼·马库斯、诺德斯特龙和全食超市公司等知名连锁企业。

麦考斯基业务的营利部分位于加利福尼亚州的圣莫妮卡，迄今为止已经卖出了近 100 万双鞋。有趣的是，每卖出一双鞋，其非营利的子公司——TOMS 之友就会向贫穷地区的孩子们捐赠一双鞋子。也就是说，迄今为止已经有 100 多万双鞋子通过"卖一捐一"的活动捐赠给美国、海地、危地马拉、阿根廷、埃塞俄比亚、卢旺达和南非的贫困儿童。

为什么卖出一双鞋就要捐出一双鞋呢？麦考斯基指出如果没有鞋子，很多生活在贫困地区的儿童就无法上学。赤脚走路会使孩子们患上一种名为象皮病的疾病，这种病是由通过泥土传染的真菌侵入足底引起的，最终会破坏患者的淋巴系统。据说有近 10 亿人面临感染象皮病的危险，而解决方法也很简单——穿鞋。

如果生产出来的数百万双鞋子都穿破了怎么办呢？TOMS 的网站呼吁其消费者献计献策，把旧鞋循环利用，用来制造新产品，如手镯、足球、植物架和杯托等。TOMS 就是在第三次工业革命时代所出现的新型社会性商业模式的最佳例证。

商业运作模式的转变引发了第二次工业革命的卫道士同开拓创新、致力于推进扁平化、可持续经济发展模式在全世界普及的第三次工业革命企业家之间的战争。这本质上是谁将获得 21 世纪全球经济主导权的问题。博弈双方都在争夺市场优势并进行游说以争取有利形势，包括争取价值数十亿美元的政府补贴和减税政策等。

实际上，问题可以精简为"20 年后政府和工业想发展成何种状态，是固守已经衰落的第二次工业革命的夕阳能源、技术和基础设施，还是选择蓬勃发展的第三次工业革命所带来的朝阳能源、技术与基础设施"。

答案不言而喻！但新兴分散型资本主义的发展却是一个极为艰巨的过程。阻碍并不在于缺少一个实现目标的详细规划，我们已经拥有了蓝图。第三次工业革命是现有经济模式向后碳经济时代转型的必由之路。关键在于普通民众的认知，这也正是我们同所谓经济革命只是一种幻想的谬论的分歧所在。

经济革命是怎样发生的

很多美国人一直坚信经济发展的巨大成就是政府担任守夜人，由看不见的手对市场进行调控的结果。但欧洲和世界上其他很多国家都不大相信开放式的自由资本主义，而是偏好政府的积极介入以维持一个更加均衡的社会市场模式。然而，即使在最节制的社会福利经济中，仍然有平民主义的观点在不断增长，尽管比例很小。虽然现在需要政府更加积极地介入私营经济中以促进经济和贸易的增长，但仍然有很多人要求政府退回到守夜人的位置上去。

面对不断创纪录的政府赤字和日益高涨的税收压力，数百万不满的选民关注这样一个现实：他们的未来将被抵押给堆积如山的债务，下一代不得不背负起一个破产的社会。但即便在这种情况下，他们仍然坚信如果政府可以回到守夜人的位置，企业精神将再度迸发，新的商业机会将大量涌现，人类的总体财富将不断增长、屡创新高。

事实胜于雄辩！当市场充当推动创造性和企业家精神发展的引擎的角色时，它从来没有能够独自引发一场经济革命。这是一个再简单不过的事实，在美国人的内心深处有一个幽灵若隐若现，不断地引发并聚合不满的情绪。在太平盛世，这些不满是可以容忍的。一旦处于人类历史发展的关键阶段，当我们的生存和地球的未来命悬一线的时候，我们就不能在虚幻的世界中徘徊，而是应该有所作为。

经济革命并不会凭空而来。新通信手段和能源的采用通常是政府和产业力量共同努力的结果。长久以来我们一直认为经济革命可以从创造者和企业家的组合中不可阻挡地迸发，一旦有人尝试了新的技术、产品或服务，他们就会毫不犹豫地投资将其推向市场，这一自由资本主义的观点实际上只是一家之言。第一次工业革命和第二次工业革命都需要政府以公共投资的形式积极地参与其中，进行基础设施的建设。同时，政府也通过建立新的规章制度和标准对新兴经济活动进行管理，并通过不同的税收激励机制和补贴确保新经济秩序的发展与稳定。

在我写作本书之时，一场关于政府究竟应该在多大程度上介入美国经济的争论正在华尔街同白宫之间展开。而这场争论现在已经扩展到普通民众之中。当纳税人认为白宫和国会应该为美国经济不景气负责时，一场反对"大政府"的浪潮正在不断聚集。数百万的美国人在质疑政府介入商业领域的合法性。

美国商会会长托马斯·杰·多诺霍曾多次抨击奥巴马政府的经济政策，言辞之激烈超乎人们的想象。在奥巴马政府和国会签署金融法案对华尔街进行救助并避免美国经济滑向另一场大萧条的仅仅几个月后，这样的指责有些令人莫名其妙。

大多数民众认为自由市场和政府担任守夜人的角色是商业成功的固定模式，这一观点存在明显的错误，因此美国商会的态度实在是居心叵测。即使不是从建国之初，至少在南北战争之后，美国政府和商业就紧紧地联系在一起，不可分割。当时，美国铁路业要求美国政府提供大量的联邦援助以资助其完成美国铁路的基础设施建设。

也正是在那个时候，格兰特总统发明了"说客"一词来形容那些站在白宫对面的威拉德饭店的大厅（当初许多美国国会议员居住于此），在国会议员从国会山返回住处的间隙，对议员进行各种方式的游说以期对立法产生影响的银行和铁路行业的代表。很快，银行家和铁路业者就同石油业者联合起来，共同游说。说客成了华盛顿一道永不消失的独特风景，寄希望于通过游说得到纳税人的钱来推动相关产业的发展。

在政府和产业的亲密关系上，我们的欧洲盟友走得更远。政府对能源和通信基础设施的建设给予了很大的财政资助，包括第一次工业革命和第二次工业革命所需的公共交通的发展。在美国，联邦政府和州政府很少会像欧洲一样直接进行拨款，而是以大量非直接财政资助的形式进行。

尽管大唱市场经济的赞歌没什么不妥之处，但我们也要认识到否认市场同公共部门之间的紧密联系将会对社会产生消极的影响（实际上这种联系与互动在很大程度上为发达国家所取得的商业成功提供了便利和保障）。首先，它会促使政府同商业之间的联系黑箱化，那样两者间的互动就会被蒙上一层神秘的面纱，每项立法之后所隐藏的官商关系我们将不得而知。作为回报，官员们可能会滥用职权为资助其选举的商业力量提供大量的资助以确保再次当选。其次，两者之间关系透明度的缺乏也会使商业集团一方面继续将美国经济的成功单一地归结于自由市场，迷惑民众，另一方面操控民众大肆批评那些可能对商业力量过度影响美国经济和社会生活的状况进行限制的立法草案。

然而在危机时期，正如现在，需要将全国的创造潜能集中利用起来使经济摆脱垂死的能源/通信基础设施的束缚，发展新的经济模式。只有在商业、政府和公民社会间建立一种公开、透明的综合性伙伴关系才能为经济转型提供动力。在欧盟，这种关系早已存在，欧盟的社会/市场模式足够强大，可以赢得民众对新型公众/私人伙伴关系的支持。而在美国，虽然我们对需要将政府和工业联合起来推进国家新经济模式和蓝图发展的论调已经耳熟能详，但很多美国人却认为这是在危害美国的自由。

美国民众似乎对商业同政府之间的关系究竟持何态度仍犹豫不决。一方面，当参议员或众议员能够为本选区或本州争取到更多的财政拨款或价值数百万美元的项目、提供更多的工作机会时，选民们很少抱怨，甚至经常会表示赞许。实际上，如果他们选举的代表不能"把熏肉带回家"，他们几乎就不能获得连任。另一方面，一旦其他选区或州的议员为自己的选区争取到利益，这些人就会将那些项目批得一文不值。显然，民众对项目的态度取决于这块肥肉到底落入谁的口中。

然而问题在于政治体系在最初就具有欺骗性，它只是代表商业资本的利益，对于普通选举者和纳税人来说他们别无选择，只能支持自己选出的代表在其他人插手之前将利益收入自己手中。

以上我所描述的是真正意义上的"美国例外论"。在允许公司代表为选举提供政治献金的所谓成熟的民主体系中，我们一直处于尴尬的境地。大多数欧盟成员国严格限制或禁止这样的行为，只允许政府提供竞选基金。根据责任政治中心提供的数据，2008年成功当选众议员所需的资金是近110万美元，而获得一个参议院的席位需要近650万美元，总统竞选则耗资更大。该中心调查表明2008年总统选举中所有候选人花费的资金高达130亿美元。

竞选资金对于选举获胜究竟有多重要？我们不妨关注以下数据。根据2008年选举后责任政治中心所进行的分析，94%的参议员选举和93%的众议员选举结果在投票截止时间的24小时内就可分出胜负，结果就是花钱更多的候选人获胜。

终止私人政治献金，采用政府补贴制度来重塑美国的民主进程是一件任重而道远的工作。然而，美国民众已经表现出对所谓政府补贴制的不屑一顾，这些问题根本不会成为他们选举时投票的障碍。

美国最高法院在2010年所作出的裁决则使情况变得更糟。2010年1月

21 日，美国最高法院以 5 票赞成、4 票反对的结果作出终审裁决，认定禁止美国公司和工会的政治捐款是违宪行为，美国公司和工会可以无限制地使用自有资金进行与联邦选举相关的独立开支。

这给我们带来了一个奇怪的悖论。数百万的美国人希望政府可以远离商业领域，却不希望发动民众结束私人商业利益集团操控选举并用纳税人的钱满足他们自身利益的现状。

所以，很多美国人宣称将致力于实现政府与市场的分离（这种热忱甚至超过他们对政教分离的执著）的时候，实际上他们只是希望从政府和公司所组成的邪恶联盟手中分一杯羹，而不是被排除在外。

大多数的美国人同商业之间存在一种被称为"类宗教情结"的联系。他们对市场新教般的信仰和对大政府的憎恨（这种憎恨同他们憎恨无神论的程度相当）使其无视企业的贪婪，这就使公司可以避免带有某种程度上的社会主义性质的合法选举并救济贫民的命运。很多美国人错误地认为美国梦产生于完全的自由市场，而对公司和政府同流合污的历史却视而不见。如果美国民众仍然相信无政府的市场对社会而言是最有利的，继续对选举出来的官员允许商业贸易同立法紧密相连实现一己私利的现实（哪怕以牺牲全体民众的利益为代价）视而不见，美利坚可能在劫难逃。

如果要应对此劫，首先我们必须告诉美国民众美国经济史上所取得的每一项巨大成就，都是政府资助重要资源和通信基础设施建设，并长期协助的结果，这样数以千计的新兴产业才能够发展壮大。实际上，我无法想象如果城市、郡、州和联邦各个层面上政府和商业组织间没有一个全面而健康的关系，有何种途径可以推动美国迈入新经济时代。

其次，我们以过去政府和公司的关系为鉴，确保第三次工业革命具有与众不同的本质，即政府、企业和公民社会间的一种开放、透明的合作关系，这种关系代表的是美国民众的根本利益，而不是商业精英的代言人。

然而，把握产业同政府之间关系的实质并不容易。我回想起若干年前与一个来自华盛顿著名智库的杰出的自由主义者进行的一场电视辩论。在辩论中，他断言只要政府插手经济，经济形势马上就会恶化。说完之后，他转过头来问我（或许称之为质问更加合适）能否想起任何一个具体（concrete，也有混凝土之意）事例证明以联邦政府支持为后盾的商业行为比私有企业更加有效。于是借"混凝土"之意，我提出了《州际公路法案》（Interstate Highway Act），这是美国有史以来耗资最为巨大的公共项目，建成了覆盖全国的高速公路网络，并给美国带来了前所未有的经济繁荣，而且惠及了下一代人。

《州际公路法案》要求联邦政府拨款250亿美元、征用土地160万英亩来建设4.1万英里长的高速公路。在建设的过程中，一共挖掘土石方420亿立方码①。在公路之下铺设了数万英里的排水管道。高速公路以钢筋混凝土作为底层，表面铺有厚厚的沥青。为确保汽车不需要在路上耽搁，一共修建了54 663座桥梁和104个隧道连接各州。

州际高速公路的修建不仅带动了参与建设的相关产业的发展，而且对美国经济的整体产生了巨大影响，最终推动美国经济在20世纪80年代达到了顶峰。石油公司、建筑公司、水泥生产商、钢铁公司、重型设备制造商、木材公司、涂料生产商、照明公司、景观美化公司和橡胶公司都参与了州际高速公路系统的建设并从中获益匪浅。

---

① 1立方码=0.585立方米。——编者注

艾森豪威尔的"横跨美国的彩带"之梦雇用了近百万工人，耗时 40 年才最终完成。州际高速公路系统范围之广，跨越了三个时区，被认为是"二战"之后美国最伟大的经济成就。

通过大型政府工程兴建州际高速公路并不是一个反常的现象。从第二次工业革命产生的那一刻起，石油、汽车、电信、电力、建筑、房地产等基础产业就已经联合起来，进行游说，以确保各级政府都为其提供必要的财政支持，并制定规章制度和标准为其在市场上取得成功保驾护航。化石能源机制的确立、综合通信系统和全国电力系统的建立、郊区房地产业的扩容，这些成就的取得表面上是借石油经济的东风，实际上是躲在幕后的政府的功劳。

化石能源工业和核电长久以来一直得到美国政府的财政支持。甚至在能源产业发展成熟之后的很长一段时间，联邦政府仍然给予他们数百亿美元的资金支持其进行研发活动。1973~2003 年间，美国政府一共向化石能源和核电产业提供了 740 亿美元的补贴支持其进行研发，尽管这些公司收入颇丰并自诩为全世界最大的公司。

也正是联邦政府在 20 世纪初与美国电话电报公司合谋，将其转型为一个电信产业的私营公共事业的垄断者。在美国政府制度的庇护下，美国电话电报公司攫取了数十亿美元的收益，却没有面临任何竞争。

州政府则同发电厂和电力公司沆瀣一气，给它们披上了私营公共事业的外衣行行业垄断之实，赋予了它们高额的电费回报、使用公有土地的权力和其他政府经营的公共工程才能享有的优惠条件。

尽管在名义上受到州政府的监管，实际上很多公司却是在自行其是，以消费者和纳税人的利益为代价确保其高额收益。它们在各州的首府进行游说，甚至发明了臭名昭著的"旋转门"，即政府监察部门的官员会定期离职加入之前所监管的公司作为说客获取高额报酬，而来自同一个公司的人很快就会被政府任命以填补空缺。

美国的电气化点亮了每一个城市，为工厂提供了能源，改变了室内的温度，并为家用电器的普及提供了便利。然而更重要的是，电气化促进了一个全新通信革命的产生，为更加复杂的第二次工业革命的管理提供了有力工具。

联邦政府在商业市场运作方面的作用可能比较明显，但鲜为人知的是，在20世纪美国城郊建设的大潮中美国政府也发挥了显著的作用。1934年由美国政府成立的联邦住宅管理局，事实上在整个20世纪一直对建筑业这一美国最大的产业鼎力相助。联邦住宅管理局在财政部的支持下为中低收入家庭提供购房贷款信用保险，这对房地产行业的历史性发展起到了至关重要的作用。到20世纪60年代，联邦住宅管理局每年为450万户城郊家庭提供贷款信用保险，几乎占全国购房贷款家庭总数的1/3。

开发商也获得了十分可观的政府补助。美国国会对美国国内税收法进行了修订，允许开发商在7年内完成新建筑物的折旧，而标准的折旧年限是40年。仅这一项政策的补助就价值数十亿美元，同时也刺激了州际高速公路沿线和城郊房地产项目周边众多购物中心的发展。

由此可见，美国政府在第二次工业革命发展的每一个关键时期都提供了财政支持，同时也为很多商业机会提供了补贴。而政府刺激经济发展、建立和维持工业体系发展的资金总计达数千亿美元，这是有史以来最大的一笔投资。而政府对市场的积极介入也使美国成为全球性的经济霸主。

对那些仍质疑政府在美国商业成功中发挥了巨大作用的人，我已经在网站上准备了一篇文章向他们阐述，希望可以帮助他们破除原有的偏见。

展望未来

实现第二次工业革命到第三次工业革命的转变，最艰难的部分在于观念的改变而非技术的发展。第二次工业革命中的权贵很快就会意识到，最起码会观察到，新兴的通信媒介和能源体制已经聚合出一个新型的经济模式，独善其身是不可能实现企业的发展的。他们同样会认识到这种聚合将会从根本上改变社会的时间和空间属性，从而要求以全新的方式组织和管理商业活动和生活方式。

同样，对在第二次工业革命中所产生的石油公司、汽车公司、电话公司、能源和电力公司、建筑公司和房地产公司而言，它们很快就会意识到其商业运作模式虽然可以巩固彼此的商业机会，但如果各自为战，绝不会创造出将各自收益最大化的经济发展速度和规模。石油加工、生产汽车、修筑公路、铺设电话和电力网络、修建城郊社区和将现代商业实践制度化等生产过程并不是彼此分离的单一经济实体，而是一个大型企业——第二次工业革命的组成部分。

实际上从一开始资本家们就清楚地认识到了这一点，所以他们将彼此的利益整合，最初是在美国和欧洲，很快在世界每个角落，创造出了强有力的游说队伍来推进他们共同的事业。尽管游说者通常情况下是掠夺性的，而且臭名昭著，只关心自身的得失而漠视公众的利益，但他们在某种程度上还是起到了公共服务的作用（虽然经常不被人们所认可）。这些说客将社会生活中单一的点连接起来，整合了所有貌似毫无关系的商业力量并它们融为一体，孕育了新型经济组织的萌芽。

说客们随后通过哄骗、操控并利用政府，使其倾尽全力帮助这一新型经济模式的发展。最值得称道的是，第二次工业革命中的发明家、企业主和金融家在知识分子深入了解和研究、政府进行有效监管之前，就理解了他们所创造的这一体系的本质。

尽管从新兴分散合作式商业模式的角度来看，企业家精神只是孤立的商业成就，然而其真正的贡献本质上却是系统的。一旦工商界认识到个体的商业诉求实际上被包含在一个更广阔的商业蓝图内，它们就获得了系统性。而一旦他们认识到这一点，新经济时代就降临了。只是在很久之后这种新的经济范式才被正式命名，通过一个引人入胜的故事为民众所知，并为动员社会提供了理论体系。（英国著名历史学家阿诺德·约瑟夫·汤因比在19世纪80年代发表了一系列演讲使工业革命这一概念为人们所熟知，而当时工业革命已经发生了许久。）

今天，我们正在见证一个新型通信媒体和能源机制的重新整合。这也是第三次工业革命在清洁能源、绿色建设、电子通信、微型发电系统、分散式的IT网络、插电式和生物电池交通工具、可持续化学、纳米技术、无碳物流和供应链管理等各个领域风起云涌的体现。而这种整合必将带来新型科技、产品和服务的大量出现。

到目前为止，这些新的商业机会受到了公众的欢迎，而投资者兴趣却不大。原因在于我们人类是靠故事为生，而故事通常是关于角色之间的关系和互动的。正如单个的单词构不成一个故事一样，零散的技术、产品和服务并不能形成一个新型的经济模式。只有当我们发现它们之间的联系，并创造出新的经济对话的时候，新经济模式的故事才会形成。当第三次工业革命的憧憬者开始共同谱写全球经济新故事的片头曲的时候，这一切已经开始了。

日渐兴起的第三次工业革命不仅改变了我们做生意的方式，而且改变了我们对政治的思考。第二次工业革命的既得利益者和第三次工业革命的新兴利益者之间的冲突产生了新的政治对立，其具体表现就是双方都在争夺商业舞台的主导地位。一个新的政治蓝图正在谱写，随着我们步入新的时代，我们对政治的认知也将发生改变。

第五章

能源革命：无法躲避只能面对

你是否还能想起最后一次听一个不到 25 岁的年轻人谈自己的政治信仰是什么时候？事实上，世界正在发生某些奇怪的改变。意识形态正在消失。年青一代对资本主义和社会主义孰优孰劣的争论或地缘政治的实质并不关心。他们对政治的理解和偏好与父辈们截然不同。

当我们全球政策小组开始参与到欧洲、美国和其他国家的政治进程之中的时候，我们就注意到了这一现象。我们发现在互联网时代出现的新一代政治领导人身上，出现了一种新的政治中间化的趋势。他们的政治立场不是传统高度集权的权威时代的左或者右，这一点很有意思。

最近的两代人的社交属性很大程度上是由互联网塑造的，这两代人很少明确表达其政治立场是左还是右。相反，他们更加倾向于以自上而下、封闭、排他式的思维方式或外部、透明、开放式的思维方式这样的标准将世界分成不同的人和机构。随着年龄的增长，他们影响了政治思维的转变，而这种思维的转变将从根本上改变 21 世纪的政治结构。

西班牙的宏伟蓝图

坐落于马德里的首相府周围绿树环绕。盛开的鲜花和典型的热带灌木丛似乎正向游客挥手致意。一条条小路将总统的住所同散布在四周的随从的住宅相连。放眼望去，一片祥和。

面对这美景，我却无心欣赏。我焦急地等待同何塞·路易斯·罗德里格斯·萨帕特罗会面，这位年仅 48 岁的年轻政治家管理着整个西语世界中最强大的国家。当他从屋内走出向我致意的时候，给我印象最深的就是他和蔼的微笑和自然的举止。他的一言一行都令人觉得很舒服。随即，我们就开始了一次历时两个多小时的谈话。谈论的话题很广泛，从哲学到文化人类学，再到复杂的全球经济的混乱现实，我们相谈甚欢。我向他坦言我的妻子卡萝尔和我都一直以极大的兴趣关注他的政治生涯。我们尤其赞赏他曾宣称一旦当选首相，首要任务之一就是结束西班牙的"大男子主义"。我探一探身，轻声问道："究竟是什么促使你以这样令人震惊的表态开始你的总统任期，尤其是在西班牙这样一个国家？"

他的回答相当坦诚。萨帕特罗向我回顾了天主教和君主制曾统治西班牙数百年之久的历史，期间它们一直紧密控制着社会的各个方面，而所谓的"大男子主义"成了从教会和中央政府到每个家庭中实施等级统治的同义词。也正是所谓的"大男子主义"使一代又一代的西班牙人接受了不受任何约束的权威统治，无论是教会、国家，还是雇主，都可以对他们发号施令，而不会受到任何质疑和挑战。

说到这里的时候，萨帕特罗稍微停顿了一下。我能感受到他正在思忖如何表达究竟是什么使其决心用毕生的精力为之奋斗。他尽可能仔细地进行措辞。随后，他说："大男子主义是旧秩序运行的保证，它遏制了人们对尊严的追求，禁锢了人们的精神，扼杀了个人自由。我们一代又一代的西班牙人亲身感受到了它对人类灵魂的毒害。"随后，他又停顿了一下，接着说："对于在互联网时代和社会媒体亲密互动成长起来的年青一代，等级制和自上而下的威权应该丢进历史的垃圾箱了。"大男子主义同"脸谱"和微博格格不入。

萨帕特罗是意识形态发生了深刻变化的年轻一代政治领导人中的先行者之一。原有的支配社会关系的等级制模式正在让位于开放性思维的网络模式，而这对我们现存的大多数基本制度，如宗教信仰、教育体系、商业模式和政府形态的有效前提提出了严重挑战。

萨帕特罗和我也谈到了关于将网络思维运用到经济领域的想法。我们长时间地探讨了实现西班牙经济从第二次工业革命到第三次工业革命转型的必要性，以及为什么能源的民主化是推动社会从威权结构到合作结构的必由之路。

当我们结束谈话的时候（这次谈话很可能只是一个开始，在未来的几年我们很可能再进行几次类似的讨论），萨帕特罗首相转向我说："你知道，杰里米，在历史上西班牙错过了第一次工业革命，也缺席了大部分的第二次工业革命。但我向你保证，西班牙绝不会再次错失第三次工业革命的良机。我们政府已经决心致力于可持续、民主经济的发展。"

萨帕特罗首相已经将发展第三次工业革命经济模式作为其第二届首相任期的中心任务。在他的领导下，西班牙已经一跃成为仅次于德国的欧洲第二大可再生能源生产国。

但是很不幸，萨帕特罗首相并没有能够坚持到底，他所有的设想在第二个任期就半途而废了。西班牙之前奠定的很多第三次工业革命的基础荡然无存。继希腊、爱尔兰、葡萄牙之后，西班牙也深深陷入债务危机之中。西班牙房地产经济泡沫的破灭，使西班牙在一夜之间由商业新欧洲的骄子（西班牙的经济增长率曾连续15年超越德国）变成了使欧洲市场恶化的逆子。当我第一次向萨帕特罗首相介绍第三次工业革命构想的时候，西班牙的经济仍在增长中，就业率相当高，其社会保障项目在整个欧洲也是名列前茅，西班牙政府对其经济的增长也十分引以为傲。然而在2007年，西班牙的房地产市场顷刻崩溃，失业率超过了20%，成为欧洲失业率最高的国家之一。西班牙政府则身陷债务危机之中。萨帕特罗首相只能屈从于资本市场的压力，大幅削减政府开支，否则就会面临被调低信用等级的危险，或不得不求助于欧盟的财政援助。

对于西班牙糟糕的经济状况，萨帕特罗首相解释说自己只是代人受过，西班牙的经济困境是过去十余年来日积月累的恶果。对于政府来说，削减社会福利开支或寻求资金援助也是无奈之举，其初衷在于使西班牙摆脱经济困境。然而2010年12月西班牙议会通过的2011年度财政紧缩预算案并没有得到西班牙民众，特别是年青一代的支持，西班牙年轻人的失业率攀升至45%。整个国家笼罩在失望之中。

2009年10月，我与萨帕特罗首相碰巧在纽约相遇，他应邀在即将召开的联合国大会上致辞。萨帕特罗首相问我能否帮助起草一个综合性的第三次工业革命计划，帮助西班牙实现经济复兴。我接受了这一请求，并表示其重点在于通过立法、监管、树立标准和激励等措施，将西班牙凋敝的房地产市场转变为数百万个绿色微型发电站，实现西班牙的房地产市场重启。这一举措也是为第三次工业革命奠定基础。

萨帕特罗首相对此计划表示赞同，并邀请我同秘书长格罗斯一道尽快开始实施。然而在随后的几个月内，西班牙政府却陷入日复一日的经济紧缩计划制订中。国际社会则对其采取的每一步品头论足，成围攻之势。我所提出的计划自然而然地被搁置在一旁。

2010 年 3 月，我与萨帕特罗首相再次相聚。我们都认为在实施经济紧缩的同时，必须要有一个同等重要的经济发展计划，这样国家才有一种使命感，民众也不会对经济复苏丧失信心。萨帕特罗首相希望我能同工业贸易旅游大臣塞巴斯蒂安一道，立即着手制订西班牙的第三次工业革命发展计划。然而，随后与塞巴斯蒂安的会晤令人十分失望。我感觉他似乎不愿意与我共事，对第三次工业革命这一构想虽不反对，却也不甚热心。萨帕特罗首相与其阁僚对于第三次工业革命这种截然不同的态度令我十分震惊。尽管在 2011 年格罗斯秘书长试图重启之前的计划，然而惯性使然，西班牙政府仍然举棋不定。萨帕特罗首相引领欧洲实现第三次工业革命之梦最终破灭了。

西班牙是否能够重新获得其 2008 年经济滑坡之后失去的经济发展动力，并在第三次工业革命转型这一竞赛中的再次一马当先，现在仍然不得而知。我们不妨静观其变，时间将会证明一切。

条条网络通罗马

萨帕特罗首相是一名社会主义者，而他所领导的政府则是世界上的主要社会主义力量之一。第三次工业革命的蓝图并不属于特定的政治派别。在罗马，乔瓦尼·阿莱马诺市长同人民自由党以及贝卢斯科尼领导的中右翼联盟组成的联合政府共同执政。但是他对罗马关于第三次工业革命的思考同萨帕特罗首相的想法更为相近，而不是他自己的总理——意大利总理贝卢斯科尼。

阿莱马诺主要关注两个目标：通过发展可持续经济，成为世界一流的可持续发展城市，为罗马经济注入新活力，以及确保罗马申办 2020 年夏季奥运会成功（自 1960 年以来，罗马就再没有举办过奥运会）。

在我同阿莱马诺市长的首次会面中，我们几乎没有谈任何哲学问题。相反，阿莱马诺一开始就给我上了一堂简要的历史课作为我们谈话的背景。他告诉我说我们当时所处的位置——罗马市政厅，是由文艺复兴时期的大师米开朗基罗设计的，是意大利文艺复兴巅峰的代表，其设计的初衷是为了表现人文精神在西方世界艺术、文学和文化领域的再度复兴。阿莱马诺市长让我和他一同来到窗边，在他的窗户之外就是古罗马广场的遗迹。他指着广场上的一块小石头（黑石），问我知不知道。我耸了耸肩，他向我解释说我们看到的黑石位于延伸到欧洲各地的古罗马交通设施的终点。"你听说过那句古语吗，条条大路通罗马？"他指着那块石头说，"那就是中心点。"

我们接着又谈到罗马可能将引发一场新的文艺复兴，罗马所开展的第三次工业革命将通过信息/能源的高速公路，以市政厅大门为起点，传到意大利和整个欧洲，以及中东和南美，正如古罗马帝国的扩张一样。然而，与历史不同的是，新能源高速公路的修建并不是为了征服世界，而在于促进人与人之间一种新的合作形式和培育生态意识。

在同阿莱马诺市长接下来的谈话中，关于谁将掌握本地区新能源生产和分配控制权的问题被不断提及。这一问题的实质在于如果由个人掌握了网络，那么很可能威胁到信息在通信空间中的自由流动。因为城市有自己的电力事业，但是发电网络却是全民所有。对罗马来说那时的问题就将是无法接入能源传输网络之中，毕竟拥有和控制可再生能源生产的能力在其源头——整个城市和地区的民众手中。

我告诉市长我比较欣赏在社区进行能源合作的创意，这样小型和微型的能源生产者就可以聚集资本、降低风险，在能源市场中扮演更为积极的角色。我们回想起 20 世纪 30~50 年代美国在较贫困的城市地区进行的合作发电的尝试，这一创举使数百万户家庭和小型企业用上了电，这也是能源合作模式的一个成功案例。因为第三次工业革命的通信/能源系统在本质上是一个分散、合作的过程，所以它倾向于在各个节点采用一种合作性的商业模式。

当我第一次向阿莱马诺市长提出社区能源合作问题的时候，基于他的政治倾向，我不敢确定他是否会回应。某些意大利右翼政治人士一直反对合作，将其视为社会主义的工具，认为它们将损害个体的企业家精神。实际上，问题远要复杂。同欧洲其他国家和世界上很多国家一样，合作社运动在意大利是一个庞大的商业力量。意大利主要有三个合作社系统：属于共产主义左翼的意大利全国合作互助同盟、同天主教会有紧密联系的合作社联合会，以及同非共产主义左翼有密切联系的AGCI。所以在某种意义上说，意大利的合作社横跨左中右的政治范畴，得到了广泛的群众支持。

阿莱马诺市长打消了我所有的疑虑，他告诉我说，作为贝卢斯科尼政府的前农业部长，其主要成就之一就是帮助建立了全国范围的农业合作社。他说据他所知，在罗马的社区开展能源合作是必由之路，同时也必须尽早将发展较为成熟的合作组织纳入第三次工业革命的发展规划之中。而事实上，罗马也的确这样做了。

政治大转向

好了，我承认意大利的政治总是有一点异教徒的味道。那我们如何看待英国 2010 年发生的政治大转向？如何解释玛格丽特·撒切尔的政党一夜之间就被边缘化？铁娘子是我们所见的最像大家族族长的政治家。她是统治了整个 20 世纪的威权铁腕政治人物的杰出代表，正如林登·约翰逊家族、温斯顿·丘吉尔、夏尔·戴高乐一样（我这样说毫无贬低之意，而是满怀敬佩）。而在那时，我们都对其仰望，并将他们视为我们每天忙于生活和工作之时守护祖国的领袖。

但是现在，英国的首相却是戴维·卡梅伦，他自称是保守党人，却以令政治学家感到困惑的方式行事。2010 年的英国大选将这一切以令人费解的方式带到了我的面前。而所有的一切都缘起于 2009 年 3 月我同戴维·米利班德在伦敦的相遇。

当时，米利班德任托尼·布莱尔工党政府的环境大臣，不久后成为戈登·布朗内阁的外交大臣。而我正准备在伦敦政治经济学院进行一次名为拉尔夫·米利班德的演讲。此次演讲以戴维的父亲、一位著名的马克思主义学者命名（米利班德家族长期参与了英国的社会主义运动）。戴维是一个神童，在 29 岁的时候就成为布莱尔首相的智囊之一。他孩子般的面孔很难令人相信他已经 43 岁。

演讲的举办方希望戴维能够参加这次演讲，并将我介绍给他。于是在当天上午我就顺便来到了他的办公室进行一次礼节性的拜访。很明显，从我到达的那一刻起，年轻的大臣一直很忙，甚至对需要拨出一点点时间同我交谈有一些恼怒。他告诉我说由于事务繁多，他没有时间参加下午的演讲。当我开始谈及对可再生能源进行微量发电和对等网络互联的价值时，显然他对所谓第三次工业革命并不看好。

当时在布莱尔领导的工党内部就工党长期以来反对核电的政策正在进行激烈的辩论。核电工业已经在欧洲和美国发起了一场公关游说运动，宣称必须将核能重新定位为主要的发电方式，因为核电不需要排放二氧化碳，可以防止全球变暖，是一项清洁能源。而英国主要的政策制定者，如英国政府的首席科学顾问戴维·金爵士，正在向工党的领导人（布莱尔和布朗）呼吁核电的回归。

作为环境大臣的米利班德则被困在了党内关于核电的风暴中心，在最近的几周内一直表态对利用核能以防止全球变暖这一观点采取开放的态度，尽管这引发了党内的强烈抗议。

我提醒戴维世界上只有442座核反应堆，发电量也只占全世界总发电量的6%。根据科学统计，核电必须达到世界总发电量的20%才能对防止气候变化起到一点作用。那意味着在维持原有的442座反应堆的基础上再修建1 000座核电站。而为实现这一目标，在今后的40年中每个月就要新建3座核电站，这样才能修建1 500座核电站，耗资12万亿美元。我问道，从政策的角度而言，他是否相信这样一个大规模的政治承诺的政治实用性和商业可行性。问及此处，戴维有一点不耐烦，他说他并不完全相信仅仅依靠新的可再生能源就能够实现低碳经济的目标，即便有互联网的协助。戴维还表示目前他坚信核电将会在减缓气候变化的过程中起到重要作用。在稍微停顿了一会之后，他表示很抱歉谈话只能到此为止，因为他要去参加一个会议。从某种程度上说，这不是一次愉快的访问。我本以为像他这样的年纪和家庭背景应该对可再生能源的前景表现出更大的兴趣。

那天下午，我刚刚在伦敦政治经济学院的师生面前结束关于第三次工业革命的演讲，一位妇女冲到了我面前，表示对我所描绘的第三次工业革命的蓝图十分激动，但提醒我说英国政府现在正在走 20 世纪集中型能源的老路，特别是核电站的重新启用。她认为核电站将危及人类未来的福祉。

她恳请我拍摄一部可以广泛传播的反对核电站的纪录片，就像戈尔为反对全球变暖所拍摄的《难以忽视的真相》一样，她将为此提供赞助。看到她是如此的激动，我不禁问了问她的姓名。"玛丽昂·米利班德。"她告诉我说。我意识到她就是拉尔夫·米利班德的遗孀（我们正是以她丈夫的名字命名了此次演讲）。我告诉这位太太："几个小时之前我刚同您儿子见了面，他似乎对重新启用核电的主意很感兴趣。您没和他谈谈吗？""没有用！他不会听的！"她说道。不久之后，我在报纸上看到，在米利班德兄弟竞争工党党首一职的过程中，米利班德太太拒绝支持两兄弟中的任何一个。随后，爱德华·米利班德以微弱的优势击败他的哥哥，成为工党的新任党首。

然而那个下午的峰回路转还不止于此。当我离开学院的时候，一个年轻人在街上拦住了我，自我介绍是保守党能源和气候变化政策起草小组的一员，并表示戴维·卡梅伦对第三次工业革命十分感兴趣。他还告诉我说他的同事扎克·戈德史密斯一直致力于气候变化和能源问题。我告诉那个年轻人，我是扎克的父亲、已故的詹姆斯·戈德史密斯爵士和他的叔叔特迪·戈德史密斯的好朋友，并委托他向扎克表达我诚挚的问候。詹姆斯爵士是一个不拘一格的亿万富翁和政坛"坏小子"，他经常语出惊人，令整个英国政坛十分头疼。而特迪是世界知名的环境杂志《生态学家》的创办者和发行人。那个年轻人问我是否还有演讲稿的复印件可以让他拿回去同整个保守党环境小组共享，我满足了他的要求。之后，我就再也没有见到过他。

一年后，一位名叫格雷格·巴克的英国议员同我联系。他说他是保守党影子内阁的气候变化部长，保守党刚刚制定了能源和经济的可持续性政策，而这一政策的基础正是第三次工业革命的蓝图和计划。他问我是否能安排一次同卡梅伦的会面并共同举行一次记者招待会，宣布一旦当选，工党将采取第三次工业革命计划的打算。我说如果能够确定某些具体的事项，如交付成果和具体的日程，我愿意尝试。在随后的几个月中，我和巴克通了几次电话，也一直通过邮件保持联系。很可惜，最后我们并未促成此事。

在卡梅伦当选为英国首相后不久，我在里斯本遇到了巴克。当时我受邀在一个由《国际先驱论坛报》所举办的关于经济可持续发展的会议开幕式上致辞。此次会议有很多绿色金融的领导者参加。巴克刚刚被任命为卡梅伦内阁的能源和气候变化部长。他的直接上司、英国能源和气候变化大臣克里斯·休恩也将在这次会议上发表关于气候变化和能源安全问题的演讲。克里斯·休恩刚刚公开呼吁英国进行第三次工业革命的转型，以推动经济复苏，并为英国创造数百万个工作岗位。

卡梅伦的工党成员，如米利班德等，在竞选期间已经将核电纳入未来能源考量之中，而其联合政府的伙伴自由民主党却强烈反对在英国修建新的核电站。这一度成为阻挠两党组成联合内阁的绊脚石。若不是两党达成共识，绝不为修建新核电站提供国家补助（核电基本上已经不可能再次复兴），联合内阁很可能就此难产。为了确保核电政策不再死灰复燃，卡梅伦政府任命自由民主党的领袖之一克里斯·休恩担任英国能源和气候变化大臣，他是核电的坚决反对者。

卡梅伦和休恩坚定支持分散式的绿色能源，并将它作为本世纪英国经济发展的目标之一。休恩曾公开呼吁进行"第三次工业革命"。他们对第三次工业革命的拥护使其与戴维·米利班德等工党同僚在推动21世纪扁平化能源的发展方面显得格格不入。

为了显示对戴维·米利班德的公平，工党同时也支持绿色能源、上网电价补贴政策、"边付边还"节能项目和智能电网等。但戴维和曾任布朗内阁最后一任环境部长的爱德华从未公开发表过关于分散式能源变革的规划，而且一直倾向于像奥巴马总统一样将他们的计划单列出来。卡梅伦政府至少已经明白了第三次工业革命的五大支柱产业将为一个新经济模式的建立打下坚实的基础，并开始对这些节点进行整合。

巴克负责具体规划的制定。他向我询问全球政策小组和第三次工业革命全球首席执行官圆桌会议是否愿意派出代表为其提供协助，并表示卡梅伦政府正致力于在2011年的春天提出一个综合经济计划。我答应了他的请求，并随后举行了一次由我们的六位政策研究和商业专家，以及英国政府指定的工作人员共同参与的会议。会议的议题涵盖了需要整合到英国第三次工业革命路线图中的各种因素，包括市场准入、扩张以及商业渗透的各种障碍等。卡梅伦政府所派出的代表团对法规和标准的制定，以及可以有效带动第三次工业革命经济发展的激励机制和财政杠杆也很感兴趣。随后，我们提供了一份更为详尽的报告，其中包括英国的相关部门拟定最终路线图草案所需的各种具体材料。巴克向我保证卡梅伦政府完全了解"整合并协调构成第三次工业革命基础的五大支柱的复杂性"，并表示他们提出一份第三次工业革命的日程之后将力促英国政府和我们全球小组之间再一次进行对话。

关于英国案例，我认为有趣之处在于米利班德和卡梅伦两个同样年轻的政治家，一个固守自上而下的能源、经济发展模式，另一个致力于分散式网络途径的推广与建设，两个都撕碎了传统党派政治的标签。当然，卡梅伦政府是否将继续推行其现有的政策，抑或是像其他政府一样倒退到以环境污染为代价的经济发展模式，仍是个值得探讨的话题。

政治领袖和政党如何在新的政治谱系中给自己定位，将会是未来数年中政治科学学者、哲学家和社会学家争论的话题。但是为何社会党国际的主席希腊总理乔治·帕潘德里欧，与世界上最有权势的保守党国家领袖之一安格拉·默克尔却能在日渐兴起的新经济时代就如何管理和分配能源这一基本问题达成共识呢？

帕潘德里欧曾邀请我在2008年7月社会党国际每年两次的全体会议上发表演说。但随后我却发现他的政策与社会党国际的宗旨大相径庭，要知道只有社会党的领导人才能参加社会党国际每年两次的大会。帕潘德里欧一直承诺致力于将国际社会推向以能源民主化为标志的更加绿色的未来。而默克尔总理也是如此。在其所举办的德国商业领袖宴会上，默克尔清楚地表明了她所领导的德国政府对德国经济未来走向的看法。

众所周知，默克尔一直是谨言慎行，不肯轻易表态。她是那种习惯于躲在镁光灯之外，默默无闻、有条不紊地工作，为推动其所领导的政府的政治日程创造条件的政治家。因此，默克尔在其所举办的德国商业领袖宴会上所致的闭幕辞才使我惊讶不已。默克尔称她将致力于为德国建设第三次工业革命基础设施所需的五大支柱，并坚信欧洲和世界的未来在于向一个可持续发展的绿色时代转变。

这一政治新定位并不仅仅是面对政治家中的临时伙伴，它还希望将不同利益的经济力量整合起来。我们正在见证欧洲政治新运动的诞生。2010年的夏末，安吉洛·孔索利（欧洲第三次工业革命研究中心的主席）与意大利全国总工会秘书长吉列尔莫·埃皮法尼建立了联系。意大利总工会是意大利最大的工会，拥有 600 万会员，占整个意大利参加工会工人的 60%。当时我已经确定会在几星期之后到罗马，并于 9 月 27 日在意大利议会发表一次演讲，以促进同理心文化和生态意识等观念在意大利的发展。詹弗兰科·菲尼，中右翼的意大利下院议长，已经阅读过本人的拙作《同理心文化》，并对书中所提出的人类文化史的另一种解释很感兴趣，希望可以让更多的人了解这本书。于是我决定在罗马之行中增加一项行程，同菲尼会面。这样，在 9 月 27 日我花了一天的时间同中右翼的意大利下院议长及意大利总工会的领导人见面，他们的政治观点大相径庭。

当天上午，我同埃皮法尼在其意大利总工会的办公室里见了面。在场的还有总工会的其他三名官员。埃皮法尼告诉我总工会已经决定全力支持意大利的第三次工业革命计划。此外，总工会将乐于同各级政府当选的官员合作，无论政治倾向如何，只要其承诺推动该地区第三次工业革命的基础设施建设。

对于埃皮法尼来说，当务之急是确保第三次工业革命为意大利工人所带来的数百万绿色工作机会。而那是否意味着总工会将会支持罗马市进行的第三次工业革命建设，哪怕市长是来自右翼政党？我得到的答复是肯定的。

我建议总工会同意大利其他两大最有实力的经济体——意大利中小微企业联盟和生产者、消费者合作社联合起来，代表意大利所有商人、消费者和工人的利益，以一个声音说话，这样将会有更大的影响力。埃皮法尼表示了赞同，并表示将尽快同拥有相同利益的其他团体进行接触。实际上，这一桩新政治联姻的基础已经确定。近五年来，我一直同意大利各地的中小微企业联盟进行接触，不断向其阐述分散、合作式绿色经济将给他们带来的商业利益。而这些企业联盟也表示出极大的兴趣。就在一年前，意大利最大的合作社——意大利全国合作互助同盟就开始争取其他两个主要的合作社对第三次工业革命的支持。正如我的意大利朋友所预期的一样，工会、意大利中小微企业联盟与合作社将形成一股强大的力量，推动意大利的政治转型。

2011年1月24日，我来到了位于罗马的意大利总工会总部，宣布工会、意大利中小微企业联盟和意大利合作社正式组建联盟，以推动意大利的第三次工业革命转型。新联盟的产生在意大利引发了极大的关注，并在政界掀起了轩然大波。政客们纷纷开始调整政党的纲领，以适应一个新能源运动出现在意大利政治舞台这一现实。

这一股第三次工业革命的政治新力量很快跨越国界，扩展到整个欧洲。欧洲中小微企业联合会也加入其中。这一巨型机构由欧盟各成员国的全国性中小型企业联盟组成，代表了1 200万家企业和近5 500万雇员。欧洲合作联盟的加入也为这一运动壮大了声势。欧洲合作联盟由37个国家的161个全国性合作组织组成。而这些合作性组织共代表了16万个合作性企业的利益，有540万个工作岗位和1.23亿成员。由30个欧洲国家的40个消费者团体所组成的欧洲消费者组织，代表欧洲数千万消费者对新兴的第三次工业革命联盟表示支持。

2011年2月1日，以上所提到的所有代表欧洲大多数生产者和消费者利益的联盟同欧洲议会中五个主要政党集团共同签署了一项宣言，号召欧盟委员会为27个欧盟成员国第三次工业革命基础设施的五大支柱产业建设提供一份总体规划。

一个月之后的2011年3月7日，西班牙两个主要的工会联盟同西班牙中小型企业联盟、西班牙合作社和非营利性企业联盟及西班牙消费者联盟联合起来，要求推动第三次工业革命在西班牙的开展。上述联盟是基于只有第三次工业革命才能为复兴西班牙经济、刺激经济发展、创造新的工作岗位提供切实有效的长期经济计划这一共识而建立起来的。此类政治联盟在欧洲已经屡见不鲜。

这种看似荒谬的商业、工会、合作社和消费者联盟极有可能改变欧洲的政治进程。中小微企业联盟一直被认为是属于右翼政治势力，而工会则被认为具有左倾的政治倾向，合作社和消费者联盟则左中右都有。第三次工业革命将这些集团联合起来，整合成了一支全新的、强有力的扁平化力量，极有可能改变欧洲的政治进程。基于分散型、合作性的本质，第三次工业革命最合适的规模应该是数百万小型、微型企业和消费者所组成的代表其共同利益的合作性企业联盟。而由于在40年内完成第三次工业革命的五大支柱的建设需要数百万劳动密集型的工作岗位，这一新型的经济模式将解救被全球化所边缘化的劳动力。

现在无疑是政治重新洗牌的恰当时机。现有的成熟经济体的国内市场已经无法满足很多公司的需要，它们通过在发展中国家设立分支机构，将触角伸向了新兴市场。数百万未尽其才的劳动者和失业人员以及数千个小型企业被甩在其身后。对于小型企业而言，它们的收益在不断减少，当跨国公司完成本地化之后，它们很难从这些巨人口中分一杯羹。

但是如果数百万的小角色通过分散型的网络联系起来，进行跨部门和跨行业的合作，这无疑将会对现有的经济模式产生巨大的冲击。以欧盟为例，近年来新工作机会的80%是由雇员不多于250人的中小微企业所创造的。在美国，过去15年中65%的新工作岗位是由小型企业所提供的。如果这些企业通过第三次工业革命的五大支柱产业连接起来，并通过其内嵌的洲际化商业网络实现合作，新经济所产生的长期乘数效应将使第二次工业革命的层级式商业组织黯然失色。分散化、合作型的社会性媒体也会以相同的方式将20世纪传统的层级式通信媒体踩得粉碎。

为什么奥巴马总统不懂第三次工业革命

我想，此时此刻，我的美国读者们可能会问："我们的奥巴马总统呢？"在民众的印象中，他最能反映当今时代的变迁。年轻的总统曾坦言当选之后最难放弃的并不是隐私而是黑莓手机。那么想必奥巴马总统一定会对互联网革命之后的分散化合作式的能源革命方案感兴趣，可事实真的如此吗？

奥巴马的确将绿色能源纳入经济复苏计划之中，但如果审视具体的条文，我们就会发现奥巴马政府对核电、离岸石油的开采和减少碳排放的实验性技术更感兴趣，并批准了大规模修建火电站的相关规划。即使绿色经济复苏计划也只是对可再生能源进行集中管理、统一分配而不是分散式的模式，这实际上映射出主导第一次工业革命和第二次工业革命的层级式思维。我们究竟该怎样解读总统的政策呢？

我们不妨回到2003年，回想一下华盛顿是如何开始思考经济可持续发展的。有一天，我意外地接到了来自拜伦·多根参议员办公室的一名高级科学研究员的电话，他问我能否抽出时间同参议员见上一面。当时华盛顿刚刚得知欧盟已经开始进行绿色能源和低碳经济的基础工作。参议院对其中的第三项支柱——推进氢存储十分感兴趣。当时《纽约时报》花了很大的篇幅报道欧洲委员会主席普罗迪的氢存储研究计划，而多根希望有更深入的了解。多根是参议院民主党政策委员会主席，负责为参议院民主党人士提供新的政策建议。

　　虽然来自传统的煤炭产区北达科他州，但多根却是美国参议院中绿色经济的坚决拥护者。他急于知道欧洲当时的具体情况，并向我询问美国究竟应该采取何种政策。我向他坦言在绿色经济的道路上欧洲已经把我们甩在了身后，而在目前的这种状况下，如果一个对气候变化仍持怀疑态度的总统（像老布什一样）主宰白宫，共和党控制了参众两院，美国想缩小差距十分困难。尽管如此他仍希望我能够提交一份备忘录以便在参议院中传阅，就像我给普罗迪主席提交的一样，我答应了他的要求。随后他邀请我在周四的午餐例会上给他参议院的同僚们介绍一下第三次工业革命的相关内容。

　　时间选在了 3 月 20 日，就在美国开始轰炸伊拉克的几个小时之后。一进房间我就发现参议员们的心思已经都飞到了伊拉克，我根本不知道能否让他们回过神来关注未来的氢经济，以及它是如何同其他支柱一起构成了新商业时代的基础。

　　现在我们陷入了另一场发生在中东的战争，可以预见的就是大量的人员伤亡和数年的占领。而世界其他地方的媒体，甚至是美国的媒体，已经称之为一场"石油战争"。伊拉克拥有世界第四大石油储备，这是每一个政治专家质疑如果没有这些石油宝藏我们是否还会进入伊拉克时都不会忘记的事实。

　　出乎我意料的是，讨论十分热烈。很多参议员看起来真的对氢经济的未来很感兴趣。我注意到坐在房间后面的希拉里·克林顿参议员全神贯注地倾听讨论，还不时地记上几笔。她是最后一个发言的，但是从她的话语中我们可以看出她对我们所讨论的话题有着深刻的先入之见。

　　希拉里上来就直奔主题，就可行性进行了探讨。在共和党控制国会、总统专注于石油业、国家深陷于中东地区的一场战争的时候，推动氢能源研发日程最好的前景就是放在年度防务预算之中。随后，希拉里参议员和多根参议员联合发起了有关项目的立法程序。

我同多根参议员再次会面是在2009年2月。当时欧洲议会已经正式对第三次工业革命表示认可，欧洲议会的各个部门和机构正在准备相关措施。一些欧盟成员国，如德国、西班牙、丹麦等已经开始着手第三次工业革命的基础建设，"第三次工业革命"这个词已经成为全世界大公司和中小型企业首席执行官们口中的流行语。

7年之后，奥巴马总统的当选和民主党重新夺回参众两院为试水华盛顿提供了良机。我同多根参议员坐在了一起，并向他简要介绍了我们上次见面之后欧洲第三次工业革命的最新进展。同希拉里一样，多根参议员也十分清楚推进分散化、合作式能源机制将会带来的影响，同时也提醒我，国会、白宫和美国工业中的很多部门并没有为此作好准备。他安排我同新任能源部长朱棣文会面，并表示如果有机会会同总统就此问题进行交谈。我向他表示感谢，告诉他目前我们的小组已经有100余个跨国公司和工会加入其中，时刻准备同总统、能源部长和国会会面，就如何推进第三次工业革命的基础设施建设为美国经济的长期复苏奠定基础进行磋商。但是在他的任期内我再也没有从他那里听到任何消息，我十分确信他已经竭尽全力去建立合适的联系，只是那些人对此不感兴趣罢了。

2009年，我亲身感受到了美国民众对此的漠视。当时我同美国能源部第一副助理部长亨利·凯利一起，在沃顿院士培训项目于华盛顿举行的一次商务论坛上发表联合演讲。在我的演讲之后，沃顿的杰里·温德教授对凯利关于美国应该同欧洲一样开始着手设计第三次工业革命蓝图的设想提出了质疑。温德以棒球赛为例，问道："我们的选手现在是在一垒、二垒、三垒还是在本垒打跑垒的路上？"凯利回应说："我们刚开始击球。"

凯利没说出口的是美国同欧洲玩的根本不是同一场游戏，美国正投资在中西部和西南各州安装巨型、集中的风能和太阳能电厂。此举之所以能通过立法的原因在于它能够建立一个超级高压电网，将这些人口较为稀少的地区所产生的电能输给东部人口密集的地区。而建立高压电网的费用将会被分摊到数百万消费者头上。

这种对可再生能源集中生产、统一分配的政策并没有得到东部各州州长和电力公司的认可。2010 年 7 月，新英格兰和中大西洋地区 11 个州的州长联名致信美国参议院多数党领袖里德和少数党领袖麦康纳尔，反对国家输电政策。州长们质疑在西部地区集中进行风力和太阳能发电"将会损害促进地区性可再生能源发电的努力……同时也不利于在本州创造清洁能源工作岗位"。州长们特别指出该项工程的预算极高，将耗资 1 600 亿美元之巨。

14 家电力公司（其中很多家企业在这些地区的业务将受到极大的冲击）同中大西洋地区和东部的州长一道，要求国会允许每个地区单独进行可再生能源的开发。电力公司质疑"国家输电政策不应该偏重通过漫长的州际电力传输线缆把电力传送到人口密集地区的远程发电项目"。包括安特吉、东北公共事业公司、底特律爱迪生能源公司和南方电力公司在内的多家企业都声称电力传输应该在地区范围内进行。

《纽约时报》的记者马修·瓦尔德指出这一争论将成为第三次工业革命未来的关键之战，他声称"最基本的冲突仍在于远程能源与本地能源之争"。的确如此，但还有一个附注。问题的实质在于可再生能源发电究竟是在国家的某一特定地区集中生产、统一分配，还是本地生产、网络共享。

换句话说，美国需要修建一个集中型的超级电网，并将可再生能源单向传输给终端用户，还是建设智能网络，允许数千个社区自己发电并在国家电网中平等分配？

第三次工业革命的企业在联邦层面上所面临的挑战是双重的。一方面，建立在化石能源和核电基础上的传统能源部门，其思维方式是集中型的，结构是层级制的。而第三次工业革命正是反对这种根深蒂固的管理模式，此类模式并不利于发挥企业的创造性。

另一方面，企业的顾虑在国会有所体现。委员会的主席们、参议员、众议员以及立法部门的全体职员，在立法的草案阶段就同能源工业紧密相连。国会中关于如何推动和管理能源及电力发展的传统思想，实际上是公司董事会想法在国会的映射。在这种情况下，授权建立一个横跨美国大陆、耗资 1 600 亿美元之巨的超级高压电网，并将高压电网的费用分摊到数百万消费者头上的议案，实质上是重走第一次和第二次工业革命期间对电力集中管制的老路，在此过程中，地区收益不均衡的现象十分明显。

然而如果联邦政府建设一个分散式的国家电网，把整个国家连接起来，并允许当地的发电企业将电力回输到网络之中，将会创造一个与我们所看到的分散式网络商务相类似的扁平化网络。如同网络信息共享一样，每个企业和每户家庭的电价将会持续下跌。

对于是否应该以一个数字的、新型的智能网络代替服役半个世纪之久的机械伺服电网，并新修数千英里的电缆以满足美国未来电缆需求的争论，奥巴马总统的态度一直很明确。但为什么奥巴马总统会钟情于以集中型的组织模式，管理本质上是分散式、本地化的可再生能源呢？

旧能源最后的防线

有钱能使鬼推磨！大型能源公司拥有华盛顿最强大的游说力量，目前登记在案的有 600 人之多，他们的影响是如此强大，以至于可以指导国家能源政策的"选择"。这些说客到底是何许人也？据一项调查显示，代表油气公司利益的说客中有 3/4 曾经是国会相关行业监管委员会的成员，或曾经在负责行业管理的联邦政府机构中工作过。这就是所谓的"旋转门"，能源公司的代表和政府官员定期的互换职位，看起来有点"卓别林"式的滑稽。

身处关键委员会的参议员和众议员，如果对该行业具有倾向性或进行了合适的立法，就会得到竞选资金作为回报。而离职之后，也会在公司中得到说客的位置，收入颇丰。

那么能源工业如此慷慨，收益又如何呢？丰厚无比。它们投资所取得的收益足以令任何银行家眼红。2002~2008 年，给予化石燃料工业的联邦能源补贴达 720 亿美元，而同期可再生能源获得的联邦补贴则不到 290 亿美元。

为确保政客们对自己俯首帖耳，能源业的说客每年要耗资数十亿美元来操控舆论、资助自己的教育机构、为对本行业有好感的研究者提供资金赞助、为基层民众运动提供费用支持，其目的在于使选民们相信美国的希望在于支持石油产业。事实上，这一策略相当成功。

近年来大型石油公司大部分的努力集中在引发民众对全球变暖的质疑。2009~2010 年短短的一年内，石油、煤炭和电力工业就花费了 5 亿美元对政府进行游说，反对有关气候变化的立法通过。

像"繁荣美国人"和"自由行动组织"这样的集团，依靠石油工业的资助，在日渐兴起的茶党运动中发挥了巨大的作用，并成功地在全国各地的竞选中传播了自己的理念。根据 2010 年秋一项由《纽约时报》和哥伦比亚广播公司在中期选举前共同举行的民意调查显示，只有 14% 的茶党支持者相信全球变暖是环境问题，远低于普通民众 50% 的比例。

民众日益增长的对气候变化的怀疑已经引起了政治候选人的注意，特别是在那些竞争比较激烈，几个百分比就可以决定成败的地区。《国家杂志》曾报道在 2010 年的大选中，20 个共和党参议员候选人中就有 19 个对气候变化进行了质疑，并公开反对关于全球变暖的立法。

在美国，化石燃料工业的游说活动已经同将可再生能源发电纳入发电业的努力抗争了数十年。在仅有的少数大型石油公司进入可再生能源市场的案例中，他们也仍然是按照传统的方式进行集中生产，然后统一分配。

然而，即便如此，仍有证据表明第二次工业革命标志能源所进行的游说活动已经开始丧失对华盛顿能源政策的控制力。华盛顿 Demos 公共政策研究中心的高级研究员戴维·卡拉汉就曾在《华盛顿邮报》上撰文，称"肮脏富有"（指最有钱的那些美国人的财富是通过第二次工业革命中污染型、开采型工业聚集而来）的比例正在逐渐缩小，而"清洁富有"（财富产生于第三次工业革命中新兴、高科技信息产业）的比例正在上升。他指出在 1982 年，美国福布斯排行榜前 400 强中有 38% 来自石油工业和相关制造业，只有 12% 的人来自科技业和金融业。而 2006 年这一情况发生了变化，相关榜单中有 36% 来自科技业和金融业，只有 12% 来自石油业和相关产业。

很多从事高科技产业的亿万富翁，如谷歌的创始人拉里·佩奇和谢尔盖·布林，正在实现低碳的转型，并投资数百万美元于第三次工业革命新兴的分散式可再生能源科技。

作为华盛顿最强大的游说力量，旧能源及相关产业的说客们已经时日无多。而可再生能源与组成第三次工业革命基础设施的五大支柱尚未联合起来组成一个强大的游说力量。原因之一在于很多关键产业长期以来一直附属于第二次工业革命的结构，现在正身处两种能源机制、经济时代和不同的商业模式之间。代表汽车业、建筑业、能源电力业、IT业和交通部门利益的同一批说客，同时为相抵触的第二次工业革命和第三次工业革命相关的立法创制和管理条例进行游说已经见怪不怪了。尽管看上去莫名其妙，有时结果令人啼笑皆非。

为了创造一个透明、民主、可持续发展、公正的世界，分散合作式的第三次工业革命网络必须培养自己的游说力量，必须鼓励雇用知识型的说客在参议院、众议院和政府执行部门为第三次工业革命的蓝图和具体计划的制订进行游说，但是赞助竞选和新型"旋转门"则必须禁止。

集中型的超级电网与分散式的智能网络之争将决定我们的子孙究竟要从我们手中继承一个什么样的经济和社会。鉴于我们的互联网总统更愿意从传统智慧中汲取营养和化石燃料工业无所不及的触角，我实在是没什么建议可言。然而，第三次工业革命的游说力量已经在华盛顿、各州首府和各市初露峥嵘，它必将形成一个强大的反作用力，将美国推向一个新经济日程。唯一的问题就在于我们是要把握现在还是错失良机。

经济的转型和政治价值的变化同样也带动了政府机制的变化。随着第一次和第二次工业革命的展开，国家经济、民族国家的管理模式以及对世界集中型、层级结构的地缘政治划分也同时产生。第三次工业革命分散型、合作式的本质和按社区聚集的扁平化结构，更倾向于洲际性经济和政治联盟。我们正从"全球化"走向"洲际化"。

第 六 章

从全球化到洲际化

我第一次听到"洲际化"这个词是在巴黎郊区一个偏僻的酒店所举行的小型聚会上。那是在 2008 年 5 月下旬，全球物流运输业的顶尖邮政公司的首席执行官们齐聚于此，对全球经济的未来进行一次深刻的探讨。

不确定性笼罩了整个会场。所有的与会者都非常焦虑。这个行业有一条经验，托运量的减少就是经济不景气的预兆。当时全球运输趋于停滞，这是首席执行官们在有生之年从未遇到过的。世界范围内的购买力陡然下降，工厂的存货却在货场、院子和港口堆积如山，仿佛全球经济的引擎突然熄了火一样。

我受国际邮政联盟的邀请也参加了会议，并就欧洲议会最新的长期经济构想和规划发表演讲。

我在演讲中向与会者解释了正如信息在互联网上自由流动一样，分散型可再生能源将会跨越国界、自由流动。数百万人可以在自己家、工厂和办公室或在附近区域自行发电，并在社区或地区间实现能源共享，每个人都将成为一个遍布整个大陆的、没有界限的绿色电力网络中的节点。此外，我特别指出，第一次和第二次工业革命的能源和通信媒体促使了国家市场和民族国家政府的形成。第三次工业革命的能源、通信媒体和基础结构将会超越地理的限制。在绿色能源所驱动的第三次工业革命中，各大洲将成为经济生活的新舞台。而洲际性政治联盟，如欧盟，将成为新型的治理模式。

在我的演讲之后，TNT公司（前荷兰邮政公司，现已完成私有化，是国际顶尖的物流公司之一）的首席执行官彼得·巴克发表了自己的见解。令我惊讶的是，他转过身去，面对所有与会者说："全球化正在消亡。"按照他的观点，国际原油价格的大幅上涨使国际航运的成本越来越高，而政府对碳排放征税也将会提高物流的成本。他认为当前的经济转型就是由全球化转向洲际化，商业和贸易的大部分增长是在洲际市场实现的。巴克强调物流行业的重心应该重新定位，放到洲际市场上。

如果巴克的观点是正确的，那么商业和贸易从全球化到洲际化的定位调整，以及Wi-Fi这样的第三次工业革命物流基础设施在各大洲的建设，都将加速洲际经济和政治联盟的形成。

此次会议的与会者都一致赞同欧盟建设第三次工业革命基础设施的规划。但当谈及个人对未来发展的设想的时候，屋子里却不约而同地一片寂静。

泛大陆的回归

尽管近几年来我不断宣称第三次工业革命的基础倾向于洲际市场、洲际政治联盟以及跨大洲的连接性，但直到最近才显示出其明显的空间意义。2009 年 6 月的一个夜里，我乘坐航班去往达喀尔。眺望窗外，我看到臭名昭著的格雷岛上闪烁的灯光，在奴隶贸易时期格雷岛是塞内加尔几个奴隶集散地之一。达喀尔位于非洲大陆的最西端，也正是由于其优越的地理位置，它成了将奴隶运往美洲的罪恶航线的起点。

几天之后，我同塞内加尔总统阿卜杜拉耶·瓦德的私人顾问穆斯塔法·恩迪亚耶在海滩上同进午餐，席间我们探讨了在塞内加尔试验第三次工业革命经济发展计划、为西非的其他国家提供一种模板的可能性。每次我抬起头来，就会看见离海滩不远的格雷岛——这座象征着奴隶制和殖民主义给非洲大陆和非洲人民带来无穷灾难的纪念碑。

当我们提到西非海岸独一无二的特色时，我偶然间提到了非洲西海岸的海岸线和南美洲东部的海岸线的曲线十分吻合，这一点十分有趣，就像拼图一样。

很早之前科学家就怀疑在地球的初期，美洲与非洲同属于一个大陆板块，随着地壳的运动才最终分离。在 20 世纪 60 年代，地质学家对板块运动和大陆漂移理论探讨得十分热烈。科学家们达成的共识就是在 2 000 万年以前的中生代之前，地球上所有的大陆都属于同一块巨型大陆（地质学家称之为"泛大陆"）。地质学家坚信，地壳板块的运动使泛大陆开始分裂并漂移，最终形成了现在的分布形态。而现在，也是有史以来的第一次，我们就将这些大陆整合成一块单一的全球性大陆进行探讨，这同时标志着泛大陆的回归。别着急，下面我将详细解释一下。

第三次工业革命同新兴的洲际性市场和洲际治理联盟一道，开始在每一块大陆传播。欧盟是第一个开始第三次工业革命转型的洲际性经济体和政治联盟。而在亚洲、非洲和南美洲，东盟、非盟和南美洲国家联盟等洲际性联盟已经出现。在北美洲，北美自由贸易协定在某种程度上可以被视为洲际联盟的前身。尽管民族国家内部各级政府在 21 世纪不会消失，而且很可能会加强，但洲际联盟仍为统一的洲际市场提供了一个进行政治仲裁的机构，并为新兴的洲际性联盟在地理上实现各大陆之间的相连提供了具体的规划。此举将可以为 21 世纪的全球贸易提供一个完美的地理空间。实际上，洲际化正在实现全球性单一大陆的回归，即将出现第二个泛大陆，而这次"漂移"的实现却是人类之功。

正如互联网将全人类连接到一个分散、合作式的虚拟空间一样，第三次工业革命将人类连接到一个与其平行的泛大陆政治空间之中。而这个政治空间是什么样的呢？作为洲际性市场和洲际治理焦点的第三次工业革命基础设施，具有扁平化的组织特征和分散、合作式及网络化的特点，洲际治理和全球治理也具有同样的特征。第二次工业革命的基础结构是垂直的，组织形态是等级制和集中化的，因此单一世界政府的设想在逻辑上比较适用。当今世界的能源/通信基础设施具有节点化、相互依赖和扁平化的特征，单一世界政府的设想便显得与时代格格不入了。网络通信、新能源和新兴商业模式在全世界的发展，必将促进网络化治理在洲际和全球的发展。

最近欧盟和非盟建立了伙伴关系，共同致力于第三次工业革命基础设施的建设，这终将会使两个大陆连接起来。以"沙漠技术"为例，此项目预计造价将达到数千万美元，项目建成后可以通过连接非洲和欧洲的网络，将撒哈拉地区利用太阳能和风能产生的电力输送到欧洲。据估计到 2050 年，"沙漠技术"所输送的电力将满足欧洲 15% 的用电需求。

同时，西班牙和摩洛哥一直在就连接欧、非两大洲的直布罗陀海峡隧道的可行性进行商讨。正如连接英国和欧洲大陆的海峡隧道一样，直布罗陀隧道一旦建成，将实现人员和货物在欧、非两大洲之间的自由流通，将两大洲整合到一个物流网络之中。

俄、美两国就在白令海峡建设一条长 64 英里的隧道问题的磋商也在进行之中。计划中的隧道项目将连接西伯利亚和阿拉斯加，总投资额预计将达100 亿~120 亿美元。该项目还包括一条连接欧亚大陆和美洲的高速铁路，这将极大地促进商业、贸易和旅游业的发展。此项目一旦建成，将会实现一个从伦敦到纽约延伸到全世界 3/4 道路的陆地物流网络。

就实施的角度而言，在欧洲、非洲、亚洲和美洲之间铺设交换绿色电力的海底高压电缆要比建设深海隧道容易得多。因此，我们可预见这一设想在不远的未来就可以实现。相比之下，连接各大洲的海底隧道的完工时间要更久，政策分析家们预测隧道的完工可能要耗时 20 年以上。

那些对将大陆连接起来的想法不屑一顾的人，不妨回想一下苏伊士运河和巴拿马运河建成之前对它们的质疑。当时同样面临着技术和工程上的挑战，更不要说巨额的成本，这些都引发了对它们的强烈质疑。但与建成后所带来的巨大收益相比，所有问题都可以忽略不计。最终，人类成功修建了两条运河。

贯通埃及、连接地中海和红海的苏伊士运河为欧亚提供了交通的便利，而无须绕道非洲的好望角。苏伊士运河全长约 101 英里，1859 年开始建设，耗时 10 年最终完成。一共约有 150 万人参加了运河的建设，数千人为此献出了自己的生命。

19 世纪 80 年代法国人最先开始了开凿巴拿马运河的尝试，但随即就放弃了。随后美国人接管了运河工程，并最终完成。巴拿马运河横贯中北美洲，连接太平洋和大西洋，使船只免受穿行南美洲最南端的麦哲伦海峡之苦。美国于 1904 年开始修建巴拿马运河，并在 1914 年完工，而巴拿马运河的建成也夺去了 5 609 名劳工的生命。

如今，从工程的角度而言，连接大陆的尝试所面临的挑战依然十分巨大，但其所带来的商业利益也是无穷的。除不可预见的因素外，在本世纪中叶之前，各大洲将会通过第三次工业革命的基础设施再度连接在一起，为统一的"泛大陆"的回归铺平了道路。跨大洲的、彼此连接的生存空间将使我们对空间重新定位。在一个日渐统一的全球社会中，人们开始将自己视为一个不可分割的地球有机体系中的一部分。

世界上第一个洲际性联盟

对于"国家"这一概念——一个权力来源于市民的同意而非君权神授的现实统治权威，中世纪的学者很难理解。今天，虽然有欧盟的存在，世界上大部分的人仍然很难想象成为洲际性联盟的公民是什么样，成为一个横跨大陆的政治家族中的一部分又是什么感觉。虽然每个大陆都需要有一个政治联盟进行管理的想法看似有点过时，然而排除某些不确定因素，这却是社会未来的发展形态。政治分析家和记者们一直思考各种各样的新型政治力量安排，如 G20、G8、G2、金砖四国等，但却对一个在全世界兴起的、更加基础的政治安排——洲际治理绝口不提，实在令人费解。

第三次工业革命不仅催生了具有分散、合作思维的新一代政治领导人，同时也带来了同样具有分散、合作特征的新型管理机制。欧盟就是世界上第一个洲际联盟。欧盟诞生于两次毁灭性的世界大战之后，其本身就是传统地缘政治思想的产物。传统的地缘政治思想认为主权国家为实现国家利益同时在市场和战场上进行竞争，但是为了实现集体安全和经济利益，主权国家向洲际性政治联盟让渡部分主权以实现在欧盟范围内的合作。欧盟的诞生并未使国家利益消亡，但欧洲人越来越趋向于认同自己"欧洲人"的身份。

欧盟成立的初衷是为了实现能源共享。1951 年签订的《欧洲煤钢共同体条约》（European Coal and Steel Community Pact）是被大多数欧洲人尊称为欧盟之父的让·莫内的智慧结晶。莫内认为可以通过把德法两国的煤炭、钢铁资源，特别是鲁尔河和萨尔河沿岸的工业资源进行整合，来减轻德法两国之间长期的经济对立。1951 年 4 月 18 日，由法国、联邦德国、意大利、荷兰、比利时、卢森堡六国参加的"欧洲煤钢共同体"条约在巴黎签订。1957年，欧洲煤钢共同体的 6 个成员国签署了《罗马条约》，继续扩大合作的范围，决定成立欧洲经济共同体。同时，6 国还建立了欧洲原子能共同体，对核能进行合作开发。

现在，欧盟已经拥有了 27 个成员国，总人口达到了 5 亿，包括西至爱尔兰海、东至俄罗斯的广阔地区。

如今，欧盟已经走过了 50 年的岁月，能源再次成为下一阶段欧洲大陆发展的中心议程。欧盟是潜在的世界最大内部市场，本身就拥有 5 亿消费者，而其从地中海到北非的相关伙伴地区还存在另外 5 亿消费者的潜力，但就目前而言，欧盟尚未形成统一的单一市场。

第三次工业革命为分散式的洲际性能源和通信结构的实现奠定了良好的基础，而这必将建立一个完美的经济空间，所以欧盟及其伙伴地区所拥有的 10亿人口可以轻松、有效地进行商业和贸易，发展绿色可持续经济，欧洲也因此将会在 2050 年成为世界上最大的统一市场。这正是欧盟未竟的事业所在。

亚洲、非洲和南美洲国家已经追随欧盟的脚步，开始形成本大洲的洲际性联盟。它们具有与欧盟相同的目标——创造统一市场。此外，同欧盟一样，这些大洲也开始了将分散式的互联网通信媒体同分散式的可再生能源结合起来的尝试，力图为第三次工业革命的经济模式奠定基础——拥有适于洲际商业和贸易发展的完全整合的电力网络、通信网络和交通系统。一个贯穿整个大陆的分散、合作式能源/通信基础设施必将带动洲际治理的发展。

东盟

上述进程在亚洲已经开始了。印度尼西亚、马来西亚、菲律宾、泰国、新加坡、文莱、缅甸、越南、老挝和柬埔寨共 10 个东南亚国家组成的东盟就是这一进程的产物。而中、日、韩三国则同东盟保持了紧密的联系，形成了东盟"10+3"机制。

东盟的建立可以追溯到 1967 年。1967 年，印度尼西亚、泰国、新加坡、菲律宾四国发表了《曼谷宣言》，正式宣告东南亚国家联盟成立。东盟成立的初衷是为了"以平等与合作精神，共同努力促进本地区的经济增长、社会进步和文化发展"。2003 年，东盟成员国一致同意建立类似于欧盟的东盟共同体。2007 年，东盟成员国在菲律宾的宿务岛召开峰会，在东盟发展的历史上迈出了重要的一步。会议发表了《宿务宣言》，重申在 2015 年之前完成东盟经济共同体的建设。东盟共同体包括东盟经济共同体、东盟安全共同体和东盟社会文化共同体三部分。

2008 年，《东盟宪章》正式生效，就东盟发展的目标、原则、地位以及框架等作出了明确规定，并为加快洲际性共同体的建设提供了组织基础。

此外，在 2007 年的东盟宿务峰会上，东盟成员国的领导人还签署了《东亚能源安全宿务宣言》，为洲际性能源基础设施的建设和第三次工业革命在亚洲大陆的发展奠定了基础。东盟的区域伙伴国家，如东南亚的中国和印度，以及太平洋国家日本、韩国、澳大利亚和新西兰，也在宣言上签了字。

与会领导人认识到"全球化石能源储量有限，世界石油价格起伏不定，环境和卫生状况正在恶化"。有鉴于此，东盟国家所面临的主要问题是如何在不破坏环境或加剧全球变暖的情况下保持经济的可持续发展。为推动经济发展，东盟国家需要大规模发展清洁能源。实现可再生能源在亚洲和太平洋地区的快速发展则需要成员国的共同努力。

此外，会议各方一致同意"减少对传统能源的依赖……降低成本，并通过创新融资机制提高可再生和可替代能源的效能"，以及"通过对东盟电力网和跨东盟天然气管道等本地区能源基础设施的投资，确保获得稳定的能源供应"。

《东亚能源安全宿务宣言》的最后一部分——创建东盟电力网，对实现第三次工业革命洲际性经济的转变和东盟洲际治理空间的巩固具有关键性的作用。一直宣扬"10个国家，一个集体"的东盟已经为该地区制订了长期综合能源规划和最初的五年计划——《东盟能源合作行动规划（2010~2015）》。此项计划的重点就是东盟电网的建设，即2004年东盟成员国首脑签署的"11大骨干计划"，目标是建立"一个统一的东南亚电网"。

在东南亚大陆建立一个统一的电力网络，为统一市场和洲际政治联盟的创立提供了一个中枢神经系统。目前，已经有4项互联电网工程正在建设之中，还有11项处于规划阶段，金额总计约59亿美元。

东盟十分了解实现可再生能源转型的重要性和综合性洲际电网在东盟共同体建设中所发挥的重要作用。东盟国家曾明确表示："正视东盟国家原有的、独立的能源政策与规划的局限，发展相互依赖、跨越国境、着眼未来的能源产业，以满足更大程度上的经济整合的政策需求。"而东盟国家建立统一市场和洲际政治联盟的速度，最终将取决于连接本地区的绿色智能网络的建设情况。

尽管东盟共同体很快由愿景变为政治现实，但谈及建立一个洲际联盟，还有很多问题尚待解决。第一个问题就是中国的存在。中国有13亿人口，而且已经取代日本成为亚洲经济发展的引擎。如果东盟成为一个单一政治共同体，中国是否还愿意作为旁观者发挥伙伴的作用？一个总人口有6.05亿的东南亚政治联盟，虽然人口规模只是中国的一半，但仍是一支不可小视的力量。一旦日本、韩国、澳大利亚、菲律宾从伙伴国变成东盟的正式成员，将会给东盟带来巨大的经济动力和3亿人口，届时东盟将成为中国在该地区的一个强大的竞争者。

如果印度这一拥有12亿人口的另一个迅速发展的亚洲巨人成为东盟共同体的正式成员，同样也将超越其他所有成员国，成为这场政治游戏的主导者。

欧盟建立单一、洲际性政治空间的努力之所以能够获得成功，是因为没有一个国家可以主导整个政治进程。虽然德国是欧盟中最强大的国家，并充当了欧盟的经济引擎的角色，但它的实力还不足以令其一览众山小。

欧盟共同体扩张的步伐在俄罗斯那里停滞下来。这一现实并不意味着俄罗斯不能无可辩驳地宣称其半欧半亚国家的特殊地位，或者俄罗斯应该包括在欧盟之中。然而，到目前为止，俄罗斯很享受其欧盟特殊伙伴的位置，有少数观察家宣称在不远的将来情况将有所改观。

我有一次同米哈伊尔·戈尔巴乔夫共进晚餐的时候提到了俄罗斯加入欧盟这一话题。他认为俄罗斯太大了，因此难以适应欧盟，但俄罗斯可以同欧盟保持一个更亲密的伙伴关系，甚至可以并入一个统一的电力、通信和交通网络中，在事实上成为单一市场的一部分而不是单一的政治空间。

在亚洲，中国和印度的情况也是如此。与印度相比，中国政府的集中式管理体制决定了中国很难加入分散、合作式的伙伴关系，而这正是洲际性政治联盟的本质特征。另一方面，由于自身更加分散、民主的权力结构，印度更有可能同东盟形成更加亲密的伙伴关系，甚至成为东盟一员。新一代的中国人可能更适应分散、合作式的经济、政治和社会组织结构，并很有可能在短时期内改变游戏的进程，但具体结果在洲际化的初期很难预料。

还有一点我必须提及，这与在每个洲建立洲际性联盟都密切相关。那就是地区和区域所表现出来的日益增长的力量已经不再受国界的束缚。

当欧盟第一次出现在世人面前的时候，其给政治力量带来的影响是难以预料的。当时唯一的争论就是欧洲共同体到底是一个共同市场还是联邦国家。英国倾向于前者，希望可以在加入统一市场享受经济收益的同时保持主权的完整。而法国则倾向于一个更加集权的结构，希望在让渡部分主权的情况下主导（至少影响）欧盟的发展。事实上，欧盟的发展沿着两条线并行，最终介于两者之间，超出了单一的统一市场而尚未达到高度集权的联邦国家。欧盟治理更多地依靠民族国家、地区和城市组成的分散式网络，没有一个单一的力量可以决定联盟的未来，所有的行为体都必须共同努力才能就目标达成共识。

统一市场的形成和边界开放的洲际治理，使地区可以超越本国的政府，同其他地区直接建立商业关系，这些地区可能是近在咫尺却分属两个国家，或在同一个国家之内却咫尺天涯。

欧盟的经验就是当民族国家联合起来建立一个统一市场、边界开放的政治共同体之后，商业和政治联系就会趋于扁平化，并跨越原有的国界，形成一个节点式、网络状的权力结构，而不是传统的集权层级结构。彼此相邻却分属两个国家的欧盟地区之间的商业伙伴关系则越发紧密，其程度经常会超过同本国政府或本国其他较远地区的联系。

由于自身扁平化的定位，第三次工业革命的通信/能源模式在没有边界限制的开放空间中自由地发展。这意味着一旦东盟联盟成为现实，边界开放将使相邻的地区互动更加频繁，并共同建设第三次工业革命的五大支柱基础设施，正如Wi-Fi通信在地区间发展并通过广阔、互联的网络覆盖所有的大陆一样。

如果签署了《东亚能源安全宿务宣言》的中国和印度可以开放边界，允许分属不同国家的相邻地区实现连接并建设第三次工业革命共享网络，快速发展的网络将极大削弱两国政府固有的在本国范围之内控制发电和电力分配的主权。这必将从根本上改变权力的构成，正如之前在欧洲所发生的一样。

如果想在21世纪世界经济中占有一席之地，中国和印度除了加入洲际性联盟之外别无选择。目前，两国都致力于第三次工业革命所需科技的发展。中国在不远的将来很可能取代欧盟在某些特定技术领域中的领先地位。中国已经将第三次工业革命的五大支柱产业单独立项并着手建设。所以尽管中国可能很快会成为可再生能源科技的领导者，并已经开始建设零排放和绿色能源建筑、发展氢存储和其他存储技术、建设智能电网、生产插电式或电池动力交通工具，但它不会完全理解所有项目连接在一起形成一个单一互动系统给社会带来的强烈冲击。这些项目需要一个扁平化、开放式共享的洲际性政治空间，以实现发展、扩张和经济潜力的最大化。具有讽刺意味的是，中国很可能结束相关软硬件的开发，而沿用原有的自上而下的管理形式。

非洲联盟

2002 年，代表了十多亿人口的非洲 54 个国家的领导人齐聚南非，建立了旨在"推动非洲大陆政治和社会经济整合"的非洲联盟。但是由于官僚主义的作风，非盟的具体工作实质上陷于停顿之中。直到 2008 年，非盟和欧盟建立了非欧能源伙伴关系。此伙伴关系的目的在于推动可再生能源在非洲的发展，并为非洲创设一个电力管理规划，将 10 亿非洲人民纳入统一电力网络之中。

非洲是世界上电力基础设施最不发达的大洲。在撒哈拉以南地区，70%的人口还没有用上电，其余很多人的电力供应也是时断时续。事实上，非洲很多地区甚至连第二次工业革命的基础设施都没有。因此，不少政治分析家认为非洲能够实现第三次工业革命的"跳跃式"发展而无须考虑从第二次工业革命转型的高昂费用和阵痛。也正是基于此，欧盟的领导人向非洲提供了3.76 亿欧元的援助，进行 77 项工程的建设，其中大部分用于推动可再生能源的发展和电力网络的扩张。此外，欧盟还保证在未来向非洲再提供 5.88 亿欧元进行更多的项目建设。

非欧能源伙伴关系设定了两个近期目标：首先，至少再为 1 亿非洲人提供现代的、可持续的能源服务；其次，为了大幅提高可再生能源在非洲的利用，将会在非洲大陆新建 10 000 兆瓦的水力发电设施、5 000 兆瓦的风力发电设施和 500 兆瓦其他形式的新能源发电设施。同东盟一样，非盟越发意识到分散、合作型可再生能源机制的发展需要网络型的洲际治理作为政治基础。

然而，非洲仍面临一个重要问题。撒哈拉以南地区的很大一部分尚未完成第二次工业革命，缺少发展相关产业的技术专家和专业技能。这也正是欧非伙伴关系将非洲相关教育和专家的培养同资本提供及技术转移并重的原因。在欧非两大洲之间建立紧密合作的伙伴关系，可以使非洲发展自己的产业，并为非洲培训出一支可以建设、管理第三次工业革命基础设施的专业技术队伍。同时非欧双方也希望通过建立一个覆盖整个非洲大陆的绿色电网的合作能源机制，开启"非欧工业贸易和商业合作的新篇章"，促进非洲统一市场的形成。

非欧能源伙伴关系得到了全世界的肯定与赞扬。第三次工业革命的支持者认为第一次和第二次工业革命都是以化石能源为基础，而化石能源只在特定的地区出产，需要巨额的军事投资和地缘政治操作才能获得，这所有的一切都更符合发达国家的利益。可再生能源则不同，它是随处可见的，在非洲发展中国家尤为丰富。可再生能源的分布极为广泛，因此第三次工业革命可以在发达国家和发展中国家同时开展。非洲已经开始开发其可再生能源的潜力。能源专家认为太阳能、风能、水力资源、地热和生物能足以满足任何一个大洲的能源需求，甚至还绰绰有余。问题的关键是要为可再生能源的发展提供一个合适的温床，即为发展中国家提供财政援助、技术转移和培训计划，这也是非欧伙伴关系的主要内容。

虽然采取了上述努力，但仍有人质疑这些合作是一种新型的"生态殖民主义"。他们认为撒哈拉地区的"沙漠技术"项目就是新型生态殖民主义的预兆。

欧洲的一些大型财政机构和能源公司正在开展一项在北部非洲建立世界上最大的太阳能电厂和风力发电厂，并将可再生能源产生的电力回输至欧盟的计划，也就是所谓的"沙漠技术"项目。正如前文所述，此项计划的目标是到 2050 年，"沙漠技术"所回输的电力将满足欧洲 15% 的用电需求。

在那些集中发电并统一出口的鼓吹者与利用本地的可再生能源进行发电并通过分散式智能网络实现区域共享的支持者之间，展开了一场激烈的辩论。而这场辩论与美国所发生的关于究竟应该在西部地区集中利用风能和太阳能发电并通过超级高压电网输送到东部，还是所有地区都利用本地的可再生能源并通过分散式的国家级智能网络共享的争论有些类似。

"沙漠技术"项目的支持者认为，"如果在北部非洲进行大规模投资发展发电和电力传输产业，将带动当地相关产业的发展，实现知识和技术的转移"。非洲的一些官员也对此持赞同态度。非盟委员会基础设施能源委员会主任阿布巴卡里·巴巴·穆萨将"沙漠技术"视为一个双赢的项目。"在非洲，我们不缺少太阳能，我们也不缺少土地，而这些正是欧洲人所没有的。"巴巴·穆萨希望可以在南部非洲的喀拉哈里沙漠和东部非洲的欧加登沙漠开展类似的项目。他还让那些批评家"多想想可以创造多少个工作岗位和发多少电"。

另外一些人的态度则更加保守。他们质疑这些所谓的工作岗位只是临时的体力劳动，而大部分具体实施建设与管理的专业人员都来自欧洲。已故的赫尔曼·谢尔（世界可再生能源协会主席、德国议员）认为如此远距离进行太阳能传输是不切实际的，完全是在浪费钱，相反，非洲应该专注于在本地区可再生能源的利用。绿色和平组织也加入到这场争论之中。绿色和平组织的国际可再生能源委员会主任斯文·特斯克虽然对"沙漠技术"项目表示支持，但认为必须同时发展非洲大陆的本地可再生能源电力项目。

关于可再生能源发电究竟应该采用何种管理方式的争论愈演愈烈。就我个人而言，我并不反对在特定区域进行集中的太阳能、风力、水力、地热和生物能发电，但是这些只是第三次工业革命经济所需的可再生能源发电量的一小部分。可再生能源在本质上就具有分散性的特征，新型的分散式的通信技术为可再生能源的本地生产、存储和通过智能电力网络在整个大洲范围内进行分配提供了技术上的可行性。与传统的集中型管理方式相比，对可再生能源实行分散式管理可以大幅提高利用效率并降低成本。

扁平化能源已经开始改变发展中国家。电力现在已经可以到达非洲的偏远地区，而在此之前那里是集中型电网的盲区。移动电话的引进已经为第三次工业革命奠定了初步的基础。

事实上，数百万非洲农村家庭在一夜之间就通过卖牲畜或多余的粮食凑够了买手机的钱。所购买的手机用于商业活动和私人通信的比例差不多。在非洲农村，由于远离城市的金融机构，人们越来越依赖手机进行小额资金的拆借。可问题在于，如果电力网络不能覆盖更多的地区，这些用手机的人很可能不得不走很远，到有电的镇上给手机充电。

伊丽莎白·罗森塔尔就曾经在《纽约时报》上撰文，描述了一个肯尼亚的农村妇女每周不得不走上两英里然后再打一辆摩的，花三个小时到镇上花30美分给自己手机充电的故事。而最近，她家通过卖家畜筹集80美元买了一个太阳能发电系统。一块太阳能板所发的电不仅可以满足其为手机充电的需求，还可以为全家提供照明。当然，这些数据可能有些笼统，但非洲现在已经掀起了一场安装太阳能发电系统的热潮，分析家预计有数百万非洲人已经进入了第三次工业革命的大潮之中。非洲大陆上所发生的一切表明普通非洲家庭实现了从没有电直接到第三次工业革命时代的历史性跨越。

除太阳能之外，很多微型绿色能源发电技术也出现在非洲大陆，包括利用牛粪发电的小型沼气池、利用稻壳发电的迷你发电站和利用当地水力资源发电的小型水电站等。但是，可以让这些发电站在整个地区实现能源共享的分散式智能网络尚未出现。此目标只有在数百万家庭实现了利用身边的可再生能源发电之后才能实现，而这一过程也反映了世界最不发达地区能源民主化的过程。

南美联盟

南美联盟在洲际化的道路上起步较晚。南美地区两个早期的区域集团，即 1969 年由玻利维亚、智利、哥伦比亚、秘鲁成立的安第斯共同体和 1991 年由巴西、巴拉圭、乌拉圭和阿根廷组成的南方共同市场，设立的初衷都是为了创造一个自由贸易区。

2008 年 5 月，南美 12 国元首在巴西利亚签署《南美国家联盟组织条约》，宣告南美联盟正式成立。南美联盟在保留南美地区原有的两个区域共同体所有成员的基础上，吸纳了圭亚那、苏里南和委内瑞拉，总面积达到了 684.5 万平方英里，总人口达到了 3.88 亿，国内生产总值总计达 4 万亿美元之多。新成立的南美联盟将执行共同的防务政策。2010 年，南美联盟任命阿根廷前总统基什内尔担任联盟首任秘书长，但不久后，基什内尔不幸病逝。联盟现任秘书长是哥伦比亚前外长玛丽亚·梅希亚。各成员国一致同意建立南美议会、发放统一护照、发行统一货币，并争取在 2014 年形成一个统一市场。

南美联盟将能源条约的创建作为首要工作之一，并向成员国承诺建立一个能源和电力共享的洲际性基础设施。成立于 2007 年 4 月、拥有 12 个成员国的南美能源委员会也被并入南美联盟之中，成为其下属机构，负责南美能源战略的制定。该委员会将南美洲丰富的可再生能源的开发与利用置于首位，"可再生能源在实现能源结构的多样化、确保能源安全、促进能源普及和环境保护方面发挥了重要的作用"。

实际上，很多南美国家在可再生能源的开发与利用方面进展缓慢。但南美最大的经济体巴西在这方面却是先行者。其电力的84%来自水力发电，而交通用的每升汽油中就含有20%~25%本国生产的乙醇。水力发电和植物加工而成的燃料乙醇的比率非常高，使巴西成为世界上最先进的可再生能源经济体之一。

然而巴西对可再生能源的偏好很可能发生改变。近年来巴西在其附近海域发现了大量的石油资源，使其成为世界上的主要石油生产国之一（名列第十二位）。这就给巴西的能源政策提出了新的问题，是继续坚持第三次工业革命的发展方向还是退回石油文化的老路。

巴西的另外一个未知数就是其未来的水力发电能力。虽然水资源是一种可再生资源，但是全球变暖给地球的水文循环带来了巨大的变化，引发了更多的洪水和干旱。作为巴西水力发电主要来源的亚马孙河，正位于气候变化所引发的旱区之一。2001年，巴西遭遇了有史以来最为严重的旱灾，极大地影响了其水力发电的能力，使整个国家的电力网络一整年都陷入电力短缺之中。

未来可能发生的更为严重的干旱同样将对甘蔗的生产影响巨大，甘蔗减产可能造成乙醇价格的大幅上涨。此外，虽然巴西可利用的太阳能总量丰富，但巴西政府并未着手开发，对能源结构的缺陷进行纠正。

另一个有趣的案例是委内瑞拉。委内瑞拉盛产石油，是世界上第九大石油输出国。乌戈·查韦斯利用石油收益一方面在地缘政治的舞台上大肆宣扬其意识形态，另一方面在国内进行"21世纪社会主义"革命的尝试。鉴于石油收益占委内瑞拉国内生产总值30%的事实，我们很容易就断定查韦斯并不情愿进行可再生能源和第三次工业革命的转变。然而，世事无常，政治行为和政策选择并非如我们所预测的那么简单。

2006 年 9 月 17 日，我和我妻子像往常一样坐下来准备一边吃早餐一边翻阅《纽约时报》。我惊奇地发现《理念与趋势》专栏花了一整版的篇幅介绍乌戈·查韦斯喜欢的书籍。我之所以对这篇文章感兴趣是因为可以借此探究那位反复无常的领导人的内心深处，把握其思考的方式。我仔细审阅了查韦斯长期以来最喜欢阅读的书单，有维克多·雨果的《悲惨世界》、塞万提斯的《堂吉诃德》、迈克尔·摩尔的《伙计，哪里是我的国家？》、弗里乔夫·卡普拉的《转折点》、约翰·肯尼思·加尔布雷思的《为什么经济学是骗人的》和拙作《氢经济》。对于拙作位列其中，我不禁大吃一惊。我与查韦斯先生素未谋面，甚至不曾通信。于是我开始仔细阅读此文，试图发现一些为什么查韦斯对这本书感兴趣的蛛丝马迹，毕竟此书的全部内容都是关于委内瑞拉的经济命脉——石油经济日薄西山。终于我在文中发现，查韦斯提到是古巴人民革命委员会主席菲德尔·卡斯特罗向他推荐的这本书（我与卡斯特罗也素不相识）。

这篇文章还写道，2006 年 7 月查韦斯对伊朗进行国事访问期间，曾发表一次演讲提醒伊朗人民要为石油经济之后的全新经济未来作好准备。而在演讲中，查韦斯特意提到了《氢经济》这本书，并说："此书是基于一个不久就要成为现实的假设……石油总有用完的一天。"而中东石油经济的老手实际上并不需要一个美国人告诉他们那些对他们来说早就耳熟能详的事实。据说在中东有这样一句话："爷爷骑骆驼，父亲开汽车，我坐飞机，我的孙子又得骑骆驼。"

毫无疑问，中东和北部非洲的沙漠地区可利用的太阳能总量是世界上最丰富的，甚至要比地下可开采的石油储量还要多。世界上第五大石油生产国阿联酋已经开始着手准备后石油时代的到来。阿布扎比投资数十亿美元正在建设一个全新的城市，新城市名为"马斯达尔"，它可能是世界上第一座后碳经济城市，完全依靠太阳能、风力和其他可再生能源。它同样是一座第三次工业革命之城，是将在未来遍布全球的数千个这种城市的先行者，而这样的城市将会像网络中的节点一样，彼此连接，最后形成一个全球性的分散式网络。2009 年我曾访问马斯达尔，亲眼目睹了建筑师和工人们修建第一幢建筑的情景。那幢建筑的结构同我以前所见的都大不相同。整体设计、建筑材料和外观都像是从科幻电影中出来的。它让人激动得透不过气来。

那么，从查韦斯的演讲中我们可以得到些什么？那就是现在就要开始向第三次工业革命经济形态转变，不要等到石油耗尽的那一天，那就太迟了。

2002 年的夏天我曾经从另外一个我意想不到的人口中听到过同样的话，那人是世界上最大的石油公司之一的首席执行官。当时，我和妻子正在墨西哥的洛斯卡布斯参加亚太经合组织领导人峰会。在大会进行小组讨论的时候，我同劳尔·穆尼奥斯·莱奥什分在同一小组，莱奥什是墨西哥国家石油公司总裁。当时，墨西哥是世界上第五大原油生产国。而我刚刚就石油峰值的到来发表了自己的看法，呼吁各国政府领导人为后碳经济的转型作好准备。我原以为穆尼奥斯对我的观点会持有异议，并作出更乐观的预测。结果恰恰相反，他告诉小组成员根据墨西哥国家石油公司进行的内部研究，墨西哥的石油产量将在 2010 年左右达到峰值。所有人都十分震惊，一时间安静得连一根针掉在地上都能听得见。一个墨西哥的商业领袖从台下站了起来，问道："鉴于墨西哥国家石油公司的收益在墨西哥国内生产总值和政府财政收入中占有很大的比重，石油峰值对墨西哥来说意味着什么？"

穆尼奥斯的回答十分谨慎。他说他赞同我关于墨西哥乃至整个世界都应该立即着手为一个崭新的可再生能源时代进行规划。而对于墨西哥来说，最好的选择就是运用相当大的一部分石油收益进行可再生能源经济的基础设施建设。他同时提醒与会者墨西哥拥有丰富的可再生资源，全年日照时数很长，而且几乎整个海岸都有风力可以利用。

一年后，我应墨西哥联邦政府能源部之邀造访墨西哥，就墨西哥国家石油公司向可再生能源转型和投资太阳能的前景进行探讨。就我当时所掌握的情况来看，此次会议并没有取得什么实质性的成果。而穆尼奥斯随后也离开了墨西哥国家石油公司。实际上，任何一个石油输出国或进口国，都应该好好听一听穆尼奥斯的先见之言。对于第二次工业革命来说，时日已经无多，第三次工业革命的基础设施建设已经迫在眉睫。

我不禁想到了美国。美国曾经是世界上顶尖的石油大国，在20世纪70年代早期，美国石油生产达到了顶峰，从那时起，美国越来越依赖石油进口来维持自己的经济。正如穆尼奥斯和查韦斯一样，美国总统吉米·卡特在30年前也试图警告美国人民需要寻找新能源来替代石油。

在1979年第二次石油危机那些最黑暗的日子里，伊朗革命所带来的混乱使伊朗所有的油田突然停产，严重的石油短缺使汽车在加油站旁边排起了长队，甚至延伸到好几个街区。而这一幕似曾相识，在1973年第一次石油危机中也是如此。所有美国人都愤怒无比，并试图为这个看起来超出其能力之外的问题寻找解决办法。为了安抚民众的情绪，卡特总统发表了其总统生涯中最重要的演讲，尽管当时并未受到认可，并一度成为政治权威口中的笑料。

白宫将这次演讲命名为"信心的危机"，而媒体则称之为"委靡演讲"。写到此处，在30多年之后，我不禁为演讲的预见性所折服。卡特意识到我们将越来越依靠外国的石油资源，而石油价格在数十年内不断攀升。他说，石油危机代表了一系列事件的顶峰，这些事件在过去25年中已经开始侵蚀美国人民对一个更美好的明天的信仰，而那正是美国梦的核心。肯尼迪总统及其胞弟罗伯特·肯尼迪的遇刺、马丁·路德·金的不幸、深陷泥潭并在美国国内造成严重分歧的越南战争、居高不下的通货膨胀、高涨的失业率和工资水平的不断下跌，这一切正在肢解美国的灵魂，造成了一种"信心的危机"。加油站旁排起的长队、汽油和其他石油产品不断上涨的价格则使危机更加恶化，将美国由一个希望之国变成了失望之地。

卡特总统号召美国人民同他一道致力于能源自立的改革，使美国重回正轨并在未来重拾信心："能源问题是检验我们是否可以团结一心的试金石，同时也是我们集结的旗帜。在能源的战场上，我们可以为我们的国家赢得新的信心，我们也可以重新成为自己命运的主宰。"

卡特总统率先垂范，在白宫的屋顶安装了太阳能，并在其住所安装了火炉。他提出很多大胆的举措如建立石油储备、发展可替代能源，力争在10年之内将对外国石油的依赖程度减少一半。他还提议立法建立一个太阳能银行，帮助美国"实现到2000年电力的20%来自太阳能发电的关键性目标"。此外，卡特号召美国人调低空调的温度、合伙使用汽车或使用公共交通工具。他还提议建立一个类似"二战"时期的战时生产委员会的能源委员会对国家进行动员和监督，以赢得这场能源独立战争的胜利。

然而随着世界原油价格的回落，美国商业组织和公众丧失了变革的兴趣。卡特的继任者罗纳德·里根更是拆除了白宫的太阳能热水器和火炉。美国人又回到了从前，甚至买更大排量的汽车、使用更多的能源，过着一种消费驱动的、浪费的生活。

虽然随着时间的流逝，卡特的警告在公众的印象中逐渐淡去，但全球经济发生的巨大变化为北美洲际化的尝试奠定了基础，能源再一次起到了关键的作用。

秘密的北美联盟

1990~1991 年的经济衰退使美国的注意力转移到如何恢复经济增长上来。在华盛顿，共和党人和民主党人都将全球化、消除贸易壁垒和自由贸易视为发展国内经济、创造就业机会的良方。布什总统更是以身作则，通过协商与加拿大和墨西哥两国签署了《北美自由贸易协定》。尽管有些观察家质疑这一协定的签署是否意味着建立北美政治联盟的尝试，但布什总统强调三国签署此项协定的目的并不在于建立一个类似于欧盟的政治同盟。相反，在互利的基础上建立一个北美自由贸易区才是协定的真正目的。

从《北美自由贸易协定》签署的那一刻起，能源就是考虑的重点之一，但重点集中在传统能源之上，如煤炭、石油、天然气和铀等，这也是美国的关注点所在。加拿大是世界第六大石油生产国，墨西哥是世界第七大石油生产国，美国正位于加、墨两国之间。鉴于这样的地理优势，我们就不难理解为什么美国急于把《北美自由贸易协定》作为确保自身能源安全的工具了。

有一小部分美国公民甚至意识到了加拿大是美国石油和成品油的最大供应商，占美国石油进口量的 21%。加拿大的石油储备居世界第二，仅次于沙特阿拉伯。美国天然气进口的 90% 来自加拿大，占美国天然气消耗量的 15%。加拿大拥有世界上最大的高等级铀矿床，铀产量居世界第一位。2008 年加拿大的铀产量占世界的 1/5。美国核电站所使用的铀有 1/3 来自加拿大。此外，美国和加拿大的电网是并网运行。所有的一切都使加拿大这个北方邻国成为美国经济健康不可或缺的部分，也是我们最重要的贸易伙伴。

越来越多的加拿大人质疑《北美自由贸易协定》究竟是使加拿大成为美国的重要贸易伙伴还是变成利于美国经济发展的附庸。相当一部分加拿大人强烈反对《北美自由贸易协定》的强化，认为加拿大已经被纳入美国经济当中，而在此过程中，加拿大也丧失了自己的主权。此外，加拿大人还对《北美自由贸易协定》中所内嵌的美国的主导意识形态表示担忧，美国的意识形态经常同加拿大的文化和社会价值背道而驰。他们担心所谓的新"大陆主义"只是为了消除北纬 49 度边界的借口。简而言之，他们怀疑所谓的《北美自由贸易协定》只是高科技美国在 21 世纪掠夺加拿大资源、对加拿大人进行洗脑的新殖民主义工具。

对"放之四海而皆准"的洲际主义持反对态度的人还担心加拿大对美国出口的依赖（美国是加拿大最大的出口国，目前对美出口额占加拿大总出口额的 73%），会使加拿大最后被迫接受美国强加的经济和政治条款。这也是加拿大国内《北美自由贸易协定》的批评者坚持实行促进国内市场和海外贸易发展的贸易、投资和财政政策，进行改革以保护加拿大的工业免受美国贸易保护主义的戕害，以及采取措施消除加美之间的贸易不平衡的原因。

当公众的注意力都集中在《北美自由贸易协定》的利弊上时，另一种政治调整却在过去的 20 年中悄然进行，并极有可能重画北美地区的政治地图。加拿大前外长罗伊德·艾克斯沃斯评论说 20 世纪 90 年代见证了一个跨地区、跨边界的国际网络的诞生。在美国，由于州权的传统，各州可以很大限度地自由决定本州的经济安排。1999 年，加拿大安大略省的省长迈克·哈里斯在一篇对与之接壤的美国各州州长发表的讲话中称："我们将你们视为强大的同盟者，同你们的关系甚至比同加拿大很多地区的关系更为紧密，我们之间保持良好关系的重大意义可能加拿大政府都无法想象。"跨国商业关系已经发展了数十年之久。

伴随着紧密的商业联系的发展，随之而来的是更为密切的政治联系。从东海岸到西海岸到处可见的由美国州长和加拿大省长所组成的区域性联盟促进并整合了双方的商业和环境工作。事实上，美国东北部地区、上中西部地区和太平洋沿岸地区各州，同加拿大各省的政治整合在很多方面已经开始令双方同本国政府的政治关系黯然失色。

成立于 1973 年的新英格兰州长和东加拿大省长联合会议一直在坚定地沿着跨国地区性合作的道路前行。新英格兰州长和东加拿大省长联合会议由美国的六个州和加拿大的五个省组成，它们分别是美国的康涅狄格州、缅因州、马萨诸塞州、新罕布什尔州、佛蒙特州、罗得岛州和加拿大的安大略省、纽芬兰省、新斯科舍省、新不伦瑞克省和爱德华王子岛省。相关地区的州长和省长们每年举行一次会议商讨关系到双方共同利益的事项。在行政首脑年会的间隔期间，新英格兰州长和东加拿大省长联合会议会召集相关地区的官员开会，就政策实施、专题讨论和对地区有影响的事务进行研究并提交报告。会议取得了一系列成果，包括"地区间经济联系的扩展、能源交换的促进、环境事务和可持续发展的极大推动，以及在交通、森林管理、旅游、小型农业和渔业等领域政策和项目的协调等"。

与新英格兰州长和东加拿大省长联合会议类似的另一个跨国政治区域是太平洋西北地区，包括加拿大的不列颠哥伦比亚省、亚伯达省、育空地区和美国的阿拉斯加州、华盛顿州、俄勒冈州、爱达荷州、蒙大拿州。成立于1991 年的太平洋西北区经济协会的使命是"促进本地区的经济发展和提高本地区所有居民的生活水平"。

同东部的组织类似，太平洋西北区经济协会也致力于本区域农业、环境技术、林业生产、政府采购、资源回收、电信、旅游、贸易、金融、交通等领域的合作。太平洋西北区经济协会的下属委员会正在制定一个区域性的能源战略，重点在于培育可持续发展的最优方法和为本地区各州、省降低日益高涨的卫生保健开支、巩固边境安全、拓展外国投资及提升劳动技能的信息共享探索新的路径。

以上跨国政治集团的形成为北美治理展开了新的篇章。相关的加拿大各省和美国各州都将最强大的资产投入伙伴关系之中。加拿大丰富的可再生能源储备为跨国政治区域的半自治性提供了能源保障。加拿大也为区域合作提供了高素质的劳动力和相对低廉的生产成本。例如，美国雇主可以通过在加拿大设厂或将工作转包给加拿大公司来减少卫生保健的相关费用，因为在加拿大，工人享有国家卫生保障。

美国邻近边境的各州拥有数所世界上顶尖的大学和研究机构，可以为萌芽中的洲内跨国区域合作提供有力的支持，促进经济的发展。

北美洲出现的跨国区域伙伴关系同欧盟内部的区域伙伴关系相似。当民族国家开始放松边界对商业和贸易的限制的时候，此类伙伴关系就会在各个大洲产生，形成大型的商业贸易区，甚至成熟的洲际政治联盟。

正如本章之前所提到的，洲际化超越了国家主权，使跨国区域超越地理边界的限制，以全新的方式联系起来，不仅可以为本区域创造新的经济机会，甚至还可以培养新的文化和政治认同。有一个很好的例子。可能没有比申办奥运会更能考验人们对国家的忠诚度的了。但是当温哥华申办 2010 年冬季奥运会的时候，太平洋西北区经济协会中的每一个美国成员州都对其表示了支持，这在美国其他地区产生了强烈的影响。

　　事实上，洲际化的进程无处不在，大洲内各区域彼此相连，形成了第三次工业革命的绿色基础设施。正如化石能源倾向于集中式的层级管理体制一样，总体而言，最适合可再生能源的管理体制就是在相邻的区域实现本地化生产和扁平式共享。

　　在太平洋西北区经济合作区中，加利福尼亚的太平洋煤气电力公司、不列颠哥伦比亚省输电公司与阿维斯塔公共事业公司合作，铺设了一条从不列颠哥伦比亚省的东北部延伸至加利福尼亚州北部的 1 000 英里长的输电线，输送能力可达 3 000 兆瓦。这条输电线路可以实现覆盖区域的可再生能源电力的入网。而可再生能源发电的相当一部分来自风力、生物能、水力和地热资源丰富的不列颠哥伦比亚省。

　　将太平洋西北地区视为一个政治概念似乎不是那么令人高兴。但事实上，早在边界产生之前该区域就拥有共同的历史，这些记忆在生活在该地区的人们的脑海中无法抹去。生活在美国西北地区的人将自己视为卡斯卡底地区的一分子，此事并不奇怪。卡斯卡底是一个半虚构的地区，包括阿拉斯加州、育空地区、不列颠哥伦比亚省、亚伯达省、华盛顿州、俄勒冈州、蒙大拿州和爱达荷州。这一区域的划分是以地形学为依据，整个区域拥有相同的历史发展进程，包括共有的生态系统、原住居民的迁移模式和欧洲人定居过程等。托马斯·杰斐逊曾将《路易斯安那购买条约》属地以西的这一地区视为一个潜在的独立国家。

　　卡斯卡底这一设想在很多乌托邦式的幻想者脑中根深蒂固，已经成为很多人的社会常识的一部分。如果把加利福尼亚州包括进来（加利福尼亚北部的很多居民都将自己视为卡斯卡底地区的一员），那么整个地区将有 6 000 万人口，国内生产总值可达两万亿美元，这与中国经济的规模相当。

太平洋西北地区经济合作体已经包括了卡斯卡底地区的很大一部分，该地区很多政党的领导人都没有忽视这一事实。2007 年，不列颠哥伦比亚省的省长科林·坎贝尔在讨论该地区的经济和社会潜力时，突然说："我认为卡斯卡底地区具有与生俱来的强大吸引力。"由于该地区的居民对环境问题比较敏感，因此坎贝尔提议该地区的有关部门联合起来，建立一个共同的碳交易市场以应对气候变化。同年，不列颠哥伦比亚省、曼尼托巴省与加利福尼亚等美国 7 个州联合签署了西部气候倡议，致力于地区性温室气体总量限制与交易体系的建设（加州州长施瓦辛格是此项协议的倡导人之一）。

新英格兰州长和东加拿大省长联合会议正在围绕一项旨在通过分散式智能电网实现可再生能源地区共享的共同计划紧密合作。相关机构也正加紧落实区域性第三次工业革命基础实施各项支柱的建设。一旦建成，此区域的居民可共享的就不仅仅是能源了，他们将成为一个由后碳经济和劳动力紧密相连的区域性生态圈的一部分。此外，同样重要的是，他们还将在一个超越国界限制的共同体内，创造自己的大陆内联盟，共享高质量的生活。

缅因州的州长约翰·巴尔达奇在新英格兰州长和东加拿大省长联合会议2008 年的年会上，明确阐述了相关政府部门所制定的任务的本质。当时，与会者正在就一项关于建设一条容量为 34.5 万伏、贯穿缅因州中北部的电力线路的提议进行讨论。按计划，这条线路建成后将同最近完工的连接新不伦瑞克的莱泼罗角核电站与缅因州的电力传输线连接起来，共同发挥作用。在加拿大通过本地可再生能源产生的电力可以通过这条高压电缆，传送到新英格兰地区的电网中。在谈及此项工程的时候，巴尔达奇州长告诉与会者：

> 新英格兰和东加拿大地区具有独一无二的地理优势，有丰富的风

能、水能、生物燃料和潮汐能可供开发利用，以满足我们的电力需求。但是，如果各自为战，没有一个州或省可以充分利用这种潜力……我们必须开发新的传输容量服务于新英格兰地区的发电工程，同时我们必须提高将可再生能源产生的绿色电力从加拿大输送到美国的能力。

毫无疑问，当区域经济开始向第三次工业革命转型的时候，一个新型的洲际化政治安排正在发展之中，虽然这种发展可能悄无声息。我们不妨听听马萨诸塞州州长德瓦尔·帕特里克在新英格兰州长和东加拿大省长联合会议 2010 年年会上的发言。他提醒与会的各位州长和省长："作为率先在北美开展工业革命的地区，新英格兰和东加拿大同样可以成为世界清洁能源革命的领先者。"帕特里克还表示他坚信"通过大幅提高区域能源利用效率和可再生能源的发展，我们将提供更多的绿色能源工作岗位、增强我们的能源安全，改进我们所呼吸的空气的质量"。

帕特里克所提到的"我们"指的是一个区域性、洲际化的跨国政治联盟。在他那激动人心的演讲中，华盛顿没有出现，但并不意味着华盛顿不在其考虑之列。正是这位帕特里克同十一位中大西洋新英格兰地区的州长一道联名上书参议院多数党领袖里德和国会，反对在美国西部地区集中利用风力和太阳能发电并通过高压网络回输给东部的计划，认为此举将"损害"促进地区性可再生能源发电的努力，"扼杀"该区域经济发展的希望。

跨国区域联盟的产生意味着如果北美出现了洲际性联盟，那么它很可能不是由美国政府所推动的，相反，它将产生于与跨国性第三次工业革命基础设施共生的地区性政治重组。

从地缘政治到生物圈政治

洲际时代将会实现国际关系从地缘政治到生物圈政治的缓慢转变。正如前文所提及的，地球生态圈是地球上一切生命有机体及其赖以生存和发展的环境，其外延包括从洋底到外太空的广阔空间，也正是在这一空间之中，地球化学的过程相互作用并维持地球上的生命延续。

对于地球生态圈的研究成果，科学界的最新见解认为其不过是对于我们所居住的星球的重新发现。研究者开始从物理、化学、生物、生态、地质和气象等不同领域对生态圈从一个生命有机体的角度进行研究，即不同的化学流和生态系统同时相互作用于无数微妙的反馈环路中，为生命在地球这一浩瀚宇宙中的微小绿洲上繁衍生息提供了必要的条件。

科学家对地球观念的变化与现代时期思维的变化同样意义重大。当时，科学家颠覆了地球是上帝所创之物的带有宗教色彩的观念，取而代之的是更为科学的认识——地球只不过是太阳系星云的一小部分，随着太阳系星云自身的旋转被抛向太空，在经过数百万年之后，地球逐渐冷却，成了孕育生命的温床。根据达尔文的理论，随着生命的起源，一场围绕地球资源展开的激烈竞争也随之开始，每个物种为了自身的生存和繁衍都深陷其中。

社会达尔文主义者将自然视为战场。为尽可能多地占有资源确保自己及子孙后代的繁衍，每个生物都以命相搏。这一理论为国家所采用，并在人类历史的广阔舞台上以地缘政治的形式进行实践。为了获取化石燃料（这也是第一次和第二次工业革命的能源命脉）和其他有价值的资源，国家不断地进行战争，边界一次又一次地重新确定。

科学发展所取得的最新成果将生命和地球化学的进化视为彼此适应、确保生态圈内生命持续的共同创造过程。生态学家认为物种内部和不同物种之间除竞争性和侵略性之外，还存在合作关系和共生关系，这样才能有利于每一个物种的生存。

能源机制内所发生的由化石燃料到分散式可再生能源的转变，将会重新界定带有生态思维的国际关系理念。第三次工业革命所需的可再生能源储量丰富、随处可见且易于共享，但是需要对地球生态系统进行合作管理，所以不大可能出现为争夺能源大打出手的现象，全球合作的可能性反而大大增加。在这历史性的新时期，生存意味着的不是竞争而是合作，不是各自为战而是你我相连。如果说地球更像是一个由相互依赖的生态关系所组成的生命有机体，那么我们的生存则依赖于彼此合作共同保卫身处其中的全球生态系统。这才是可持续发展的深层含义，也是生物圈政治的本质所在。

生物圈政治为政治版图的结构性变化提供了有利条件。我们开始开拓自己的视野，并将自己视为在同一个生物圈中生活的地球公民。全球性人权网络、全球性健康网络、全球性救灾网络、全球基因库、世界粮食银行、全球信息网络、全球环境网络、全球物种保护网络，所有的一切都是传统地缘政治向生物圈政治转变的有力证明。

当人类开始在洲际性生态系统中共享绿色能源、在统一的洲际性经济中进行商贸活动，并将自己视为洲际性政治联盟的公民时，这种对一个更广阔组织的归属感将促进地缘政治向包容性生物圈政治逐步转变。学会如何在一个共同的生物圈内生存，实际上就是要培养生物圈意识。

如果理解这种观念的转变有些困难，我们不妨设想一下：一个封建领主突然发现他的骑士和农民在一夜之间变成了通过在全国性市场上出卖劳动力而获取报酬的自由从业者，每个人都享有自由的权利，这一切都是基于对个人权利和自由的认同以及对国家的忠诚。那样的情形虽然有些荒谬，但与今天的情况却很相似。

正如之前所进行的每一次经济革命一样，第三次工业革命将会重塑我们对世界的基本看法。当治理机制发生重大改变的时候，各个学科同样也处于转变之中。

从我在宾夕法尼亚大学沃顿商学院第一次接触经典经济学理论，至今已有近50年的时间了。在此期间，我亲眼目睹了一个运行了近半个世纪的经济形态的转变，而大部分的改变并没有被包括在经济学教科书中。自由经济增长这个曾经是无可置疑的观点已经为可持续经济发展的观念所取代。代表着第一次和第二次工业革命基础的、传统的自上而下的集中型经济管理模式，正在受到伴随第三次工业革命而产生的新型分散合作式管理模式的挑战。曾经是所有经济活动基础的全国性市场和国家–州结构的治理模式，正在让步于洲际市场和洲际治理。这一变化的结果就是很多现在仍在教授的经济学理论，在解释过去、理解现在和预测未来的时候越发苍白无力。

尽管范式变化这个词在近些年有些泛滥，但我认为经济学领域发生了范式变化这一事实是无可辩驳的。我们的孩子对经济学理论和经济活动管理假设的理解将会与我们这一代人的理解截然不同。我们对经济学理论的理解大部分来源于适用于近代商业和贸易的市场经济学家的"公平价格"理论。

生物化学家约瑟夫·亨德森曾评论道："与其说蒸汽机的出现是科学之功，还不如说科学的发展是蒸汽机带动的结果。"换句话说，我们所谓思维的抽象只不过是我们对科技应用体验的解释罢了。回溯过去50年，我们可以对第三次工业革命的科技和与之共生的新型经济理论得出同样的结论。

THE THIRD
INDUSTRIAL
REVOLUTION

第三部分

我们将进入一个合作时代

第七章

渐渐远去的亚当·斯密

随着 18 世纪末市场经济时代的萌芽和第一次工业革命的兴起，经济学这一全新的学科出现在人们面前。在试图解释以煤炭为动力的蒸汽技术和工厂制造所产生的新兴力量时，作为经济学之父的亚当·斯密和让·巴蒂斯特·萨伊等人运用了当时全新的物理学的一系列指导原则和比喻，使其关于市场运作规律的阐释更容易为人理解。

牛顿定律和自我调节的市场

在那个年代，艾萨克·牛顿爵士用来讨论机械运动的数学方法风靡一时。当时，每一个貌似严谨的学者都采用数学方法来解释存在的本质和世界运行的方式。

牛顿认为"大自然中的所有现象都是特定力推动的结果，物体的质点由于目前为止尚未知晓的原因，或相互吸引，或相互排斥"。不久，每个小学生都要背诵牛顿的三大定律，即：

> 每个物体如果没有外界影响使其改变状态，那么该物体仍保持其原来静止的或匀速直线运动的状态；运动的变化与所施加的力成正比，并沿力的作用方向发生；对于每一个作用力，总存在一个与之相等的反作用力和它对抗；或者说，两个物体彼此施加的相互作用力恒等，方向相反。

亚当·斯密等人希望用物理学的这种数学确定性来论证其对市场经济的思考。他们认为正如整个世界一样，市场一旦处于运动的状态，就会像一个精准的机械钟一样自动运行。上帝是整个宇宙的推动者，而人天生的利己性是市场的动力所在。万有引力定律统治了整个宇宙，一只看不见的手则在控制着整个市场。亚当·斯密等人借鉴了牛顿认为"每个力存在相等的反作用力"的论述，认为自我管理的市场也是以同样的方式运行，供求关系一直处于互动之中，并互相调整。如果消费者对商品和服务的需求增长，卖家则会相应地提高价格。一旦价格过高，需求就会下降，迫使卖家调低价格以刺激需求。

亚当·斯密对牛顿的物理学理论极为推崇，将其视为"人类历史上最伟大的发现之一"，并大量借用了《自然哲学的数学原理》和牛顿其他著作中的相关论述，使相关的经典经济学理论更容易为人所知。

以经典力学理论解释市场运行机制的问题在于牛顿的物理学只涉及了速度和位置两个概念。20 世纪伟大的科学家和哲学家阿尔弗雷德·诺夫·怀特海在回答关于运动中的物体的相关问题时曾戏谑道："一旦确定时空中具体的位置，明确了你所要指明的物体，你就可以说物体和时空的关系就是它就在那儿，就在那个地方，只要简单的位置得以确定，关于物体就没什么好说的了。"

牛顿三大定律对帮助我们理解经济活动的本质并没有太大的帮助，也不足以成为支撑整个经济学理论的基础。实际上，牛顿三大定律误导了我们对经济的理解，因为牛顿力学是建立在相互独立的个体物质基础上，并没有考虑时间发展和过程的概念。在牛顿的宇宙观中，所有的机械运动在理论上都是可逆的。在牛顿的数学理论中，每一个时间点都有相对应的负时间存在。举一个经典的例子，球案上的台球在互相撞击。根据牛顿的理论，球案上所发生的任何运动在理论上都是可逆的，因为在牛顿的运动定律中，时间的概念是一种绝对的时间，没有过程的概念。但是在现实的经济活动中，所有的经济行为，如能源和原材料的采集、运输、利用、损耗和丢弃的过程，却都是不可逆的。

为什么能量守恒定律主宰了所有的经济活动

直到 19 世纪，物理学家用能量守恒定律将热力学第一定律和第二定律统一起来之后，经济学家才有了一个可以精确描述经济活动的科学基础。但是当时，经济学一直陷入牛顿的数学方法中无法自拔，尽管其科学假设的前提并不适用于经济活动。

热力学第一定律和第二定律认为"宇宙的能量是守恒的，熵将随着时光之矢增大"。热力学的第一定律就是"守恒定律"，具体表述为能量既不会凭空产生，也不会凭空消失。宇宙中能量的总额自始至终都是一定的。它只能从一种形式转化为其他形式，或者从一个物体转移到另一个物体。能量的转换也是有方向的，总是由可利用转向不可利用。而这正是热力学第二定律的作用所在。根据热力学第二定律，能量总是由热处转移到冷处，从一个集中、有秩序的形态转变成分散和紊乱的形态。

如果想对热力学第一定律和第二定律有一个直观的认识，我们不妨以一块燃烧的煤为例。在燃烧的过程中，这块煤所蕴涵的能量并没有消失。相反，它被转化为二氧化碳、二氧化硫和其他气体，排放到大气层中。尽管能量仍然存在，但我们不可能将这些分散在大气层中的能量重新还原成煤的形态并加以利用。德国科学家克劳修斯在1868年创造了一个术语"熵"，用以表示那些不可用的能量。

克劳修斯发现当能量由一个较高的、较集中的形态转化成较分散的形态，即由高温的形态转化为低温的形态时，熵就会增加。例如，蒸汽机之所以能做功，是因为蒸汽机系统里的一部分很冷，而另一部分却很热。换句话说，要把能量转化为功，一个系统的不同部分之间就必须有能量集中程度的差异(即温差)。当能量从一个较高的集中程度转化到一个较低的集中程度(或由较高温度变为较低温度)时，它就做了功。更重要的是每一次能量从一个水平转化到另一个水平，都意味着下一次能做功的能量减少了。如果把一个烧红了的拨火棍从火炉里拿出，它马上就会开始冷却，这是因为热从温度较高的拨火棍的表面向周围较冷的环境传递。在一段时间之后，棍子的温度就和周围空气的温度一样了。物理学家称之为平衡的状态，即不同的能级之间没有差别，无法做功。

看到这，读者很可能会问："为什么这些离散的能源不能被循环利用呢？"实际上，答案是可以的，但是在循环的过程中需要使用额外的能量。

而一旦使用了额外的能量，熵就会增加。

每当我做一个关于热力学的讲座的时候，都会有人质疑我是不是有些过于悲观。以太阳为例，太阳是我们能量的源泉，还将继续燃烧数十亿年，只要合理利用，将为我们人类提供足够的能源。此言的确不虚。但是地球赖以生存的另一种能源——化石能源和矿石能源却是有限的。这些能源的总量是固定、有限的。

物理学家认为，从热力学的角度来看，地球可以被视为一个同太阳和宇宙相关的虚拟封闭系统。热力学系统可以分为三类：系统和环境之间既有能量传递又有物质交换的开放系统、系统和环境之间无物质交换但有能量传递的封闭系统，以及系统和环境之间既无物质交换又无能量传递的孤立系统。与太阳系统相关联的地球可以被视为相对封闭的系统。地球从太阳获得能量（陨石和宇宙尘埃除外），并从宇宙中获取一小部分能量。

化石燃料就是能源物质化的一个明显例子，无论从哪一点来看，化石能源的总量不大、消耗很快，而且看起来应该不会在地球上再次生成（起码是对我们人类而言）。化石燃料需要死亡的有机体经过数百万年的无氧分解才能形成。这些燃料一旦燃烧，以气体形式发散出的能量就不能再做功。尽管从理论上讲，在遥远的未来（几百万年之后）通过相似的方式再次形成化石燃料的可能性存在，但是这种可能性是如此之小，所需的时间如此之长，只能是我们探讨的可能性之一。

稀土资源是地球上另一种有限的热力学资源。钪、钇、镧、铈、镨、钕、钷、钐、铕、钆、铽、镝、钬、铒、铥、镱、镥等17种稀有金属广泛应用于工业过程和工艺过程及高新科技和产品之中，对社会的存续具有至关重要的意义。稀土之所以称之为"稀"，正是因为其总量较少，为满足不断增长的人类和全球经济的需要，其中一部分很快就会消耗殆尽。

阿尔伯特·爱因斯坦曾经认真思考过哪一条科学定律在未来最不可能被推翻或被重大修改。最后他认为热力学第一定律和第二定律应该最能经受时间的检验。他写道：

> 一种理论的前提越简单、涉及的内容越纷杂、适用的领域越广泛，它给人们的印象就越深刻。因此经典热力学给我以深刻的印象。它是仅有的具有普遍意义的物理理论。我确信在其基本概念所适用的范围内，它是绝不会被推翻的。

尽管各种形式的能量转换是所有经济活动的基础，但是只有极小部分的经济学家曾经研究过热力学。也只有极个别的经济学家试图以热力学定律为参考对经济学理论进行修正并付诸实践。

诺贝尔化学奖获得者弗雷德里克·索迪在其 1911 年出版的《物质与能量》（*Matter and Energy*）一书中最早进行了将热力学定律引入经济学理论的尝试。索迪告诫其经济学家同仁，热力学定律"最终控制着政治制度的兴盛和衰亡，国家的自由与奴役，商务及工业的命脉，贫困与富裕的根源，以及人类总的物质财富"。

第一个将热力学定律直接引入经济学的学者是范德堡大学的教授尼古拉斯·乔治库斯–罗根。其 1971 年出版的《熵定律与经济过程》（*The Entropy Law and The Economic Process*）一书在当时引发了一阵小小的轰动，但很快埋没在经济学界之中。曾任世界银行环境部高级经济学家，现为马里兰大学教授的赫尔曼·戴利（罗根的学生之一）在罗根著作的基础上，进一步发展了相关理论，并于 1973 年出版了《静态经济学》（*Toward a Steady State*

Economy）一书。该书将生态学引入经济学的思考之中，开创了经济学边缘学科的大讨论，并为随后开展的关于可持续经济发展的探讨奠定了基础。

1980 年，笔者出版了《熵：一种新的世界观》一书，实际上也是对罗根思想的继承与发展，希望能够超越经济学的视角，在人类整体经验的基础上拓展对话。该书从热力学的角度对人类的历史进行了重塑，并特别关注了人类文明进步所引发的全球变暖问题。《熵》一书是最早深度关注工业革命对气候变化影响的著作之一。

回顾过去半个世纪以热力学重塑经济学理论的努力，很明显的一点就是经济学在重新思考其主要假设的科学前提上的守旧。尽管在最近若干年，越来越多的商学院已经开始将生态学和可持续发展列入课程之中，并开始将更多的注意力集中于能源相关的考量和气候变化之上，经济学的指导思想却仍是经典和新古典经济学理论，这些理论的假设是同热力学定律格格不入的。

只要牛顿的阴影继续笼罩着经济学理论，经济学作为一门学科就不可能调和威胁其最重要假设的日益增长的分歧。经济史专家雷·坎特伯雷认为，对亚当·斯密等人的经典经济学理论进行改进的难度与日俱增，因为经典经济学理论处于伟大的艾萨克·牛顿爵士的庇护之下。坎特伯雷写道："不时就会有一伙经济学家认为对传统的经济学进行改革的时机已经成熟，但是任何经济学的革命在反对亚当·斯密及其徒子徒孙的同时不得不冒着与天才牛顿为敌的风险。"现在，也是历史上第一次，经济学大厦的地基上出现的诸多裂痕将使经典经济学理论大厦面临倾覆的危险。

国富

贯穿经典经济学始终的谬误之处在于对财富本质的根本性误解。启蒙运动的先驱、英国哲学家约翰·洛克认为："将土地保持自然状态而不开发实质上是一种浪费。"洛克完全颠倒了热力学第二定律，宣称自然是取之不尽用之不竭的，只有人类通过劳动将自然转化为生产性资产，自然才能体现出价值。洛克写道：

> 一个人基于他的劳动把土地划归私用，并不减少而是增加了人类的共同积累。因为一英亩被圈用和耕种的土地所生产的供应人类生活的产品，比一英亩同样肥沃而共有人任其荒芜不治的土地（说得特别保守些）要多收获10倍。所以那个圈用土地的人从10英亩土地上所得到的生活必需品，比从100英亩放任自流的土地所得到的要更丰富，真可以说是他给了人类90英亩土地：因为他的劳动现在从10英亩土地上供应了至少相当于从100英亩土地上所生产的产品。

然而热力学定律告诉我们的事实却截然不同。经济活动只是从环境借用低熵的能源并将其转化成为暂时性、有价值的产品和服务。在转换的过程中，散失到环境中的能量要比生产出的产品和服务大得多。

就此而言，经济活动反映了自然界的生物进程。热力学定律被发现之后，生物学家对如何理解能量持续的由有序向无序方向流动一片茫然，因为在生态系统中，一切都是有序运行的，这与能量流动的方向恰恰相反。

20世纪最著名的生物学家之一哈罗德·布鲁姆认为生物有机体并没有违反热力学第二定律，只是其做功的表现方式不同。根据布鲁姆的观察，生物都是不均衡的热力学系统。也就是说，每个生物存在的状态都是不均衡的，它们连续地从环境中摄入能量，使环境中的总体熵值不断增加。以植物为例，植物每天都通过光合作用从太阳获取能量，而所积聚的能量被动物以直接（食用植物）或间接（食用其他动物）的方式消耗掉了。总体来说，在此过程中所涉及的物种越多，为维持不均衡状态所消耗的能量也就越多，同时在维持生命过程中散失到环境中的能量也就越多。诺贝尔物理学奖获得者埃尔温·薛定谔准确地把握了生命体热力学过程的本质，提出"生物若要维持生命，就必须从环境中汲取负熵"。

生物学家对此的描述同我们对生命运行方式的理解是一致的。为了维持生命，我们需要摄取食物，这也是持续地向体内摄入能量的过程。在此过程中，我们不断地消耗能量，使熵不断增减。如果停止摄入或由于疾病等原因我们的身体无法正确地处理所摄入的能量，我们就会死亡。一旦死亡，我们的身体很快就会分解，变成自然界的一部分。我们的生命和死亡就是热力学流动的过程。

化学家泰勒·米勒用一个简短的食物链解释了生态系统的每一个阶段可利用的能量是如何被处理的以及熵产生的过程。他首先指出在生物进食的过程中，"有80%~90%的能量被浪费了，或以热的形式散失到环境中"，只有10%~20%的能量被生物真正摄入。这是因为将能量从一个生物转移到另一个生物之中需要消耗大量的能量，这就造成了能量的损失。

米勒以一个由草、蚂蚱、青蛙、鳟鱼和人所组成的简单食物链为例描述了能量消耗和熵产生的过程。根据统计，米勒发现"一个人为了生存每年需要吃300条鳟鱼，而鳟鱼要吃9万只青蛙，青蛙则要吃2 700万只蚂蚱，蚂蚱需要吃1 000吨草"。

现在，让我们看看在一个复杂的工业文明中将自然资源转化为人们消费的食物所带来的热力学影响，及其对我们如何理解国民财富带来的警示。我们不妨以一块牛排为例：

1. 每生产 1 磅牛排需要消耗 9 磅饲料。而在此过程中只有 11% 的饲料转化成了牛肉，其他的或在转化过程中被消耗，用以维持正常的生理机能，或者被牛其他不能食用的部位所摄取或吸收，如毛发或骨头。当我们在感慨汽车能源利用率不高，是对能源的浪费时，其实饲养肉食牛所消耗的能源及其利用效率更令人触目惊心。弗朗西斯·拉佩在其《一座小行星的新饮食方式》一书中指出一英亩土地所出产的谷物生产出的蛋白质是以其为饲料喂养出的肉类的 5 倍，豆类是 10 倍，而蔬菜则是 15 倍。目前全世界所生产的谷物有 1/3 被用做饲料，而不是被人们直接食用。当极小部分的富人在食物链的顶端穷奢极侈的时候，数千万穷人却不得不面临营养不良、饥饿和死亡的威胁。

2. 为种植谷物，农民需要使用大量的化石能源为基础的化肥、杀虫剂和除草剂。同时，为了操作农机还需要额外的化石能源，而将谷物运输到巨型的机械化养殖场所需要的卡车、火车和轮船也要消耗更多的化石燃料。

3. 在饲养场，牲畜需要摄入大量的化学产品，包括催长剂、饲料添加剂以及偶然服用的抗生素，同样需要消耗更多的能源。通常，这些牲畜都是大规模圈养（有时一个饲养场的存栏数可能达到 5 万头甚至更多），它们面临红眼病和牛传染性鼻气管炎等传染病的威胁，为了预防疾病，需要大量喷洒从化石燃料中提取出来的杀虫剂。

4. 一旦出栏，这些牛就要被装入货车中，在国内长途跋涉，耗时几个小时甚至数天，运到屠宰厂。在此过程中，同样消耗了更多的化石燃料。

5. 在屠宰场，这些牛被排成一列送入屠宰间。在那里，它们被一枪打晕，跌倒在地上。工人随即用链子钩住牛蹄子，把牛倒挂起来，然后用刀割断它们的喉咙，把血放干。

6. 随即这些死牛在电力驱动的生产线上被机器剥皮、去掉内脏。

7. 电锯把牛分割成块，包括颈肉、肋骨、牛腩和牛排。

8. 这些牛肉块被丢到电力驱动的传送带上，数十名工人对这些肉块继续加工、包装，产品最终被生产出来了。

9. 随后，真空包装的牛排被冷柜车运到了全国的各个超市之中。

10. 到超市之后，牛排就被由化石燃料制成的塑料重新包装，陈列在柜台中明亮的冷藏货架之上。

11. 消费者驱车来到超市，购买牛排，然后把它放到家里的冷柜或冰箱之中，然后用煤气灶或电炉烹饪。最后，牛排才进入消费者的腹中。

与种植饲料、饲养牲畜、配送、屠宰、分割并将牛排最终送到每个人家中的餐桌上所消耗的能量相比，真正进入牛排之中的能量少得可怜。

这只是故事的一部分，另一部分则是熵的账单了。畜牧养殖业是仅次于建筑业的气候变化的第二大黑手，其所排放的温室气体占温室气体总量的18%。这一数值甚至比全球交通所排放的总量还要多。牲畜（大部分是牛）所排放的二氧化碳占人类经济活动排放总量的9%，其排放的温室气体的比重甚至更高。牲畜所产生的一氧化二氮占人类相关活动所排放总量的65%（一氧化二氮在气候变暖上的效应是二氧化碳的近300倍）。大部分的一氧化二氮来自动物的粪便。牲畜所排放的沼气占人类相关活动所排放总量的37%（沼气在气候变暖上的效应比二氧化碳多23%）。

最后，我们可以总结如下：能量只是暂时存在于牛排之中，一旦被食用，就会被人体所吸收，最终以消耗掉的能源或废物的形式重新排放到自然界中。

那么，我们现在该如何归纳国内生产总值的本质呢？我们将国内生产总值视为衡量国家每年所生产的财富的重要标准。但是从热力学的角度而言，它只是一个衡量暂时内嵌在货物或服务中的能源的标准，而这是以可利用的能源资源的消耗和热力学废物的增加为代价的。一旦我们生产的货物和服务最终变成熵，无论是何种经济学理论，都会意识到经济将会面临破产的危险。也就是说，当所有的一切成为现实，每个文明都会不可避免地从自然界中攫取更多的能量，以维持自身的存在和发展，尽管是以对地球涸泽而渔为代价。如此看来，所谓的国内生产总值也许改名为国内成本总值更加贴切，因为一旦有能源消耗发生，其中的一部分便无法再利用了。

尽管事实无可争辩地表明所有的经济活动只是以降低其所依赖的能源效用等级为代价创造暂时性的价值，大部分经济学家都没有从热力学的角度审视过整个经济过程。总体而言，启蒙运动时期的哲学家都相信经济活动是一项推动地球无限制的物质进步的线性过程，只要自由市场机制存在，"看不见的手"便可以自动调节供求关系。法国启蒙哲学家和革命者马奎斯·德·孔多塞曾将这种对自由市场的乐观情绪总结如下：

> 人类的进步没有界限，人类的完美也没有尽头……在追求完美的过程中，只有地球的生命年限才是阻碍这种追求的唯一限制。

沉迷于对物质无限富足向往之中的经典经济学家都坚信，通过人类的勤奋可以创造一个乌托邦般的人间天堂（托马斯·马尔萨斯例外）。认为经济活动的加速发展会导致环境的退化，并给子孙后代的生活蒙上一层阴影的想法被认为是不可理喻的。

经济理论如何变得无关了

几乎每个古典和新古典经济学理论的基本假设中都存在着意识形态的盲区。生产率这个概念广受经济学家的好评。经济学家将其定义为固定投入下的产出比率。速度越快、生产率越高，额外的回报就越大。但衡量生产率的一个更为准确的热力学标准应该是固定产出下的熵值。

我不禁想起30多年前所作的一项关于生产一辆汽车到底需要多少能源的调查。结果表明生产一辆汽车所消耗的能源远大于其实际需要的数额。额外的能源被消耗在加快生产速度和使生产出来的产品更加快速地离开装配线上，产品供应链中的事实也的确如此。我们对生产和物流速度的追求最终以额外的能量消耗为代价。能源使用得越多意味着浪费得也就越多，自然界中的熵也在不断增加。

我们一度认为通过加快经济活动的速度可以在某种程度上节约能源，但是从热力学的角度来考量，事实却恰恰相反。看到这，读者可能会心存疑惑。你是否有这样的经历，午夜驾车行驶在返程的公路上发现汽油即将用尽却不知道加油站在哪里？很多人的第一反应就是猛踩油门，希望尽快找到加油站。我们认为加快行驶速度将会提高我们在汽油耗尽之前找到加油站的概率，但这是与热力学定律相违背的。只有缓慢的匀速行驶，才会增加我们行驶的距离，找到加油站的概率才会提高。

当新古典经济学家大谈特谈生产率和经济增长是衡量固定投入下的产出比率的指标时，他们脑海中的投入仅仅是资本和劳动力。甚至当经济学家分析美国和其他工业国家的实际经济增长率的时候，人均资本投入只能解释经济增长的14%，而剩余的86%却无法说明。因其新古典经济增长理论而获得诺贝尔经济学奖的经济学家罗伯特·索洛将这86%称为"对我们无知的一个度量"。

一个物理学家挺身而出对这一问题进行了解释。来自德国维尔茨堡大学的赖纳·屈梅尔建立了一个涵盖能源、资本和劳动力投入的增长模型，并对美国、英国和德国在1945~2000年间的发展进行测量，最终发现能源就是解释经济增长剩余部分的"缺失因素"。

罗伯特·艾尔斯是欧洲工商管理学院的一名环境和管理学教授。欧洲工商管理学院坐落于法国的枫丹白露，是世界知名的学府。艾尔斯的专业是物理学，其研究的相当大一部分关注能量流动和科技进步。艾尔斯同其研究助手本杰明·沃尔一道构建了一个包含能源、资本和劳动力的经济投入模型，在对美国整个20世纪的经济增长曲线进行研究之后，对英国、日本和澳大利亚的经济也一并加以分析。通过研究，艾尔斯和沃尔发现将能源加入投入模型之后，"这四个国家在20世纪的经济增长几乎都是能源带动的结果"。艾尔斯和沃尔的经济增长模型清晰地表明了"日益提高的将能源和原材料转化为有用功的热力学效率"正是生产率提高和工业社会经济增长的主要原因。

当我们将目光转向微观层面——私人公司的时候，能源在提高生产率和利润率方面所起到的作用更加明显。最近，我与极富远见的NH酒店集团首席执行官加布里埃莱·布尔希奥在马德里的一家NH酒店共进了晚餐。NH酒店集团是西班牙和意大利的酒店巨头，是欧洲第五大酒店连锁集团，旗下有400余家酒店。

布尔希奥是第三次工业革命全球首席执行官圆桌会议的执行委员会成员之一。他是一位和蔼、声音柔和的绅士，个人的生活方式也反映出其献身于绿色未来和经济可持续发展的激情。布尔希奥一直在思考能源效率的问题。

原因何在呢？在这次全素的晚餐上，他告诉我NH酒店集团经费和运营成本的30%是与能源相关联的，仅次于人力资源，是第二大开销。对布尔希奥来说，关注企业的热力学效率和提高生产率的新方法并不是一个令人费解的经济学概念，而是切实的商业工具。他之所以能够将NH酒店集团打造成为欧洲顶尖的酒店连锁集团之一，很大程度上要归功于通过降低能源消耗、提高能源使用效率而节省的巨额费用——企业成本的降低可以使客户享受物美价廉的服务。

NH集团引入了一个名为数据集市的在线控制系统，可以对整个酒店的能源消耗进行实时监控，利用信息在最大限度满足客人需求的同时减少浪费。在2007~2010年间，NH集团取得了非凡的成就，能源消耗降低了15.83%，二氧化碳排放降低了31.03%，垃圾产生量降低了26.83%，水的消耗量下降了28.2%。

NH集团现在正推行"智能房间"的概念。这是一个实时监控系统，可以随时掌握用水、灯光、空调和供暖消耗的信息，并在24小时的周期之内根据个人的需要自动调节。作为奖励，能源消耗低于酒店所设标准值的客人在结账时将会获得NH会员卡的积分，在下次入住任何一家NH酒店时将会享受折扣。

NH集团也在进行将酒店改造为微型电站的尝试。该公司在意大利境内所属的酒店中已经有15%安装了太阳能加热系统。该集团旗下位于罗马维托里奥·威尼托大街的NH酒店已经安装了太阳能光电系统，可以满足其10%的能源需求。NH集团正在筹建世界上第一座零碳排放的酒店。由于预期2011年电动汽车将投放市场，NH集团也成为第一个在其旗下的特定酒店提供免费充电服务的酒店。

NH酒店中所使用的木质和纸质产品都是由可再生的原木制成，所有的客房和附属设施都是由对环境影响较低的"生态"材料制成。NH酒店所产生的废物都进行了循环利用，洗手间、淋浴和水龙头都使用了节能科技，最大限度地减少耗水量。

NH集团甚至成立了一个由约40家公司组成的支持者俱乐部，这些公司的生产线和供应链都在持续的监控、评估之下，并不断升级，以满足NH酒店集团设定的能源要求和生态标准。

通过节能和创建生态友好型酒店，NH酒店在赢利的同时，建立起了一个可持续的商业运作模式，为顾客提供了合理的价位。顾客在享受优质服务的同时，也认识到自己正在减少碳排放并履行生态圈中的管理职责。NH酒店集团所采取的所有节能技术和商业实践极大地提高了公司的生产率，在优化服务的同时降低了成本。

鉴于现代工业中的每项经济活动都离不开化石燃料的驱动（如农业化肥和杀虫剂、建筑材料、机械、药剂、光纤、电力、运输、取暖、照明等），热力效率对于生产率和经济增长的作用是十分明显的。

但是，熵损失的重要作用也不可忽视。我们时刻不能忘记每当我们使用额外的能源加速经济进程时，必须将所获得的生产成果与散失到环境中的熵进行比较衡量。在化石燃料为基础的石油工业时代，煤、石油和天然气的消耗在极大地推动经济发展的同时，也向大气层排放了大量的二氧化碳（以能源散失的形式），导致了全球气候的巨变。"欲速则不达"虽然是一句老话，但也反映出对熵定律的直观认识。就热力效率的角度而言，生产率同样也是衡量在生产速度一定的情况下每单位产出所产生的熵的重要标准。

在20世纪的大部分时间里，石油的价格极其低廉，因此很少有人注意商品和劳务在生产和分配过程中的热力效率。在科学家发现碳燃烧和全球变暖之间的关系之前，也很少有人关注熵的流动。但是现在一切都变了，石油价格屡创新高，全球石油生产已经达到峰值，能源的价格不断升高。同时，长久以来工业活动排放到大气层中的二氧化碳改变了地球的温度并使世界面临气候变化的巨大威胁，对农业和基础设施也产生了极大的影响。

还有一个极其简单但却十分棘手的现实，化石燃料和稀土资源消耗极快，长久以来经济活动所累积的熵值已经远远超出大气层所能吸收的能力。这一严峻的情况要求对原有关于经济活动的基本假设进行彻底的重估。从现在起，必须从热力效率和熵影响两个方面对生产效率进行衡量。

对于以上观点，经济学家经常反驳称他们已经通过"负外部性"这一指标或市场活动，对未直接参与交换过程的第三方所造成的有害效应将熵纳入考量的范围之内。此种观点的误区在于这一说法并没有考虑到对第三方、整个社会、环境和子孙后代的整体影响。如果商业行为体为所有的损害支付赔偿的话，所需的费用将大大超出其获得的利润，市场资本主义将无以为继。而时不时的政府罚款、赋税或因其商业活动所产生的负面效应所引发的民事赔偿对商业体来说根本就是九牛一毛，不会从根本上改变熵值的本质。

大部分经济学家对此不了解的原因在于他们无法理解所有的经济活动只是从自然资源和物质储备处借用能量，而不是凭空生产。如果这种借贷的速度远大于生物圈循环废弃物和补充储备的速度，熵的积累将会最终导致任何过度攫取自然资源的经济体制的灭亡。

每一个伟大的经济时代都是以新型能源机制的引入为标志。初期，新能源的开采、加工和运输的成本较高。随着科技的进步和经济规模的扩大，成本将会不断降低，熵流动不断增强，直至最后，丰富的资源开始变得稀缺，

长期以来不断累积的熵值变得难以承受，经济便开始衰落。石油经济时代在
20世纪的发展也正是遵循这一曲线，并在2006年达到顶峰，开始衰落。

第三次工业革命的能源曲线也将遵循相似的轨迹吗？答案是因时而异。
只要太阳系存在一天，太阳、风能以及其他可再生能源就会为我们人类和其
他生物提供足够的能源，满足我们的需要，但是这些能源也有自己的熵参
数。比如，这些可再生能源也需要自己的物质辅助设备。光电池、电池、风
轮机、节能灯具和第三次工业革命所依赖的很多新型通信技术都含有稀土材
料。美国物理学会和美国材料研究学会在2011年2月发布的一篇报告中警
告说，从长期来看，某些稀土材料的储量不足以支持新型能源的大规模发展
与利用。当然，有一部分稀土材料是较为丰富的资源（如铜）开采过程中的
副产品，短期内暂无短缺之忧。但是，为了应对未来可能出现的危机，人们
已经开始探讨寻找可替代材料甚至生物替代材料的可能性。迅猛发展的生态
科技、可持续化学和纳米技术领域的研究者确信，在未来的数十年内将会找
到更廉价、更有效率的材料来支撑第三次工业革命基础设施的建设。

另一个长期的隐忧则在于清洁的可再生能源价格极为低廉，几乎是免
费，而供应几乎是无限制的（正如IT和互联网革命带来的信息收集和传播成
本的巨幅下降一样），人们无限制的使用可能造成熵的快速巨额积累。为什
么这样说呢？我们要知道地球是一个与太阳系进行能量交换的封闭子系统。
如果我们拥有理论上无限制的清洁、绿色能源，我们将会更加倾向于将地球
上有限的熵资源以更快的速度加工成商品，而这种做法必然会增加熵的流
动、造成更多的混乱，在做有益的工作时可能就没有资源可利用了。

不妨以铝为例，我们可以利用清洁能源为动力对铝矿进行商业开采和加
工。但是在一定时期以后，铝制品就会生锈，以松散的分子形式散失到周围

的环境之中，成为熵流的一部分。一旦散失，这些分子将不能被收集、还原成原来的形态。

以上事例告诉我们在向新型分散式绿色能源转变的同时，对此类资源的使用也要更加谨慎，这样我们就不会将对维持地球生命同样重要的低熵资源消耗殆尽。从热力学的角度来说，我们要学习的应该是如何设定、调整自己的消费模式，适应自然界循环的客观要求，以可持续的方式在地球上繁衍生息。

尽管如何平衡预算在世界范围内都是一个很热门的话题，但是政客、商业领袖和大部分公众所考虑的只是预算的额度，而从自然界"借用"财富的最终额度却很少在考虑的范围之内。我们几乎是对此视而不见。一旦有人建议对汽油或碳排放征税以鼓励节约资源、提高资源利用率，减慢全球变暖的进程，相当一部分的人就会跳出来反对。然而，我们从自然界开采资源的速度越快，消耗的速度也就越快，资源也就越稀少，污染也就越多，这样在供应链上每一部分的成本也就会越高。当我们使用和消耗的每一样物品的价格都上涨的时候，供应链上每一部分的成本也必然随之上涨，其中也包括政府花费在公共物品和劳务上以维持民众日常生活的财政支出。

自然界中成熟的生态系统的运行方式同我们在社会中所习惯的方式截然不同。我们不妨以亚马孙河这样一个顶级生态系统为例，其热力效率几乎是完美地接近一个稳定的状态（在自然界中完美的稳定状态是不存在的，因为任何生物活动都会导致熵的流失）。在这些已经经过几百万年发展的顶级生态系统中，能源和物质的消耗并没有明显超过系统本身吸收、循环废物和重新产生新能源和物质的能力。系统中精准的协同作用、共生作用和反馈回路确保了系统维持持续供求平衡的能力。

笔者注意到仿生（模仿自然界中生物系统的功能和行为）在产品研发、

经济模式和城市规划中已经成为一个日益明显的趋势。通过学习顶级生态系统如何平衡预算，并将其运用到人类社会内部及社会与自然之间的预算平衡之上，我们可以更好地享受生活。

所有这一切虽然令人痛苦，但却是再明显不过的事实。有人不禁怀疑经济学家在经过热力学的训练之后是否会比之前更能发挥作用。弗雷德里克·索迪、尼古拉斯·乔治库斯-罗根、赫尔曼·戴利和笔者本人在本书之前的章节中已经强调了热力效率在决定生产率和管理可持续性中所发挥的重要作用，并以经济史上供应链中的轶事对此论点进行了佐证。但艾尔斯和沃尔的分析却特别中肯，因为其所提供的证据历时之久、可信度之高使其假定几乎是无可置疑。艾尔斯和沃尔的分析引用的大部分资料都是硬数据，经济学家如果愿意，可以直接用来修正经济理论。当然大部分的情况下，经济学家的选择是视而不见。

鉴于热力效率在生产率和经济增长上的决定性作用，我请求约翰·莱特纳（美国节能经济委员会委员之一，也是我们全球研究小组中著名的经济分析家）创建一个模型对20世纪能源效率的变化进行跟踪，看看在向第三次工业革命的转型中我们能够获得怎样的感悟。莱特纳的研究表明，在1900~1980年间美国的能源效率持续稳定地增长，由2.5%增至12.3%，之后便稳定在14%左右，以上数据反映出第二次工业革命的能源和基础设施已经成熟。这也意味着在过去30年的商品和服务生产过程中，我们所使用的能源的86%都被浪费了。

一旦热力效率保持稳定的状态，经济行为所产生的熵就会急剧增长。据统计，2010年美国空气污染和水污染以及非可再生能源消耗的成本达到4.5万亿美元之巨，相当于美国国内生产总值的34%，比率是1950年的两倍。

这些指数还没有包括导致全球变暖的气体排放的熵的额度，一旦将其对未来的影响纳入考量范围之内，美国和全球国内生产总值的数值在其面前就显得九牛一毛了。

当然，热力效率达到百分之百是不可能的。莱特纳的模型和其他模型一样都表明在未来四五十年内将现有的能源利用率提高三倍、达到40%还是有可能的。美国国家可再生能源实验室的研究表明，如果将现有的所有商业建筑利用新型科技、节能技术与实践翻新改建，能源消耗将降低60%。如果再加装光伏发电系统的话，传统能源消耗将减少88%。如果所有新的商业建筑都进行绿色能源发电的改建，能源效率的提高幅度将更加惊人。如果美国所有的民宅都采取相同的举措，家用传统能源的消耗将减少60%。

那么进行这些改造的成本是多少呢？对美国所有商用和民用建筑进行基础设施改建的成本为4万亿美元，如果以40年计算，每年1 000亿美元，但收益将会达到6.5万亿美元之巨，约合每年1 630亿美元。假如改建成本可以得到7%的节约，最终的成本效益比率将会达到1.8，也就是说每向能源效率改建项目和可再生能源系统投入1美元，收益将会达到1.8美元。

对国家电网进行重新配置，使其实现由集中型、机械化向数字化、分散式的改造也将会大幅提高国民经济的热力效率。目前电力生产和传输系统的热力效率在32%左右。这一效率自1960年第二次工业革命基础设施成熟以来一直保持在这个水平。令人惊奇的是，美国在电力生产过程中所浪费的能源比日本支持整个国民经济发展所需的能源还要多。

新型的分散式智能电力网络可以更有效率地生产和传输电力(特别是绿色电力)，同时也会大幅提高能源效率。此外，一项由美国劳伦斯伯克利国家实验室进行的研究表明，现有的废弃物发电系统和其他循环能源系统利用从工业发电站中废弃的热能再次发电，可以满足目前电力消耗的 20%。莱特纳的研究也表明一旦建筑业的能耗效率提高到 50%，发电的效率提高 25%，美国整体的能源效率将会提升 60%。

如果我们大规模使用氢气等可再生能源，并以高效的、电力驱动或以氢气为燃料的交通工具代替传统的、低效的、汽油驱动的内燃机汽车，效益将会如何呢？答案是令人震惊的。新兴的第三次工业革命中供应链每个环节和社会每个部门中潜在的热力效率提高所带来的收益将远远超过第二次工业革命。

重新定义第三次工业革命时代的财富

对经济学家来说，没有什么比产权关系更为神圣了。经典经济理论认为市场中的财富交换是产生经济行为和产生财富最有效的手段。这一资本主义核心的前提是若干基于人性的假设，就具体的表现来说，体现为巩固现代经济活动的具有特定组织模式的社会行为。

约翰·洛克认为私有财产是天赋的权利，他曾经写道：

> 只要一个人使任何东西脱离自然所提供的状态，他就已经掺进了自己的劳动，在其上面附加了属于自己的东西，因而使该物品成为自己的财产。既然是由他使得这件东西脱离自然所安排的一般状态，那么在此之上必然由他的劳动附加了一些东西，从而排斥了其他人的共同权利。因为既然劳动是劳动者无可争议的所有物，那么对于这一有所增益的物品，除他之外就没有人能够享受权利。

但是我们要注意在人类历史的大部分时期，人类是以食物搜寻者或猎人的身份集体生活的，一旦发现并占有自然界的财富，便将其消耗。财产这一概念，是在公元前10000年的农业社会以储藏起来的多余的谷物或驯养的动物的形式出现的。在旧石器时代人类是靠天生活，随四季变化而迁徙。当时人们仅有的物品是可以随身携带的有限的衣服、装饰品、手工工具和武器，即使是这些物品，人们也认为是属于氏族共有。

农业的出现也没有改变财产的属性，人们还是倾向于将其视为集体共有。虽然私有财产确实存在，特别是在水利文明出现之后，但是其范围仅限于国王和商人的财富。直至14世纪末期，领主和农奴都是属于土地的，而不是土地归属于人。基督教认为上帝统治其所创造的一切，教会作为上帝在世间的代表，替上帝行事，依次对封建领主、骑士、下属和农奴进行监管，这也就是所谓的"存在巨链"。土地（地产所有权）买卖的概念直到都铎王朝和伊丽莎白时期英格兰通过《圈地法案》，封建经济日薄西山、市场经济兴起之后才出现。

中世纪后期自由城市中的商会对财产获得这一概念的认知也是相当有限。商会定价和确定生产的数量只是为了糊口，并没有想要额外获利，改善自己的生存状态。

第一次工业革命前所未有地加速了商品生产的过程，技术工人和劳动者也因此获利，生活较封建领主时期大为改善。启蒙经济学家在兴奋之余，开始大肆宣扬市场中的私有财产关系，并将私有财产的获得视为人的天性，而不是特定通信/能源模式下的社会倾向。

这样，市场机制就成了管理私有财产供求的那只"看不见的手"，其对财产的分配被认为就像统治整个世界的牛顿定律一样公正。人类天生的对个人利益的追求将会确保社会总体财富的稳定增长，并推动人类走向无限的进步。而类似于"货物出门、概不退换"（提醒买家注意）和"低买高卖"这样的概念产生了新型的、二元对立的社会现实，将世界分为"我的"和"你的"两个部分。

第三次工业革命对人的驱动这一概念和统治经济行为的若干假设的看法截然不同。新型经济模式分散、合作的本质使人们不得不对与市场经济共生的私有财产的概念重新进行定义。

通过互联网和新型通信技术，地区内每个人的中枢神经系统彼此相连，使我们进入全球性的社交空间和新的时间领域之中。在此背景之下，全球网络的接入成了同19世纪和20世纪私有财产权同等重要的概念。

伴随互联网成长起来的新一代人习惯于对创造力、知识、专业技能，甚至产品和服务的开放性共享，以促进社会总体财富的增长，这种观点被经典经济学家嗤之以鼻。经典经济学家认为这种共享是与人性相违背的，注定会失败。在他们眼中，人生来就是利己的、竞争的、贪婪的，会利用他人的善意为自己谋利，或躺在他人的劳动成果上不劳而获，或者独享自己的成果，获得更多的收益。

经典经济学家的这些担忧看起来有杞人忧天之嫌。现在，数千万的年轻人正在积极地加入互联网上分散、合作性的社交网络之中，乐于用自己的时间和才智（大部分是不索取任何报酬）来为他人谋福利。他们这么做的原因何在呢？仅仅是为了享受与志同道合者共同致力于促进生活进步、推动社会发展、大幅提高生活水平的乐趣。

维基百科和脸谱网这样的网络社交空间对经典经济学人性自私、逐利的基本假设提出了严重的挑战。第三次工业革命的通信模式和新能源带来了一个截然不同的对人性驱动的解释——对社会性的需要和集体性的寻求。

这种无处不在的观念转变在人们对财产的看法上得到了更多的体现。在第三次工业革命时代，传统的财产观念——鼓励获取物质财富和独占、排他的权利，被全新的通过社交网络同他人分享经验的财产观所取代。我们现有的财产观是如此注重私有制和排他性，很难想象在此之前，另一种财产观——财产共有，曾在人类历史上相当长的一段时间内占据重要的地位。在河面上自由行船、在森林中寻找食物、在郊外的路上漫步、在附近的溪流中捕鱼、在广场上自由集会，这些都曾经是我们生活中习以为常的一部分。然而，随着市场经济为代表的现代工业社会的到来，共有的财产观被抛诸脑后，取而代之的是私有财产观，并将其视为"衡量一个人的重要标准"。

在分散、合作型的经济中，进入全球社交网络的权利同在国家市场上拥有私人财富的权利变得同等重要。生活质量的重要性日益显现，特别是在虚拟空间中寻求融入数百万人组成的全球性社团这一诉求。这样，互联网的接入权利就成为新兴的、相互连接的世界中一个强有力的新型财产观。

生物圈之中的新型争端将越来越多地围绕接入的权利展开。这一变化也反映出与全球化相互依赖相关的私有制的重要性正在逐渐降低。

正如18~19世纪的年轻人为财产权而奋斗一样，生活在威权体制之中的年轻人正在为获取进入全球网络社会空间的权利而斗争。全球互联网自由协会由防火墙穿越公司所组成，这些公司的主业就是从事突破网络封锁软件的开发，突破埃及、伊朗、利比亚、越南、沙特、叙利亚等国官方建立的防止国民接入全球信息网络的防火墙的限制。此类软件已经帮助数百万人接入到全球性的互联网络之中，并使其保持在某一天可以同民主国家中的年轻人一样享有自由接入互联网权利的希冀。

2011年1月和2月，社会媒体打碎威权统治的力量在埃及开始显现。数万名年轻人走上街头示威反抗穆巴拉克的野蛮统治，历时18天之久，埃及陷入政治危机之中。而以年轻的谷歌高管瓦伊尔·古奈姆为代表（古奈姆随后成为运动"不具领导作用的"代言人）的年轻人主导的反抗使用了脸谱网、YouTube和微博等社交媒体同军警相抗衡，并最终将世界上最独裁的政府之一扳倒在地。

在突尼斯、利比亚、也门、约旦、巴林乃至整个阿拉伯地区都发生了类似的示威活动。新兴的互联网一代强烈要求结束中央集权的专制统治，获得在一个开放、透明、无边界的世界中生活的权利。这样的世界反映出了新型社会媒体的运作规范和实践，社会媒体界定了全世界青年的愿望与志向。

生活在集权国家之中的年轻人的不满将会在未来数年中愈演愈烈，他们强烈要求成为世界大家庭中的一员，跨越国界的限制，实现知识、商业和社会生活的共享。互联网将生态圈变成了新的政治边界，而在此过程之中，传统的地缘政治显得与这一时代格格不入。

在扁平结构的世界中，即使是知识产权这一资本主义最核心的特色，在商业的舞台上也已经开始瓦解，逐渐被边缘化。在互联网的世界中，"信息可以自由流动"，版权和专栏越来越为人们所忽视。商业和社会生活越来越多的方面在开源社区中开展，无论从哪一点来看，知识产权都已经过时了。音乐公司是最先感受到冲击的行业。面对数百万年轻人开始在网络上免费共享歌曲的情况，音乐公司试图通过对侵犯音乐版权的行为提起诉讼和利用新的编码技术创建防火墙来保护版权，但很可惜的是收效甚微。

出版商和作者则开始将新书中的一些篇章免费授权上传到互联网上，希望读者可以通过试读而产生兴趣购买书籍。但是这一想法有些不切实际。在互联网上，关于每一个话题都有大量的免费信息在流动，且新信息每时每刻都在产生，通过版权收取费用的尝试即使不是毫无作用，恐怕也将相当困难。报纸也面临相同的局面。新的互联网一代不再去买日报或周刊，而是倾向于通过登录《赫芬顿邮报》（*Huffington Post*）这样的博客网站来获取信息。很多顶尖的出版集团则开始尝试通过提供免费的在线信息来挽留读者，希望以付费广告的途径来弥补损失。

科技公司对人类、动物和植物的基因研究成果具有25年的保护期，这样就可以通过对相关基因蓝图的垄断在农业、能源和医药等行业攫取高额的利润。然而，近年来，为建立一个更加透明、合作的科学研究途径，新一代的科学家开始将最新基因研究成果免费上传至互联网，借此鼓励生物科技研究成果的共享。在一个合作、资源开放的世界之中，广泛获取的权利远大于排他的所有权，因此，版权和专利将不可能以现有的形式继续存在。

同样，广泛、免费的获取可再生能源（如太阳能、风能、地热、潮汐能等）的权利也成为致力于可持续的生活方式和担当生物圈中管理者角色的新一代人日益高涨的呼声。在本世纪中期，第一次和第二次工业革命中标志性的极少数巨型公司和政府对化石能源的所有权和控制对那时的年轻人来说将会成为明日黄花，甚至是无稽之谈。在第三次工业革命经济之中成长起来的全新一代与生俱来地将地球上的所有能源视为如同我们所呼吸的空气一样的公共物品，为全人类所共享。

确保普遍性的接入和保证地球上每个人不被排除在全球共同体的生活之外，为人类的社会性打开了一道发展之门。在未来，任何为获取访问权限的个人和集体的努力将会同过去获取财产权的努力一样意义深远。

金融资本和社会资本

财富、生产效率、平衡预算和财产权并不是经典经济学理论中需要重新界定的特色的全部。随着第三次工业革命科技的发展，扁平式的经济模式日益成熟，资本主义的核心信条也发生了动摇。

资本主义建立在以下假设的基础之上：积累起来的个人财富将会以金融资本的形式，通过控制财富产生的科学技术和分配的物流手段，获取更大的利益。

以化石燃料为基础的工业革命需要巨额的先期投入。以煤炭为燃料的蒸汽机远比木材、水力或风车昂贵。随之而来的新型能源和科技的高昂成本及专业化的分工和技能，使其倾向于在工厂采用集中化的管理和生产方式。

英国的纺织业是最早实现转型的行业，其他的家庭手工业则紧随其后。新兴的富商阶层获得了购买生产工具所需的足够金融资本，而在此之前，生产工具都是归手工业者个人所有。这样的阶层被称为资本家。手工业者无法同规模经济和工业化的生产方式抗争，被迫失去了独立性，成为工厂中的雇佣工人和工业革命的劳动力。历史学家莫里斯·多布曾将这种从手工业到资本主义企业转变的意义总结如下："生产对资本的从属以及资本家和生产者之间新型阶级关系的出现是新旧两种生产模式的分水岭。"

与此相反，在第三次工业革命新型分散、合作式的通信和能源领域之中，社会资本的积累与金融资本的积累同等重要，富有价值。原因就在于随着通信科技成本的日益低廉，接入互联网的成本急剧下降。现在，全世界有近20亿人通过笔记本电脑在网络中以光速彼此相连，甚至比全球有线电视网更加自由。在不久的将来，分散式可再生能源科技急剧下降的成本将使地球上的每个人都可以进入分散式的能源网络之中。

获取巨型、集中化的电话、广播和电视通信网络及化石能源和核电站所需的额外资本投入，正在让位于新型、分散式的资本主义模式。在这种新型的经济模式之中，分散式网络的进入成本非常低廉，每个人都可以成为广阔的、开放性的互联网和输电网络中潜在的企业家和合作者。产生的结果就是金融资本在新型企业的创立方面所发挥的作用逊于社会资本，起码在开始阶段是如此。看看谷歌、脸谱和其他全球性网络，它们都是由二十多岁的年轻人在宿舍里建立起来的。

当然，这么说并不意味着金融资本不再起作用。它仍然担任重要的角色，只不过作用的方式截然不同了。当经济日益扁平化、分散化，对等关系逐渐取代了自由交换，企业获利的本质也发生了变化。

生产可交换的财富这一资本主义的基石在交换成本日渐低廉、最终可能免费的智能经济之中逐渐变得无利可图。这一进程正处于发展之中，随着第三次工业革命基础设施的成熟，在未来的数十年中速度会不断加快。随之而来的是，市场中财富的交换将会让位于合作性网络之中关系的获得，商品的生产将会被即时产品的生产和服务的提供所取代。《纽约时报》的记者马克·莱文敏锐地将这种新观点描述为"共享与所有权之间的关系就像iPod与磁带、太阳能电池与煤的关系一样。共享是清洁的、新奇的、城市化的、后现代的，而私有则是萧条的、自私的、胆怯的、落后的"。我所描述的资本主义运营方式的重大变革正在传统的制造业和零售业中展开，并对商业的运作模式进行重塑。

在传统的资本主义市场中，利润是在交易成本的差额中产生的。也就是说，在价值链中的每一步，销售者都要向购买者提高价格以获取利润。商品或服务的终端价格反映出了这种加价。

第三次工业革命中的信息和通信科技则大幅降低了商业供应链之中的交

易成本，分散式可再生能源很快也将如此。新型的绿色能源工业将以前所未有的速度提高效率、降低成本。不仅信息的生产和分配的成本几乎为零，可再生能源也是如此。每个人都可以免费使用太阳能和风能，而且几乎用之不竭。

当加入新兴第三次工业革命的通信/能源体制之中的交易成本几乎为零的时候，保持差额赢利几乎就是不可能的，对赢利这一概念必须重新进行定义。随着第三次工业革命通信技术的发展，这一改变已经悄然发生。音乐和电子书的免费下载和博客的出现极大地减少了唱片业和出版业的交易成本，对这些传统工业产生了毁灭性的打击。可以预料的是绿色能源、3D生产和其他部门也会发生这样的冲击。所以当交易成本锐减、差额消失的时候，商业该如何赢利呢？

在一个交易成本几乎为零的经济之中，财产仍然存在，掌握在生产者手中，消费者在一段时间之内可以访问、获取。在一个新的生产线在市场中不断更替、持续升级的世界之中，任何人试图拥有物品的意义何在？实际上，在第三次工业革命的经济模式之中，时间成了稀缺的资源和交换的关键组成，服务的获得超越了所有权成为主要的商业驱动力。

在过去的10年中，购买CD唱片逐步被订阅所取代。Rhapsody和Napster这样的在线音乐服务公司允许其服务的订购者进入公司的音乐库之中，在一定时限内下载喜欢的歌曲。

拥有汽车一度被认为是进入财产关系所构成的成人世界的成人礼，但其地位逐渐被租约所取代。通用、戴姆勒和丰田这样的汽车公司选择了继续持有汽车，并同消费者建立长期的服务关系。这样，使用者付费获取在租期之内每天24小时使用汽车的权利。汽车公司获得了稳定的客户，而客户可以在享受交通便利的同时每两三年就更换最新的汽车，服务和维修则由公司负责。

分时度假也成为一个热门的商业模式。与购买第二处房产的传统模式不同，数百万的旅游者每年只拥有某一特定时间段的度假地房地产使用权，并可以通过交换系统对全世界不同房产的使用权进行交换。

更为有趣的是，在一个使用权大于所有权，财产仍然掌握在供应者手中并通过租借、分时共享、定金以及其他临时性安排分时段出租的世界之中，可持续这一概念越发深入人心，并内嵌于社会生活之中，而不是简单的社会责任行为。

在自始至终拥有汽车的同时，通过制造维护成本低廉、材料可循环利用、低碳的耐用型汽车，汽车制造商也获得了既得利益。一旦像喜来登这样的酒店修建并拥有自己的分时共享产业，必然会减少能源的使用并尽可能地利用可持续资源为其消费者提供质优价廉的服务。

这种由买卖关系向供用关系、所有权交换向网络内特定时间服务的获得之间的转换，正在改变我们对经济理论和时间的定位与思考。就更深层的角度而言，新兴的第三次工业革命的能源和通信基础设施正在改变我们衡量经济成功的标准。

生活质量之梦

第三次工业革命改变了我们对个人与他人之间关系和责任的看法，我们开始以集体的思维方式进行思考。在洲际化的合作共同体中分享地球上的可再生能源很自然地就形成了新的种族认同。而这一新兴的相互联系和生态圈嵌入意识的觉醒催生了对生活质量的新梦想，在新一代中尤其如此。

美国梦长久以来被视为激励各地人民的无上准则，其产生与发展内嵌于启蒙传统之中，强调对个人物质利益、自治和独立的追求。然而生活质量这一概念却要求基于合作利益、联系和相互依赖进行新的理解和定位。我们逐渐意识到真正的自由并不是对他人免责的孤岛，而是存在于与他人的紧密联系之中。如果自由只是个人生活的最优化，那么其衡量方式就是个人拥有的财富的多寡、财富的多样性和个人社会联系的力量。一个人的生活状态越稳定，生活也就越缺乏活力。

对生活质量的梦想只能大家共同体验。孤立排他的生活方式不可能获得高质量的生活。生活质量的实现离不开共同体之中每个人的积极参与，要求每个成员都具有高度的责任感，确保在追求的过程中不让一个人掉队。

启蒙经济学家坚信幸福和"美好的生活"离不开个人财富的积累。处于第三次工业革命前沿的年轻一代却认为在满足基本的经济需求的同时，个人的幸福离不开社会财富的积累。

幸福衡量标准的改变开始对衡量经济财富的关键性指标产生重要影响。国内生产总值这一指标在20世纪30年代提出，作为衡量一年内一个国家或地区经济中所生产出的全部最终产品和劳务的市场价值的标准。然而国内生产总值的缺陷在于不仅包括积极的经济行为，消极的经济行为也在其考虑的范围内。假如一个国家投入大量资金进行军备竞赛、修建监狱、扩张警备或治理环境污染，类似这样的投资行为都被计入国内生产总值。

国内生产总值指标的发明者之一、俄裔美国经济学家西蒙·史密斯·库兹涅茨在很早之前就意识到"国家的财富不能单纯地通过国家收入来衡量"。随后，库兹涅茨更加强调国内生产总值作为衡量经济财富的唯一标准的局限性。他警告说："我们必须时刻牢记增长数量与质量之间的区别……希望获得'更多'增长的目标必须细化为什么样的增长和以什么为目的的增长。"

近年来，经济学家开始用其他的指标衡量经济财富，这些指标是以生活质量指标为基础而不是单一地衡量经济产出。可持续经济福利指数、福特汉姆社会健康指数、真实发展指数、经济福利指数和联合国人类发展指数都是新型的衡量生活质量的经济指数模型。这些新指数衡量的是社会福利的总体进步与发展，包括婴儿死亡率、人均寿命、健康保障的普及率、教育的普及率、平均周收入、贫困指数、收入差距和闲暇时间等。法国、美国、欧盟和世界经济合作与发展组织均建立了官方的生活质量指数，希望以此衡量经济的总体水平。

如果生活质量这一概念要求我们对自己所生活的共同体具有集体的责任意识，那么接下来的问题就是我们所生活的这个共同体的边界在哪里。在新的时代中，我们对空间和时间的定位早已超越政治的界限，转向生态圈之中。

对空间和时间的重新定位

启蒙经济学家基于牛顿定律建立新经济理论的决心与尝试使其以非常机械和功利的视角对空间和时间进行定义。空间被视为一个装满等待开发的有用资源的容器（储藏室）。时间则被视为可以用来加速生产过程、创造无限经济财富的工具。人类动因被认为是作用于空间内广泛分布的资源之上的外部力量，利用科技将资源尽可能高效地转变为生产效用。这种对空间和时间的工具性观点就是经典经济理论的核心时空观。

启蒙经济学家和后启蒙经济学家对空间、时间和人类动因的假设反映出了当时人们的看法。地质学家和化学家坚信地球上的非生物资源是取之不尽、用之不竭的，急待人类的开发与利用。现在，对地球活动方式、特别是地球化学过程和生命系统的互动的最新科学研究成果，不禁使人们对这一经典经济学理论的最后遗产产生了怀疑。

在前面的章节中，我们已经对生态圈的活动方式进行了探讨。20世纪70年代，英国科学家詹姆斯·洛夫洛克和美国生物学家琳·马古利斯就已经揭示了地球维持生命的理想条件所需的地球化学和生物过程的互动方式。他们所提出的"盖亚假说"在随后的数十年赢得了世界各地研究者的广泛支持，这些支持者不断地提供新证据夯实洛夫洛克和马古利斯理论的基础。

洛夫洛克和马古利斯认为地球是一个自我调节的系统，同生命有机体相类似。他们以地球对氧气和甲烷的调控为例，对其假设进行了证明。地球大气中的氧气必须保持一个相对稳定的水平才能确保生命的存续。如果氧气超过了限定的范围，地球就会变成一个火球，地球上的生命就将灭绝。那么地球是如何调节大气中的氧气含量的呢？

两人认为一旦大气层中的氧气超出可接受的范围，细菌产生和甲烷排放的数量就会增加。当甲烷进入大气层中，就会与氧气产生反应，将氧气减少到一个合适的水平。而这只是维持地球生命繁衍的生物圈所需的无数反馈机制中的一个。

对生态网络中反馈机制运行的最新理解是与第三次工业革命经济中信息-能源模式的建立与发展相伴而生的。如果科技如同艺术一样采取仿生学的设计理念，那么第三次工业革命经济的网络化基础设施就会越来越多地模仿地球自然生态系统的运作方式。模仿地球生态系统中的生物学关系建立新的经济、社会和政治联系，是使人类重新回到我们所居住的生态共同体之中关键性的第一步。

　　一个全新的科学的世界观正在逐渐形成，其前提和假设与第三次工业革命经济模式更加适应。传统的科学将自然视为对象，新科学则将自然视为关系的集合。传统的科学以客观、剥夺、解剖和简化为特征，新科学的特征却是参与、补充、整合与整体论。传统的科学致力于将自然变成商品，新科学则希望实现自然的可持续发展。传统的科学从自然处寻求能力，新科学则希望同自然建立一种伙伴关系。传统科学重视人类相对于自然的自治，而新科学则希望融入自然之中。

　　新科学使我们改变了原有的自然观，自然不再是人类征服和奴役的对象，而是一个急待培育的共同体。将自然视为财富进行开发、利用和占有的权利正被管理、礼遇自然的义务所取代。自然的工具价值也逐步让位于自然的真实价值。

　　如果所有的生物有机体可以同地球化学持续地互动，为生物圈的存续和生命的繁衍维持一个平衡的条件，那么人类持续发展则取决于我们在时空的限制中生存的能力。长期以来，古典和新古典经济学理论与实践一直注重对自然的开发与利用，忽视地球化学和生物过程中的反馈机制，使地球的生态系统枯竭，使地球温度和气候产生了重大的变化。

　　如果人类想要继续生存与繁衍，我们就要改变原有的时空观。将空间视为有用资源的容器或储藏室这一古典经济学的定义必须为新的观点所取代，空间应该是由活跃关系所组成的共同体。在这一新的范式之中，地球的化学组成部分不再被视为一种资源或财富，而是维持地球生命所需的复杂关系中的一部分。情况也的确如此，我们的经济重点必须从生产效率转向传承性，从对自然基于工具理性的运用转向对维持生物圈所需的各种关系的管理。

　　与此相似的是，在时间的安排中，效率也需要让位于可持续性。对于管理模式，我们也要重新界定，使其同自然界的再生周期相符合，而不是单一地追求生产效率。

这种从生产率到传承性、从效率到可持续性的转变，将使人类再次同我们所居住的更大的生物圈共同体的起伏、节奏和周期保持一致。这也是第三次工业革命的本质所在，同时也是现有的经济理论（正如商学院中所教授的一样）不足以成为指导新经济时代发展、创造生物圈意识的理论框架的原因所在。

即便如此，仍有很多质疑的声音。他们认为将人类经济活动内嵌于生态圈的节奏和周期之中的努力都是徒劳的，因为人类倾向于远离自然，自由自在，并对自然进行控制。对于这些人来说，对时间生物学的简单了解应该足以打消他们的疑问。

所有的生命形式，无论是微生物还是人，都是由无数的生物钟所组成，生物钟对其生理过程进行调节，以适应生态圈和地球的较为高级的规律。所有的生命，包括人类，都是根据太阳日（昼夜节律）、太阴月（月节律）、四季的变化以及地球围绕太阳的运行轨迹（年节律）来安排自己的作息和活动。月亮围绕地球旋转，地球围绕太阳旋转，太阳系本身也不断改变位置。所有的这些现象都产生了定期的节律变化，生物的繁衍则取决于遵循这些节律的能力。

乘坐飞机快速穿越时区而经历过时差的人都能理解人体是严格按照地球的节律而运行的这一基本观点，任何干扰都会使身体的内部生物过程陷入混乱。人体的体温和皮肤的温度每24小时就会产生规律性的变化。妇女的月经周期也是同月运周期相一致。季节性情绪失调通常发生在冬天，因为冬天日照时间最短，患者容易产生类似于冬眠的昏睡感和压抑感，这种感觉会使很多哺乳动物的生理活动变缓。

时辰药理学的研究者逐渐认识到特定药物服用的时间或特定手术进行的时间能够对疗效产生重要影响，并据此调整治疗时间，以期同患者内部的生物钟相一致，提高治疗的效果。

同其他物种一样，从生物学的角度来说，人类也是同地球变化的周期相一致。这一事实改变了我们对空间和时间的看法。人类要与地球时间和空间的客观规律协调一致。人类的存在只不过是一种活动形式，自然界中能源所包含的低熵卡路里进入我们的体内，补充我们的细胞，随后就被分解，排放到自然界中进行循环。每个人都是有效能流和生物圈中随处可见的地球化学和生物过程的一个具体表现。在地球这颗行星的系统中，地球化学过程以及处于一系列精心设计之中的地球的规律性互动保证了每个生物的正常功能，维持了生物圈的整体性。

就人类历史上的绝大部分时间而言，人类生活是与地球的节律相一致的。然而，第一次工业革命和第二次工业革命中的化石能源首次使人类同这种一致性相脱离。如今，全天候的电力照明、夜以继日的互联网通信、乘坐飞机旅行、换班工作等大量的行为严重地扰乱了我们最初的生物钟。太阳和变化的四季同我们的生活越来越无关（起码我们认为如此）。我们对积攒的太阳能（碳燃料）日益增长的依赖使我们产生了将自己的成果归因于人类智慧和科技发展的错觉，而不是自然循环之功。我们没有意识到事实并非如此。这种强加的人工生产结构（特别是机械效率的制度化）在给相当一部分人带来可观的财富的同时，也损害了地球的生态系统，给地球生物圈的稳定性带来了可怕的影响。

第三次工业革命使我们重回阳光之下。通过对地球生物圈中随处可见的能源（如太阳能、风能、水循环、生物质能、地热、潮汐能）的开发与利用，我们重新实现了与地球的节律和周期的一致性。我们逐步恢复了在地球生物圈的生态系统中应有的地位，也了解了我们每个人的生态效应对其他人和地球上的所有生物的存在都会产生影响。

在对国内生产总值和衡量社会的整体经济表现进行重新思考、修正我们对于生产效率的观点、理解债务的定义和如何更好地平衡生产和消费预算、重新审视我们对财富的看法、重新评估金融资本和社会资本的重要性、重新评价市场和网络的经济价值、改变我们的时空观、重新思考地球生物圈运行的方式等诸多方面，现有经济理论的短板十分明显。

无论从哪个方面而言，我们对人性、人生意义及支配经济活动的原则的理解与过去200年中的看法截然不同。伴随着前两次工业革命而生并取得合法地位的古典经济学和新古典经济学的相当一部分内容，肯定不适用于新兴的经济模式。

将来最有可能发生的情况就是人们对标准经济理论中仍然适用的那部分观点和内容，从热力学的角度进行重新定位并使其继续发挥作用。而学习热力学的有关知识将会使经济学家同工程师、化学家、生态学家、生物学家、建筑师、城市规划者等专业人员一道进行更深层次的思考。这些从业人员所从事的领域正是以能量定律为基础的，也是真正充实经济活动的部分。各学科之间所进行的这种严肃的讨论将会实现经济理论同商业实践之间的协调发展，促进与第三次工业革命范式相适应的新型经济模式的产生。

然而，经济学并不是需要改革的唯一学科。同古典和新古典经济理论一样，公共教育体系自现代市场经济诞生之日起就没有发生较大的改变，一直为第一次和第二次工业革命服务，反映出了其所服务的商业秩序的前提、政策和实践。

现在，当今世界正在实现由集中型第二次工业革命向扁平式第三次工业革命的转变。因此，现有的教育体系也需要进一步修正。对支配教育和教学法的基本框架原则进行修订绝非轻而易举。世界各地的教师也只是刚刚开始对固有的教育理念进行修订，使其与新生的一代年轻人相适应，这些年轻人需要学习的是如何在一个内嵌于生物圈世界之中的分散、合作式的经济模式中生存。

第八章

教育要面向第三次工业革命

在后台，我紧张地反复翻看我那五张小卡片，脑海里不断地想着接下来演讲中要强调的重点。我透过幕布瞥了一眼，看到观众席里坐了1 600位高中教师和联邦及本州的教育官员。这些老师不是普通的教师，他们教授大学预修课程，是美国最好的高中老师，负责为大学输送最聪明的学生。

这是美国大学理事会的年会，该理事会负责监督SAT考试。数百万美国高中生如果想接受高等教育就必须参加SAT考试。

加斯顿·卡珀顿是西弗吉尼亚州的前任州长，现任大学理事会主席。他邀请我在这次大会上发表主题演讲。他只嘱咐了我一句："好好给他们讲吧！把他们带到未来，启发他们重新思考在全球化世界里美国教育的使命。"

　　这话说起来容易，做起来难。如果我把真实想法说出来，我不知道老师们会作何反应。说实话，美国乃至于世界的教育体系都是旧时代的遗物。课程安排不仅过时，而且脱离了当前的经济和环境危机。自从普及公共义务教育以来，方法论和教学法的各种观点引导教育发展将近150年，而现在这些观点又成了人类走向困境的主要原因。

　　在座位上耐心等候的老师们肯定都期待着我发表一次振奋人心的演说，谈关于优质教育的价值。当他们听到我说，我们教授的大部分内容和我们的教学方法将不利甚至有害于人类未来的发展时，他们能接受吗？他们准备好了吗？

　　我走上台，深吸了一口气，然后开始了我的演讲。我先是对当前的世界现状表示了悲观，因为我希望演讲结束的时候，这种失望痛惜的情绪能让听众进行反思。当谈到当前危机有多么严重时，我环视了一下听众，特别是他们的表情和肢体语言。我感觉听众席很安静，但还不确定听众为什么安静了下来。当开始分析传统教育体系时，我听到了听众席上的窃窃私语声。但是当我开始讲最新分散式合作教学方法和学习模式时，听众的情绪发生了很大的变化。成百上千的老师们活跃起来，纷纷点头表示赞同。到演讲结束时，我意识到很多教师的教育思想比我先进，他们早已在自己的课堂里对教育的未来提出了冷静的质疑，并且为了让下一代作好准备迎接分散式合作社会，已经开始试验一些新的教育法和教学方法。

　　演讲结束的时候，他们站起来鼓掌。我发现很多人也转身为旁边的老师鼓掌。对于很多人来说，那是自我肯定的一刻——感觉他们走上了正确的道路，有充分的理由去重新思考美国的教育。

　　教育界兴起了新的讨论。随着民众对第三次工业革命的认同，建设五大支柱基础设施的初步努力也取得了成效，教育家、企业家和政客都开始问：我们该如何改变才能为下一代进入新经济、政治时代作好准备。人们首先关心的是工具，这也是合乎情理的。为了在第三次工业革命中成为高效的生产者，学生们应该学习哪些新的专业技能和职业技术，人们已经就此展开过重要的讨论。

为21世纪第三次工业革命培养劳动力

高中和大学都需要开始培养第三次工业革命的劳动力，课程安排也需要把重点转移到前沿信息、纳米技术、生物科技、地球科学、生态学、系统理论以及各种职业技能，包括制造和销售可再生能源技术，将建筑转化成小型的发电厂，安装氢气和其他存储技术，搭建智能公共事业网，制造使用氢燃料电池的交通工具，建立绿色物流网络等。

我们的全球团队认识到，要想让学生在可持续发展的第三次工业革命中生存和获得工作，就必须让他们具备专业技能、技术和职业技能，为此我们和大学以及学校系统合作，把它们转化成第三次工业革命的学习环境。

举个例子，我们在罗马的总体计划就是和罗马大学建筑学院院长利维奥·德圣托利合作，与他的团队一起将校园里的建筑改造成第三次工业革命的基础设施。我们引入了可再生能源、氢存储技术和智能电力网络。我们的目标是将大学与其他大学、中小学连接起来，形成覆盖整个罗马的第三次工业革命网络。在接下来的几年，这个具有先驱意义的网络将会把商业和住宅能源企业连接起来，到那时，整个网络将成为一个完全可运作的基础设施。洛杉矶也启动了类似的方案，那里的社区大学系统通过第三次工业革命基础设施连接了起来。

加利福尼亚州的各个学区也启动了类似的项目。中小学将与银行以及其他营利企业合作，在校园的停车场里搭建太阳能汽车棚。根据协议，学校的商业伙伴将资助汽车棚的搭建，并在接下来的 20 年间将产生的电卖给学校，协议中还规定电的售价将低于中央电网传统供电的价格。而这些商业伙伴也会因此享受联邦政府和州政府的税收优惠措施，从这次交易中受益。

现在已经有 75 所中小学开始生产绿色能源，学校管理人员预测在接下来几年内，全国各地都会采用太阳能汽车棚的创意。他们认为太阳能校园之所以如此受欢迎有两个原因。

首先，现在经济不景气，学校财政开支紧缩，使用绿色电力可以节约不少能源。在靠近圣何塞的密尔必达联合校区，太阳能电池板能供应学区一个正常学年所需电量的 75%，而暑期班则可以完全自给自足。太阳能板在其使用期限内可以节约 1 200 万~1 400 万美元电费。从 2008~2009 年，在旧金山湾地区使用光电太阳能系统的学校增加了 5 倍，到 2010 年，这些学校生产的电量还将满足 3 500 个家庭的需求。

其次，在校园里安装太阳能设施也让学生们开始熟悉新的第三次工业革命技术，给学生们创造了自己动手的学习环境，让他们获取在新兴的绿色经济体中所需要的技能。布拉德·帕克是加利福尼亚州中部圣路易斯沿海联合学区的太阳能汽车棚顾问，他说："学生们在绿色电力的环境中长大，他们会认为社会就是这样运作的。"

在过去 10 年里，学校都安装上了个人电脑和互联网，这样学生们就可以发布信息，并与虚拟世界里的其他人一同分享。而目前这一代学生需要掌握第三次工业革命的技术，从而生产自己的可再生能源，在一个开放的能源空间里与世界各地一同分享。

　　此外，还需要根据第三次工业革命技术设计相应的课程。教育部门开始把智能电网课程引入中小学、职业学校和大学课堂。在接下来的5~10年里，美国从事公共事业的工人有一半将会退休。美国联邦政府已经拨款1亿美元，作为促进中学和大学引入智能电网课程的奖励基金。能源部部长朱棣文宣布拨款后说："建设运营智能电网的基础设施将给美国人提供上百万工作岗位。"能源部预测联邦政府的专项拨款将培养出3万多名工人，他们能够胜任第三次工业革命时代的新工作。

　　当务之急是调动学生们对电和电网的热情。银色春天互联网公司专门给国家电网制造智能化的硬件和软件。公司的市场营销经理莉萨·马格努森说，美国应该调动在互联网世界成长起来的下一代年轻人的创造力。俄亥俄州和加利福尼亚州的学校开始试验新的课程表，学生的作文题目包括"智能电网将如何改变你的人生和你未来的职业"。像现在学生们通过互联网创建、分享信息一样，要让他们思考如何通过电网生产能源、分享清洁电力，当他们到一定年龄的时候，他们就会创造出很多第三次工业革命的热门应用软件。马格努森说："我们想让公共事业再次炙手可热起来。"

　　大学里已经建立了最先进的实验室，给下一代发明家、企业家和技术员提供他们所需的工具，让他们创造第三次工业革命时代的突破性技术。俄亥俄州立大学有一所高压实验室，这种实验室在美国屈指可数。研究者和学生们使用设备建立了虚拟的平台，模拟智能电网的特性和功能。

　　我们在圣安东尼奥市的总体规划中提出，在新得克萨斯农业机械大学校园旁边建设第三次工业革命科技园，这样就能让大学各个部门的研究精英和研发第三次工业革命技术和应用软件的公司携手合作。为了第二次工业革命的技术和商业活动，大学和私人企业很早以前就建立了类似的伙伴关系。

虽然专业技能和技术对于向第三次工业革命过渡至关重要，但是如果教育工作者过分强调技术和技能，而没有进行更深层次的改变，那么他们就本末倒置了。如果我们只改变学生学习的技能，而不改变他们的观念，他们就会依旧认为教育最重要的任务就是培养高效的劳动者。这样培养出来的劳动者就会用前两次工业革命的实用主义心态去开展经济活动。而有环境意识的学生就会认为第三次工业革命技能不仅仅是成为高效劳动者的职业工具，而且能帮助他们管理我们的生物圈。

世界上最容易落伍的东西：观念与意识

工业时代之初的启蒙运动使人们对人性有了新的认识。因为这种新的认识，人们认为教育的基本任务就是培养高效的劳动者。英语单词industrial（工业的）一词源自industrious（勤劳的），industrial也指与现代市场经济相伴的一种心态，而且对现代市场经济的成功发展至关重要。在中世纪后期，人们围绕维持生活相对稳定这样的理念来组织经济活动。年轻人要想成为本行业的专家，必须先经受严格的学徒期的考验。前几章已经提过了，当时人们高度重视职业技术经验，并且严格地守护着自己的技术绝不外传，这就导致经济活动按特定的模式不断重复。为了能这样继续下去，商家规定了商品价格，并且限制产量。那时，在普通民众头脑里还没有"进步"这个概念。

industrious（勤劳的）这个词可以追溯到教士约翰·加尔文和早期的新教改革者。这些改革者认为每个人都应该不断努力提升自己的境遇，这象征着他们会在另一个世界里得到基督的选择和救赎。在早期市场经济时代，提升个人处境的观点从宗教理论上的规劝变成了对每个人经济生活的期盼。一个勤奋的人会被人所熟知、尊重，并被认为是品格优良。18世纪后期，第一次工业革命方兴未艾的时候，雇主已经开始以生产力来鉴定一个人是否勤奋，工作效率高也成了个人行为的重要特点之一。像约翰·洛克和亚当·斯密等启蒙哲学家都认识到人的本性是贪婪、功利和自私的，他们还认为工作效率高是种能促进发展进步的内在能力。

在欧洲和美国兴起的公立学校运动旨在激发人类内在的生产潜能，并为促进工业革命培养高效的劳动力。由此往前推八代，数以亿计的年轻人学习的都是启蒙时期产生的人性观点。

我们的教育理念一直都源于我们对现实和自然的看法，尤其是我们对人性和人类旅程的意义的理解。这些观点融入了我们的教学过程。不管什么时代，我们所教授的都是那个时代盛行的观念。

人类的观念随着历史的演变不断变化。现在一名城市专业人员的想法和15世纪中古农奴或者两万年前的狩猎者大不相同。每当更复杂的新型能源体系出现，人们的观念就会改变，这就使得社会活动联系更紧密、更复杂。就像在第二章提到的一样，协调这些文明需要新的更先进的通信系统。当能源体系和通信革命相结合时，人类的观念就会发生变化。

所有狩猎者的社会都是口述文化，主导思想是神话传说。灌溉农业文明是围绕书写记载组织起来的，这样就产生了世界上的各种宗教和宗教思想。200年前印刷技术成为交流媒介，在以煤和蒸汽为动力的第一次工业革命中，各种活动就由这种媒介组织起来，在启蒙时代人们的思想也由宗教思想转变为意识形态。到了20世纪，在以石油经济和汽车为基础的第二次工业革命中，电子通信成为重要的管理机制。电子通信促成了一种新的思想的产生——心理意识。

现在，分散式的信息和通信技术与分散式的可再生能源结合起来，形成了第三次工业革命的基础设施，也为生物圈保护意识的产生打好了基础。我们认识到人类虽然具有差异性，但是可视为一个家庭，和地球上的其他物种组成了一个大家庭，我们生活在同一个生物圈里，并且相互依赖。

生物圈保护意识

在一个全新的全球紧密相连的第三次工业革命时代，教育的基本任务就是让学生意识到自己是同一个生物圈的一部分，以此来进行思考并身体力行。

我们的生物圈保护意识越来越强，在进化生物学、神经认知科学和儿童发展等领域也有了新发现，这些发现表明人类生来就是具有同情心的，我们的本性并不像很多启蒙运动思想家所说的那样缺乏理性、冷淡、贪婪、好斗而且自恋。相反，人类富有爱心、热爱交际、合作性强而且相互依赖。人类不再是"智人"，而是"同感人"。社会历史学家告诉我们，同理心是社会的黏合剂，虽然人口越来越多样化，越来越个人化，同理心却使人类跨越宽阔的地域，结成亲密的纽带，这样整个社会就团结一心了。富有同理心就是开化的开始。

随着历史的变迁，同理心也发生了变化。在游猎社会，人们只同情部落里与自己有血缘关系的人。在灌溉农业时代，人们不仅同情与自己有血缘关系的人，也同情那些与自己因为宗教关系而产生联系的人。犹太教徒把其他犹太教徒当做亲戚一样看待，基督教徒也开始同情其他基督教徒，伊斯兰教徒也一样。在工业时代，因为出现了现代的国家，同理心的范围也延伸了，延伸到与自己思维相似、国籍相同的人身上。美国人同情美国人，德国人同情德国人，日本人同情日本人。如今，从第三次工业革命开始，同理心开始跨越国界，延伸到生物圈的界限。我们认识到生物圈是不可分割的社区，我们应该同情其他同胞，并把其他生物当做我们的亲人一样对待。

人类是富有同理心的物种。同理心也随着时代发生了变化。就像在博客世界里一样，我们在生物圈里相互联系。这些新的认识对于我们重新思考教育的任务有重大的意义。越来越多新的教学模式旨在把教育从竞争性比赛转变成互相合作、充满关爱的学习体验，因为学校和大学都努力想与现在的这一代年轻人沟通，这一代年轻人伴随着互联网长大，习惯在开放的社交网站上互动，而在互联网的世界里，信息是共享的，而不是存储起来的。过去我们认为"知识就是力量"，是个人为自己获得利益的力量。现在我们认为知识是我们要一起承担的责任，为人类全体的福祉和整个地球负责。

在全世界各地的学校里，从学生很小的时候，老师就开始告诉他们，他们和生物圈的活动有着密切的联系，他们的任何活动——吃饭、穿衣、开车、使用电器——都会留下生态足迹，影响其他人和其他生物。比如他们在快餐连锁店里吃了一个汉堡，这个汉堡里的肉可能来自一头在美洲中部牧场上食草的公牛，而为了建这一片牧场很可能把这一片的热带雨林都砍伐掉了。砍伐树木意味着森林覆盖率的下降，导致生活在那片森林中的物种的减少。树木的减少意味着能吸收工业二氧化碳的森林也减少了，这些二氧化碳可能是由于大型发电站燃烧煤炭而排放进大气层的。大气层里二氧化碳过多，会导致地球气温的上升，随之影响水循环，这样就会发生更多的洪涝干旱灾害，粮食产量就会减少，贫困农民和他们家庭的收入也会缩水。收入少了，饥饿和营养不良的情况就会更严重——而这一切都可以追溯到盘子里的那一个汉堡。

上一代里的怀疑者也许觉得生物圈保护意识这种说法有点过头了，虽然他们的子孙都欣然接受了生物圈是他们的大社区这种观念。

　　著名的哈佛大学生物学家Ｅ·Ｏ·威尔逊说，与生物圈建立紧密联系并不是不切实际的幻想，相反，这种想法反映了我们与生俱来的一种古老的敏感性，遗憾的是亿万年来人类已经丢失了这种敏感性。威尔逊认为，人类有种内在的需求，想要亲近自然——他把这种需求称为"亲自然情结"。他举例说，对不同文化的研究调查表明，人类天生喜欢开阔的视野，绿茵茵的草地，点缀着树木、池塘、无边无际的田野。威尔逊认为这种原始的人类诞生之初的认同感还存在于我们体内深处，是我们"亲自然情结"在基因上留下的烙印。在最近对住院病人的调查研究中，研究人员发现那些病房窗外可以看到树木、开阔的绿地或池塘的病人，比那些没有这种条件的病人恢复得要快。这说明了自然有加快治愈过程的作用。

　　"亲自然情结"不局限于自然地貌，我们对进化物种也有着天生的好感。当我们观察其他动物并和它们互动的时候，我们常常会发现我们之间的共同点。像我们一样，其他生物也有生存的本能。它们都很独特。每个生物都有自己不可复制的生命旅程，路上的每一天都充满机遇和危险。我们都有脆弱的一面——只要活着，不管是穿过森林的一只狐狸还是穿行在大都市的人，都会面临危险。我们特别喜欢哺乳动物，因为它们不仅外表上和我们相像，其他方面也惊人地相似。它们是有感觉的生物，会抚育自己的幼儿，表露情绪，互相学习，而且还会创造初始的文化，代代相传。它们通过玩耍和梳理毛发建立社交关系，并像我们一样通过复杂的社交礼节表达情绪。

　　威尔逊还表示，我们不仅能认同其他生物的情感，并且能够感同身受。总而言之，我们能同情它们。谁不曾设身处地体会其他生物的感受——不管是我们身边的动物，还是偶然碰到的野生动物？当我们看到一匹小马驹在开阔的草地上玩耍嬉戏，因为活着而充满欣喜，或者遇到一只受伤的松鼠，因为疼痛而扭动着，并且惊恐不安，这时候我们就会充满怜悯之情——通过这种方式我们认识到有种生命奥秘把地球上所有生灵都联系了起来。同情其他生物就是认可其他生物也在努力生存发展。我们确定他们的生命也有内在价值，就像我们的生命一样。我们通过同情来表达我们与其他生物的情感纽带。

虽然我们每一个人都有过与自然相通的经历，但是在高度现代化的高科技社会里，我们与自然界以及其他生物的接触不断减少。有史以来第一次，绝大多数人类生活在人工的环境里，几乎与自然界隔离开来了。威尔逊和越来越多的生物学家、生态学家都担心缺乏与自然界的接触将真正威胁到我们的身体、情绪和精神状况，最终阻碍我们人类的认知发展。

如果我们不能重获内在的"亲自然情结"，毫无疑问，我们就无法产生生物圈保护意识。第三次工业革命的五大支柱仅仅是帮助我们重新融入自然的工具。它们让我们认识到这个与其他生物一起共享的生物圈是紧密相连的，并基于这个认识重新组织我们的生活。除非我们能改变我们的世界观和行为——也就是形成生物圈保护意识，否则，第三次工业革命就会夭折。

重获"亲自然情结"

那么我们要怎样把生物圈保护意识融入我们的生活，才能重新建立我们与自然的联系、恢复地球原貌，拯救人类呢？

已故英国哲学家欧文·巴菲尔德谈过人类当前面临的情况。他说人类与自然的关系经历过两个阶段。

人类诞生以来，90%以上的时间都在采摘野果和狩猎，我们的祖先与自然的接触既直接又亲密。那时人类与自然界不分你我。那时人类的生活方式很梦幻，生物与自然互动，相互交织，在一种令人费解的混乱中相互交换——人类学家把那个时代称为无法区分的迷雾时期。

人类就像地球上的其他生物一样，每天的生活都按照自然周期和四季变化来安排。"地球母亲"不仅是一个比喻，而是狩猎采集者赖以生存的真正原始存在。因此，人类对她充满敬畏，又爱又怕，全因地球的友善，人类才能完全依赖她。

人类的生产方式从采集和狩猎转变为农耕后，人类与自然的关系发生了翻天覆地的变化——从完全依赖地球的慷慨与恩典变成把地球当做资源不断加以控制和管理。驯化动植物以后，人类就开始把自己同自然界隔离开来，给人类行为和动物行为设置了虚拟的界线。在中世纪后期，开化指的就是除掉野蛮的动物性。人类一代比一代自觉，一代比一代独立，但是却失去了以前那种和自然的亲密关系。

巴菲尔德写道，人类现在正处在与自然关系第三个阶段的开端——在这个阶段人类重新融入自然界，但不是像我们祖先那样因为依赖自然、敬畏自然而这样做，而是为了成为生物圈更广阔社区的一部分而有意为之。这就是生物圈保护意识。但是巴菲尔德没有进一步阐述这是一个非常重要的历史过程，越来越自觉和自立的人类该如何转向，主动自愿地重新发现自身与自然的相互依赖关系。充分认识这个历史过程对我们重新思考如何教育当前和以后的年轻人、让他们具有生物圈保护意识具有重要意义。

每一次能源通信系统更复杂的更新换代都会导致更加明确的分工，这样又会促进个性化发展，加强自我意识。标志着简单的狩猎采集时代的称谓——不分你我的"我们"变成了屠夫、面包师、蜡烛台制造者等各种称谓，每一个人都越来越意识到自己的个体性，因为他们在社会上的不同分工，使得这种个体性具有了可能性。甚至今天，通过姓氏我们也能推测出其家族世代相传下来的技艺：史密斯（铁匠）、坦纳（硝皮匠）、韦弗（纺织工）、库克（厨师）、特雷纳（驯兽师）等。

人类不断增强的自我意识是一种心理机制，这种心理机制使得我们的同理心不断增强。因为我们的个性意识越来越强，我们认识到我们的生命是独特的、不可重复和脆弱的。这种"唯一一次生命"的存在感让我们能够体会别人独一无二的人生旅程，让我们能够对别人表示支持。我们表达的方式就是采取怜悯的举动，帮助别人，让他们的生命尽可能地完满。怜惜他人就是庆祝他人的存在。

如果我们生来就具有同理心，生来就有亲近自然的本能，那么我们该如何唤醒和增强我们这种依恋自然的感情呢？威尔逊说："必须让心理学家也加入进来。"我们需要心理学家来帮助我们唤醒埋藏在我们人类潜意识里的亲近自然的本能。这种提议得到了众多支持。

创造了"生态心理学"这一词语的西奥多·罗萨克在他 1992 年出版的《地球的声音》（*The Voice of the Earth*）一书中，强烈地贬损了精神病学家。他写道，美国精神病协会在诊断和统计手册中列举了 300 多种心理疾病，但是却没有提及人类有可能因为缺乏与自然的接触而遭受精神上的困扰。他说："心理咨询师已经详尽地分析了各种不正常的家庭和社会关系形式，但是与环境的不正常关系却连概念都还不存在。"罗萨克还举了一个强有力的例子，诊断和统计手册把"分离焦虑症定义为因为与家园分离或与深爱的人分离而产生的强烈焦虑感。但是在当今这个焦虑时代，没有什么分离比与自然的分离更常见"。罗萨克还向精神病学界发出了挑战，他说应该提出一个以环境为基础的心理健康的定义。

罗萨克说，心理压力很可能是与自然分隔造成的，此时心理学界也有人加入了这场讨论。"生态自我"一词是由深层生态学家兼哲学家阿尔内·内斯造出来的。深层生态学家认识到，如果人们把自然当做工具看待，他们就会把其他生物仅仅当做满足人类需求的资源。一旦把其他生物客观化，人类就永远不会从内心认可它们像我们一样是独一无二的，它们也具有内在的价值观，应当被当做目的，而不是工具。深层生态学家强烈反对许多传统环境保护论者，因为他们提倡的保护观的基础观点是管理自然资源完全是为了人类的享受。

内斯和其他我认识并钦佩的著名生态学家在看待人类与其他动物的关系上还是有不妥当的地方。虽然他们主张要关怀其他生物，但是他们与其他生物的关系认知层面多于情感层面。生态心理学的另一位先驱学者乔安娜·梅西说，通过重新发现我们与其他生物的情感和认知联系，我们对"自我"的定义就从个人延伸到了生态。通过同情某种动物的困境，我们才能跨越精神上的隔离，重新与我们动物性的根源联系起来。我们开始设身处地地体会其他生物的情感，把它们当做我们大家庭中的一分子。我们同理心的范围扩大了，我们的"自我"的范围也扩大了。

我们不仅对其他生物产生情感上的认同感，而且这种认同感还延伸到了生态系统和生物圈。对重新唤起"亲自然情结"的描述最恰当的，应该属环境活动家约翰·锡德。在思考热带雨林命运的时候，他说："我只是努力记着不是我，约翰·锡德，想保护热带雨林。而是我在保护自己，因为我是热带雨林的一部分。最近人们开始觉得自己也是热带雨林的一部分。"具有自我意识，延伸至生态界的自我，努力地重新加入构成生物圈的各种相互依赖的关系。当巴菲尔德讲述人类发展第三阶段的时候，他脑海里想的应该正是这个。

培养我们的孩子，让他们像扩展的生态自我一样思考——也就是具备生物圈保护意识——将是我们面临的时代考验，并将决定我们是否能创造一种与地球新的可持续发展的关系来及时减缓气候变化，防止人类灭绝。

教育工作者已经意识到未来潜伏着各种危险，他们开始质疑："教育的基本任务仅仅是为了经济效益吗？"难道我们不该同样重视发展青少年的内在同理心本能以及与自然的联系？只有这样，他们才能作为大家庭的一分子来思考和行动，这个大家庭不仅包括我们人类，还包括其他生物。

分散式合作课堂

新一代的教育工作者开始解构伴随第一次和第二次工业革命的课堂学习过程，创造不同的教育体验，鼓励学生形成扩展生态自我，建立生物圈保护意识。传统主导的教学方式从上而下，目的是为了培养具有竞争性而且独立自主的个体。现在兴起的分散式合作教育方式，目的是让学生意识到知识的社会属性。新的观点认为智力不是可以继承的或者积累的智慧，而是分布在人们中间的一种共享的经历。

新的学习方法反映了年青的一代在开放的学习空间里和社交网站上学习和分享信息、想法和经验的方式。分散式合作学习可以让21世纪的劳动者为第三次工业革命经济作好准备，第三次工业革命经济运行也基于相同的原则。

更重要的是，通过学习以一种分散式合作的方法来思考和行动，学生会逐渐认为自己是具有怜悯心的生物，并且是各种关系中的一部分，是更广阔社区的一部分，也是整个生物圈的一部分。

分散式合作观点首先认为学习是具有鲜明社会特性的经历。我们通过参与社会活动而学习。传统的教育倡导学习是个人的经历，但实际上，"人与人互动产生的想法和个人思考产生的想法一样多"。虽然我们很喜欢独自思考，但是在一定程度上，我们想法的实质都和之前与其他人互动的经历相联系，我们从这些经历中吸取了共享的意义。新教育改革者倡导打破藩篱，不论在现实生活中，还是虚拟世界里，都让更多人加入分散式合作的学习环境中来。

社交网络的普及和网络上合作式的参与方式让教育不仅仅局限在教室，而是通过互联网形成了全球的学习环境。学生们通过雅虎和Skype网络电话在虚拟课堂上与遥远的同龄人联系。当不同文化背景的学生在虚拟世界里实时地加入同一个学术任务和课堂项目时，学习就成为一种延伸至全球的横向体验。

在伊拉克战争时期，布鲁克林科技高中的学生和瑞士温特赫尔李氏学校的学生一起参与了虚拟课堂的项目，他们一起探寻不同文化是如何看待这场中东战争和其他全球冲突以及和平倡议的。学生们交换看法，互相提问，通过在线聊天室、视频会议和公告栏一起合作完成虚拟课堂的任务。

在一次交流中，一名瑞士学生说，他认为大部分美国人都支持这场战争，马上就有两名美国学生进行了反驳，第一个学生有个叔叔就在驻伊拉克的美军部队里服役，第二个学生的父母是巴勒斯坦人的后代。学生们在网络虚拟课堂讨论时，往往对离自己国家近的冲突感兴趣。有位美国学生问一名瑞典学生，在他那里年轻人买刀买枪是否跟在纽约一样容易。

课堂的扩展让年轻人可以与文化差异很大的同龄人交流，这能加强他们的同理心能力。这样教育就真正成了全球性的体验，从而加快了向生物圈保护意识的转变。

在学习环境通过网络世界向全球扩展的时候，学校的学习环境也在本地范围内扩展。教室和社区间的传统障碍已经渐渐消失，因为学习已经变成分散式的经历，涉及文明社会中更广阔更多元化的社会空间，教育的方式不仅有正式的，也有非正式的。

在过去 25 年，美国高中和大学开始把服务学习项目引入课程安排中来，这是一种极具同理心的合作教学模式，这种模式改变了数百万年轻人的教育体验。学生要志愿参与身边的非营利组织，加入社区倡议团体，帮助有需要的人，改善社区人们的生活水平，这是毕业要求的一部分。根据美国教育部的数据，千禧一代中每五个人就有四个在高中时期参与过社区服务。

芝加哥的记忆桥项目训练南部贫穷社区的学生照顾养老院患老年痴呆症的病人。这个芝加哥项目的特别之处在于这些学生很多都来自破碎的家庭，在赤贫中长大，毒瘾、犯罪、暴力是常见的生活方式，冷漠的行为是必要的生存策略。帮助那些连最简单的事情做起来都有困难的无助老人唤醒了学生的同理心，让他们从内心高墙里走出来，加强了长久以来被抑制的交流能力。

为餐馆、健康门诊、环境项目、家教项目、咨询中心和其他非营利社区活动提供服务改变了学生的学习体验。与来自社会不同阶层的形形色色的人接触激发了这个国家年轻人的同理心本能。研究调查表明，当学生突然进入一个陌生的环境，并需要接触和帮助他人的时候，他们的同理心就会大增。这种经历往往能改变人生，让人们对生命的意义有新的认识。其他国家的学校也开始实施服务学习的课程计划。

有些中学和大学提高了服务学习的地位，把它加入学术课程表中来。由于学生直接参与，各个科目"活了起来"。学生不仅可以通过课堂也可以通过直接参加社区服务来学习社会学、政治学、心理学、生物学、数学、音乐、美术、文学等。

例如，在社会研究课堂上讨论联邦和各州预算重点以及在日益老龄化的社会里年青一代照顾老年人的义务问题，那些帮助照顾过老年人的学生就可以根据自己服务学习的经历发表观点。在经济上，年轻人应该为老年人付出多少？尤其当这种付出意味着将影响他们改善自己未来生活的时候。当学生们有与他人一起参加社区服务的经历时，课堂讨论就会变得更息息相关、更切实、更广泛。

扁平式学习

当人们在一起讨论的时候，把他们的经历结合起来得到的结果要比一个人思考的结果更理想。分散式合作教育就是基于这个观点。

第一个发现扁平式学习具有巨大价值的学者是伦敦大学附属医院的 L·J·阿伯克龙比。在 20 世纪 50 年代进行的研究中，阿伯克龙比发现了一个很有趣的事实，当一批医科学生跟着医生查房并一起对病人的病情进行诊断时，他们得出的结果比单个学生陪着医生去查房时得出的结果要准确。团队的互动使得学生有机会质疑对方的假设，发表个人看法，借鉴别人的观察，最后对病人的病情达成共识。

我们习惯于传统的学习环境，很少退一步好好想想，就学习过程的性质提出问题。我们只是想当然地认为我们接受教育的方式就是知识传承的基本方式。但是我们真正学习的是构建现实和组织与周围世界关系的方法。纽约城市大学布鲁克林学院的英文教授肯尼恩·布鲁费回顾了当代学习过程的主要设想，并阐述了这些设想在创造现代人思维框架中起到的重要作用。

布鲁费从老师讲起。老师的职责就是把知识灌输进学生的头脑里，灌输的方式就是与每个学生建立起权威的关系。也就是让每个学生背诵或回答指定问题。学生背诵或者书面考试是为了严格遵循老师的教导。这种关系一直都是从上到下，一对一的。不鼓励学生之间互动，不管是互相问问题还是帮助对方。因为这种行为会损害老师的权威，产生另一种扁平互动的新权威模式。一起思考被视为作弊，老师逐个对学生进行评估打分。

学生因此相信知识是以信息和事实形式存在的客观现象，老师的任务就是把这些客观的知识灌输到每个学生的脑海里。通过老师赞同或否定的回应，学生知道了每个问题有正确答案也有错误答案。如果在全班同学面前发表对某个问题的主观看法，他们就会受到批评，或者受到惩罚，如果质疑老师的观点，就会被严厉地责骂。布鲁费对这种教育进行总结道："根据这些基本的教育规则，学生的责任就是吸收老师教授的东西。老师的责任就是向学生灌输知识，并且根据他们对这些知识的记忆程度进行评估。"

扁平式学习是基于一个对学习本质完全不同的定义。知识不再是客观独立的，而是我们对共享经历的解释。寻找真相就是懂得万事万物是如何联系起来的，通过与他人深入互动，我们才能发现这些联系。我们的经历和相互关系越多元化，我们就越容易理解现实，越容易理解我们每个人是如何融入整个大背景的。

根据布鲁费和其他教育改革者的观点，知识是种社会概念，是在学习社区内所有成员达成的共识。如果知识是存在于人与人之间，并产生于他们共享的经历，那么我们的教育方式或者过程对于深层学习是不利的。我们的教学不过就是刺激回答的过程，是一种机械自动的过程，每个学生都需要按既定的规则回应灌输给他们的指示——这和科学管理的标准运作程序很像，这种步骤创造了第一次和第二次工业革命的劳动力。

同辈之间的学习把重心从个人转移到了相互依赖的团体上。学习不再是存在于权威人物和每个学生之间孤立的经历，而是同辈人之间共同的经历。

现在学生分为学习小组，每个组都有指定的学习任务。老师布置完任务就离开，这样学生就可以组织起他们自己的知识团体。学生们需要交换想法，互相询问问题，对每个人的分析提出意见，结合每个人的贡献，最后得出一个共识。

小组内往往还要进行划分，每个人都要精通学习任务里的某个次主题。精通这个次主题的学生要与小组的其他成员分享自己的知识，当讨论到自己熟悉的领域时，要引导讨论的方向。这样学生们就可以互相学习，并学会引导谈话，而不是控制谈话。学生也由此学会解决社交纠纷。

然后，小组再聚在一起，召开全体会议分享各组的讨论结果。老师的作用就是促进学生间的讨论。老师应该分享自己的专业知识，包括评价学科内存在的不同意见，以及本学科与其他知识群体一致或者相异的地方，这些都对学生们的讨论有益。布鲁费提醒道："老师一定要摒弃传统教室里那种等级分明的权威形象。在那种情况下，学生们总是认为老师一开口，告诉他们的就是正确答案。"

在扁平式教育中，学生的角色从被动的知识接受者变成了自我教育的积极参与者。教育的目标是鼓励学生思考，而不是表现。这种学习过程中合作的本质让学生更加明白，获得知识不是独自一个人的行动，而是一个团体的事。

扁平式学习使教室里的权威从自上而下的等级集权制变为互惠相连的民主制。学生们认识到他们需要为自己的教育负责。为自己的教育负责就是要适应彼此的想法，以开放的心态对待不同的看法和观点，能够接受批评，乐于助人并且愿意为整个学习团体负责。这些都是培养同理心至关重要的因素。

扁平式学习鼓励学生设身处地为别人着想，体会他人的感情和思想，通过这些来增强学生的同理心。如果一个学习团体想要真正地团结起来，他们必须经过考验，考验就是每个成员都能够深深体会其他人为了发展而付出的努力，并把整个团队当做自我的延伸。

不用说我们也应该知道，新的学习方式青睐跨学科教学和跨文化研究。学术界正在经历一场变革，从学科相互独立、界限分明，变成了一个互相合作的网络，其中的参与者来自不同的领域，以一种分散式的方式共享知识。传统的简化主义研究方式开始让位于系统化的方式，这种方式对现实的本质和存在的意义提出了更广泛的问题，这种方式需要学生具备跨学科的视角。

最近几年涌现出了许多跨学科学术协会、跨学科刊物和跨学科课程安排，说明人们对知识间的联系越来越关注。学术界的新一代开始超越传统学术的分类，创造了更整合的研究方式。几百种跨学科领域，如行为经济学、生态心理学、社会历史、生态哲学、生物医学伦理学、社会创业精神和整体健康，使学术界发生了重大调整，也预示着教育将要发生翻天覆地的变化。

与此同时，教育全球化让不同文化的人们聚集在了一起，他们每个人都有自己的人类学参考标准，并能提供大量新颖的研究方法，这些方法都是基于不同的文化历史和故事形成的。

通过从多种学科和多种文化的视角来研究某个领域，学生们的头脑变得更加开放。分散式合作教育改革项目的早期评估也让人信心倍增。学校报告说挑衅行为、暴力举动和其他不利于开展社交的行为都明显减少，违反纪律的现象也少了，学生们之间的合作多了，促进交往的行为也多了，上课注意力提高了，学习的欲望增强了，批判性思考的能力也有所增强。

将生物圈变成学习环境

互助学习帮助学生把"自我"延伸到其他人身上，并且更加积极地参与到日益相互依赖的团体中来。这样就扩大了同理心的范围。但是如果我们想让我们的孩子准备好在生物圈的时代生活，我们的教育系统就需要让分散式的学习不再局限于人类，而要把其他生物和自然都包括进来。学校和大学才刚刚开始探索帮助"自我"扩大到"生态自我"的教学法和学习实践。

可悲的是，如今美国8~18岁之间的青少年每天都花6.5小时接触电子媒体——包括电视、电脑游戏等。在1997~2003年的短短6年内，开展徒步旅行、散步、园艺和去海滩玩耍等户外活动的9~12岁儿童减少了一半。从事这些传统户外活动的年轻人已经不足8%了。

理查德·洛夫在他的《林间最后的小孩：拯救自然缺失症儿童》里写道，我们现在养育的一代孩子都患有他所谓的"大自然缺失症"——就是指几乎不与大自然接触。他们不再在户外玩耍，不管是当地的空地、附近的公园、小溪、池塘、草地还是树林，这本是他们与其他生物接触的机会，即便这种接触程度很浅。他还叙述了一个四年级小学生的话："我更喜欢在室内玩耍，因为所有的电源插座都在屋子里。"

现在的孩子受父母教育的影响，害怕户外，认为外面很危险，潜伏着坏人，疯狂的或带有病毒的野生动物四处游荡，他们每次转身都会发生各种可怕的意外。再加上因为害怕惹上官司，本地法令法规禁止儿童在没有监护的情况下在户外玩耍，所以我们对自然几乎没什么好印象。难怪家长们都不鼓励孩子随意到户外玩耍。

研究者开始列出一系列和大自然缺失症有关的健康问题，包括频发抑郁感、其他心理疾病以及因为伏案过久而产生的生理疾病。有些研究者也开始寻找注意力缺失多动症和大自然缺失症之间是否存在联系。

作家和昆虫学家罗伯特·迈克尔·派尔进一步说道，我们的孩子与自然越来越疏远，这导致了"经历的消失"。他的意思是与自然界的接触不断减少，由此导致不仅是孩子，甚至是我们都与自然界完全隔离。与地球上其他生物接触的缺失会给人类的心理造成潜意识的影响。我们越来越不关心自然界的其他生物，也不关心地球面临的困境。我们变得越来越孤立，好像变成了我们自己星球上的外星人。不管模拟经历有多逼真，它们永远不能取代我们以前对所有生物的感情，因为它们与我们相关联。派尔写道：

> 简而言之，身边物种的减少威胁着我们体验自然的经历。与其他生物的直接接触会对我们产生重要的影响，这是间接经历无法取代的。我认为导致生态危机的几大因素之一就是现在很多人都面临着与自然隔离的状态。我们对自然界普遍感到疏远。经历的消失意味着人们将越来越冷漠，这将导致灾难性的后果。

越来越多教育工作者开始加入改革课程安排和教学法的过程中来，希望能在教育过程中重建与自然的联系。E·O·威尔逊认为，自然界是地球上信息资源最丰富的环境。天主教牧师和历史学家托马斯·贝里认同这种观点，并叫我们试想一下如果我们人类从一开始就存在于现在没有其他生命的月球上，我们怎么可能发展出比喻，比喻对创造人类的观点和意识很重要。如果是那样，我们就无法想象其他生物的生活，并将其套用在我们自己身上——而这恰恰是比喻性思考和认知发展的基础。

人类学家伊丽莎白·劳伦斯创造了"认知恋自然情结"，她说人们一直以来都是把自然界当做主要来源，从中不断获取促进人类认知发展的象征和图像。新的调查结果显示，在孩子们的童年中期和青春期，增加与自然界的接触对孩子的认知发展具有重要的影响。

社会学家斯蒂芬·克勒特提出了一个鲜有人考虑的观点，他说与自然界互动对判断力非常重要。儿童不断发展的头脑总是不断观察自然现象，并试图理解自然是如何影响他所生活的世界的。为什么天上会下雨？为什么太阳每天都会升起？为什么植物在一年里特定的时期开花？为什么猫要追老鼠，还以它们为食？为什么会有阴影？风是从哪里来的？为什么热的时候我会出汗？当我们谈到意识的创造时，我们真正谈的其实是一个孩子是如何把各种现象联系起来，如何建立起可预见性的关系，这些都帮助他在这个世界找到定位。与自然界接触不足就会降低理解生存的可能性。克勒特总结说，生活中没有哪一部分能像自然界那样提供那么多应用判断力、自主探寻、解决问题和智力发展的机会。自然界是敬畏和神奇之源，没有自然界，人类就不存在想象；人类无法想象，意识就会衰退。

我觉得有件事很有意思，那就是美国年轻人最常用的词之一是"太神奇了"。几乎每句话都要带上这个词。这种高频的使用率是否反映了因为生长环境缺少自然界的奇观，而现实都是我们小小的电脑屏幕上用像素模拟出来的，所以我们面临着巨大的缺失？为了把所有存在都在黑莓手机的屏幕上模拟显示出来，我们是不是承担了让自我不断膨胀和失去敬畏感的风险？如果一代人常常看到的是平面的二维屏幕，而不是抬头看着星星，那他们怎么可能会被自然景象所折服，而不是对过度的技术模拟感到倦乏呢？

当电视在暮色中把上千万的孩子从院子里召唤进来的时候，雷切尔·卡森就对这个问题进行了思考。17.5万年来，孩子们可以仰望着夜幕中的星星，思索无限宇宙中深藏的秘密。而现在现实突然被缩减了，他们开始坐在发光的电视机前面，看着小人在屏幕上晃来晃去。

卡森写道：

> 孩子的世界是新颖而美丽的，充满了惊奇和兴奋。保持并增强这种敬畏和好奇感，认识存在于人类生活以外的事物有什么意义？难道对自然界的探索仅仅是度过童年黄金时期的一种愉快的方式？还是具有其他更深的意义呢？我确信它具有其他更深刻、更永恒、更重大的意义。谁能理解地球的美，就能找到像生命那样源源不断的力量之源。

这些新的亲自然教育工作者其实是说，在我们急着拥抱人工世界的时候，我们很可能渐渐失去我们与自然的亲密联系，而这将对未来人类意识的进化造成不利的影响。

对美国、加拿大、澳大利亚和瑞典学校活动场地的研究，证明卡森的担忧不是多余的。研究者发现在人工操场和在绿色场地玩耍的孩子的表现有明显差别。在人工环境下，孩子们根据体貌特征按社交等级组织起来。相反，在绿色活动场地，社交组织更平等，孩子们更容易展开幻想和想象，发挥好奇心。他们的社交地位不是凭借体貌特征而是根据创意决定的。伊利诺伊州大学人类环境研究实验室的研究人员说，对众多这种孩子的评估让人发现"绿色环境能促进儿童的健康发展"。

尽管无数研究发现在户外自然环境中玩耍更能激发孩子的想象和创造力，"为了更健康的一代联盟"报道说，有1/3的美国小学平常不安排课间休息，25%的孩子在自由时间不会参加任何体育活动。只有7个州要求小学配备一名合格的体育老师。

这一切可能发生改变。孩子们注意力集中的时间越来越短，患多动症的孩子越来越多，这引起了越来越多教育工作者的担心，他们认为原因之一就是孩子缺少生理上与自然节奏和自然周期的联系，而我们人类在漫长的进化史中生理上一直顺应着自然的周期，在过去一个世纪里，特别是最后20年，人工的节奏代替了自然的节奏。在最近几年开展的无数研究中，年轻人成长的环境受各种电子模拟高度调控，他们不断受到信息流的轰炸，渐渐失去了集中注意力的能力。在课堂上，一心多用是常事，开小差也见怪不怪，而反思的能力、组织自己思想的能力和演绎一个想法的能力都越来越缺乏。很多孩子都负担过重，在他们上初中前就吃不消了。

新信息和通信技术渗透越广的社区和国家，患多动症的孩子就越多。不管在哪里，学校都报告说因为教育工作者所谓的"注意力疲劳症"，学生的课堂表现大不如前。到现在为止，唯一提出的缓解方法就是冥思。目前，在美国和其他高科技国家里有上百万青少年服用利他林等药物，这些国家也在努力缓解这个危机。但是情况非但没有好转，反而急剧恶化。

如果这一代及其后代总是轻易地被信号、图像和数据流转移注意力，不能立即处理问题，那我们怎么能期待他们接手长期管理生物圈的任务？这个任务需要集中的注意力和愿意服务一生的耐心。生物圈的情况是由上千年的历史衡量的，需要能够根据相似的时间表进行反思和预测的人类意识。

我们该如何强化时间感，才能既想到古老的过去，又能预测遥远的未来？有些教育工作者说，答案就是要在一定的时间里，让学生沉浸在自然环境中，沉浸在四季轮回的自然节奏中。密歇根大学的环境心理学家斯蒂芬和雷切尔·卡普兰对参加野外拓展项目的年轻人进行了长达9年的研究。在野外生活两周后，参与者说他们获得了一种更强烈的平和感，思考得更清晰了。

瑞典乌普萨拉大学房地产与城市研究所的心理学教授泰瑞·A·哈蒂格也进行了相似的研究。他随意测试了一组人，让他们完成时长40分钟的任务，目的是测试他们注意力的极限。然后他让测试者要么在当地自然保护区散步40分钟，要么在城市里走40分钟，要么看杂志听歌安安静静地坐40分钟。他发现，当40分钟过去，在自然保护区散步的参与者比其他参与者在执行一项标准的校对任务时表现得要好。他们也显示出更多积极的情绪，怒气相对少一些。其他对多动症孩子的研究表明，多参与绿色环境中的户外运动或多透过窗户看绿色的景观，孩子集中注意力的能力就会增强。

那么教育工作者是如何让学生重新回到自然，重拾与自然的联系以增强他们的同理心和判断力的呢？理查德·卢对芬兰教育系统出色的方式进行了报告。根据经济合作与发展组织2003年发布的报告，在经合组织国家中，芬兰的识字能力排名第一，数学和科学排名前五（美国远远落后，只排在中间位置）。芬兰是通过打破传统的方式取得这一成就的。首先，学生未满7岁不上学。其次，芬兰的学校十分重视保持学生在课堂上集中注意力和在学校操场玩耍之间的平衡。每上45分钟课，学生就到校园里休息玩耍15分钟。另外，芬兰的课堂还延伸至社区。学校会在周围选择不同的自然环境上课。芬兰社会事务和健康部说芬兰的教育理念以这个观念为中心，也就是"学习的核心不在于外界已经消化过一遍的信息，而是孩子与环境之间的互动"。

在美国，为了培养学生的生物圈意识，很多学校开展了教学实验。目前兴起的众多教育改革运动中包括以环境为基础的教育、体验教育和以地点为基础面向社区的教育。州教育与环境圆桌会议根据40个以生物圈为导向的学校的工作情况汇编了一份报告，发现学生们在所有科目的标准考试中都有大幅进步。

欧洲和美国的学校也纷纷开始绿化校园。英国的 3 万所学校已有 1/3 开展"透过景观学习"项目，把校园打造成绿色空间。瑞典、加拿大和美国都开展了类似的项目。

自然不该用像素来呈现

很多学校现在开始与当地的植物园、动物园、公园、野生动物康复中心、动物保护区、慈善团体、环境组织和大学研究中心建立正式的伙伴关系，在社区建立课堂，这样学生就能通过亲自参与、积极服务其他生物来学习。

这些教育改革的共同点就是采取了新的扁平式学习方法。这种方法强调延伸自我，让学生作为其中的一分子沉浸在生态社区中，这些生态社区构成了生物圈。

教育工作者认为创建生物圈意识并非易事，尤其是因为现在一半以上的人口都生活在密集的城市和郊区，这种环境就把人类和自然隔离开来。城市土地规划师和建筑师现在的中心主题是恢复城市地貌的自然风采，让自然重新回到我们的生活中来。

我们忘记了就算城市化程度最高的环境都充满野生生物——鸟类、昆虫、兔子、浣熊，甚至还有鹿、狐狸、郊狼和大量绿色植物。城市规划师和越来越多的民间组织非但没有把野生生物排挤出去，或者赶尽杀绝，而是在寻找具有创意的新方法来重振城市的生物圈，包括在大都市各地重新建立生态点。关于重新恢复城市区域的自然面貌的讨论都会引起争议。随着郊区的不断发展，野生动物现有的栖息地不断缩减，越来越多的野生动物迁移到城市寻求生存。"野外"和"文明"的界限突然被打破了，对于一些人来说，是令人振奋的好事，但是对其他城市和郊区居民来说，却是令人恐惧的凶兆。

野生动物进入人类居住的区域和商业区域总是会引发相关的伤害案件，并且会要求立刻采取控制当地野生动物数量的措施。许多城市司法机关正在想办法通过在城市人口和野生动物间寻求和解来解决问题。

人们对其他生物同情心的增强引发了人们重新思考"城市生活"的含义。在重新思考城市规划的时候，产生了包括地貌城市化主义和绿色城市化主义等多种形式。当地居民正在建造树林、湿地、城市峡谷和其他野生动物栖息地，以便让野生动物融入城市和郊区的生活中来。人们的新重点是不去改造之前的空地、自然栖息地和迁徙路线，而是在它们旁边建造建筑物，这样就可以创造一个融合的环境，让人类与其他生物和谐共处。

美国城市和农村的土地格局与欧洲的大相径庭，所以重振生物圈的方法也不相同。在我们为圣安东尼奥和罗马准备最早的总体设计时，我们就意识到了这一点。美国城市中心地带不断向外扩张，郊区和农村已经相接了。在欧洲，城市区域更集中，一般都限制在以前中世纪建立起来的城墙里，农村则在城门外。情况不同，所以要重新把城市区域构建成生物圈的方法也不一样。美国城市规划师本·布里德洛夫对创造人类和野生动物和谐共处的环境表示谨慎的乐观。布里德洛夫写道："美国最大的未经人类管理的生态系统就是郊区。"这是一个出人意表的观点，但是却引起了人们的共鸣。

在还原城市地区自然面貌和建立城市生物圈意识方面，欧洲的大都市比美国和世界其他地区更先进。许多欧洲城市把一半甚至更多的空间用来开垦绿地、森林和农耕地。而且它们还确保保留城市中心地带和周围的小溪、小树林和草地的原貌。比如，苏黎世和瑞典四分之一的面积仍然是森林。

幸运的是，在很多欧洲城市里，原来皇家房产里的森林都没有被开发，不是保存下来作为野生动物保护区，就是变成了当地居民与野生动物交流的公共公园。《绿色城市主义》的作者蒂莫西斯·比特利说，很多欧洲社区都放弃了"传统上把城市和自然对立起来的观点"，他们喜欢生活在"原本就融入自然环境"的城市区域里。

1890年，美国人口普查局宣布正式关闭美国开发地区边缘地带。现在新一代的教育工作者和城市规划师要我们把一些围墙拆掉，与野外建立新的关系——这一次要用充满关怀的方式——这样我们就能重归自然，学会在地球上过更可持续、更生态敏感的生活。E·O·威尔逊敦促教育工作者把学生的兴趣从外太空转移到我们还有很大一部分"尚未探索的地球"，以此来引发学生探索新边缘地带的天性。他认为"把几个人送到火星去是远远不能发挥人类的创造潜能的。只有从科学和普及层面探索地球，不断加深对生命以及我们自身的了解，我们才能完全发挥出自己的创造力"。

恢复城市地区的自然面貌给学生提供了机会近距离接触自然，重燃亲自然情结，理解他们与其他动物的进化关系以及培养生物圈意识。这就是为什么在第三次工业革命总体设计中，我们把像罗马这样的大都市重新定义为城市生物圈。如果教育的终极目的是培养生物圈意识，那么每一个城市环境都需要植入生物圈中，这样学生的课堂才能成为生物圈——在这里学生可以参与并学习到他们与地球的关系以及对地球的责任。

把教育转变成同理心体验和分散式合作的学习过程，并把这个过程延伸到整个生物圈。这样，我们就能培养与第三次工业革命相配套的判断力和意识。

怀疑者很可能会不相信为了培养生物圈意识改革全世界教育系统的观

点，并且嘲笑我们想在半个世纪内就培养出第三次工业革命的劳动力。但是他们应该想到启蒙运动时期关于人类意识和人性的观点，以及与第一次工业革命相配套的教育体系在欧洲和美国两地几乎是同一时期产生的。那么我们为什么要怀疑这一次变革的威力呢？

第 九 章

工业时代的终结：活着不仅仅是为了工作

数月以来，我一直为书名所困，试想如果封面上赫然印着"工业"二字，还会有谁对这本书感兴趣？它看起来太过时了。难道不是只有工程师和工会领袖才会关心工业问题吗？"工业"让人联想到这样一个场面：工人们站在流水线旁，机械地给传送带上的产品组装零件。在网络连接全球、"脸谱"沟通你我的时代，这么落后的生产不是已经被淘汰了吗？答案可以说"是"，也可以说"不是"。

第三次工业革命标志着伟大而悠久的工业时代进入最后一个阶段，也标志着合作时代的到来，这两个阶段相互重叠，是经济史上的过渡期，因为第一个阶段是以工业行为为特征的，第二个阶段是以合作行为为特征的。

如果说工业时代强调纪律和勤奋的价值，遵循自上而下的权威模式，注重金融资本、市场的运行机制以及私有财产关系的话，合作时代则更多地看重创造、互动、社会资本、参与开放共享以及加入全球网络。

第三次工业革命在今后几十年将迅猛发展，大概在 2050 年达到顶峰，然后在 21 世纪下半叶保持平稳状态。不断上升的曲线已经预示了一个新经济时代的到来，它将摆脱主导过去两个世纪的工业化经济发展模式，开创一种协作的生活方式。工业革命转变到合作革命是经济史上的一个伟大转折点。为了了解这个转变的重要意义，我们需要回顾一下古典经济理论中最后一条我们恪守着的宗旨。这条宗旨的悖论性奠定了这一转变的基础。

供给能够创造其本身的需求吗

让·巴蒂斯特·萨伊是 19 世纪早期的法国古典经济学家，和亚当·斯密一样，他采用了牛顿力学隐喻，认为供给就像某种永动机，会持续不断地产生本身的需求。萨伊写道："一件产品不可能比它本身更早地被制造出来。从那一刻起，这件产品一产生，为了实现自身全部价值，就要为其他产品营造一个市场……创造一件产品就为其他产品（的流通）立即找到了一条出路。"不久之后，新古典主义经济学家重新诠释了萨伊的牛顿力学隐喻，认为除非受外力作用，否则运行的经济将始终保持运行。按此说法，节省劳动力的新技术会提高生产力，使得供应商可以花更少的成本生产更多的产品。届时，廉价物品的大量供给就会创造其本身的需求。反过来，需求量增大会刺激额外的生产，结果又再次产生需求，形成扩大生产和消费的无限循环。

产品的利润将会确保最初所有因技术进步导致的失业都会快速得到补偿，因为为了满足不断扩大的生产，需要增加雇用人数。此外，由于技术革新和生产力水平提高，产品价格下降，就意味着消费者有多余的钱来购买其他产品，进一步刺激生产力，增加其他经济领域的就业。

从这个论点可以推断出，即使新技术取代了工人，失业问题也一定会自动消除，因为失业人口数量上升，最终会压低工资，低工资会诱使雇主雇用更多的工人，而不是购买价格高昂的资本设备，这样就能缓解先进技术对就业的影响。

古典经济理论的这一主要设想，即供给能够创造其本身的需求，在新的现实情况下不一定行得通。

经济学家们发现，随着时间的推移，生产力提高了，但并没有自动增加消费需求和就业，而且有时候还适得其反，导致失业率上升，购买力下降，这让他们大失所望。我在 1995 年出版的《工作的终结》一书中首次提到了这个现象。

一直关注过去 50 年来经济增长和就业情况的研究员们注意到一种让人担忧的趋势，即过去半个世纪美国每一次经济扩张，就业增长都会放缓。在 50~70 年代经济扩张时，私营部门的就业率增长了 3.5%；80~90 年代仅仅增长了 2.4%；到了 21 世纪前 10 年，就业率每年反而下降 0.9%。经济学家们现在谈论的"失业型复苏"现象，在半个世纪之前可能会被当做笑柄。

尽管一些观察人士把责任归结到工作外包上面，但罪魁祸首却常常是生产力本身，这一点与我们所了解的经济体系运行方式相违背。各种行业无论是工厂制造业还是金融服务业，生产力都急剧提高，这样就可以用更少的人力创造更多的产出。各个公司裁员的速度史无前例。旧金山联邦储备银行行长珍妮特·耶伦注意到这一趋势，她指出，2009 年四个季度的国内生产总值保持不变，但是就业人数却下降了 4%。换句话说，每个员工多为公司增加 4%的产出。生产力提高主要是因为供应链管理的效率提高了。

生产力提高和失业之间的关系现象在制造业中最为明显。从 1995~2002 年，世界 20 个最大经济体的制造业岗位减少了 3 100 万个，然而生产力上升了 4.3%，全球工业产值增加了 30%。现实情况是制造商能够利用更少的员工生产更多的产品。在那段时期，中国削减了 1 500 万个工作岗位，相当于全部劳动力的 15%，然而由于引进了自动化先进技术，产出大幅增长。与此同时，在其他主要经济体国家里，制造业岗位下降 16%，美国下降了 11%。与 2000 年相比，2010 年美国制造业工人生产率提高了 38%。尽管这 10 年制造业产量大致保持稳定，但由于相同的产量使用的工人数量减少，就业率下降比例超过了 32%。

钢铁行业就是反映这个趋势的典型例子。在 1982~2002 年间，美国钢铁产量从 7 500 万吨增加到 1.02 亿吨，工人数量则从 28.9 万人下降到 7.4 万人。随着智能技术代替大规模的人类劳动，制造业生产力普遍迅速提高。即使在最贫穷的国家里，最廉价的劳工也不如替代他们的智能技术廉价、高效。

如果目前的趋势持续下去——随着更加有效的技术替代人力，这种趋势可能会加速——预计到 2040 年，全球制造业工人数量将从 1.63 亿下降到几百万，大部分工厂岗位将消失。

白领和服务行业也出现了这个趋势，生产力大幅提升，裁员人数创历史新高。秘书、档案管理员、簿记员、电话接线员、银行柜员都属于传统白领职业，这些职业随着智能技术的引进，事实上已经不存在了。

零售行业正在经历同样的转变。自动结账机已经取代了收银员，自动运输部门也省去了人力操作的麻烦。同样，旅游产业也逐渐采用语音识别技术，与客户进行实时沟通，自动预订旅游及酒店住宿。甚至医院也正转向智能技术，利用机器人执行简单手术、医疗诊断、清洁和维护等一系列常规任务。智能技术正替代人类完成大量的工作，不管是操控轻轨系统、自动武器系统还是在证券交易所买卖股票。

新一代机器人即将面世，它像人类一样可以移动，拥有情感和认知能力，更加敏捷、机智，能够感知方向，思考并回应人类提出的问题。

迄今为止，制造业、金融业和批发零售业是最近生产力提高的主要行业。但是随着智能技术变得更加灵敏，可再生资源变得更加廉价，美国其他经济部门的生产力可能也会提高，这些部门的生产力在过去30年里都没有改进。

现在的问题是，如果由于智能技术、机器人和自动设备的应用，生产力提高了，越来越多的工人被迫边缘就业或者失业，那么不断下降的购买力就可能会阻碍经济的进一步增长。换句话说，如果越来越多的工人被智能技术所代替，他们没有了收入，那谁来购买这些产品和服务呢？

智能技术才刚刚开始影响世界经济。今后几十年，各行各业数以千万计的工人可能会被智能机器所代替。雷·库兹韦尔在麻省理工学院评论说："人类创造的技术正加速发生变化，它的能量正以指数级扩张。"库兹韦尔推测，以目前技术指数级变化的速度，到21世纪末，"我们会看到提前两万年的进步，或者是20世纪成就的1 000倍"。也就是说，由于我们每10年发展速度提高两倍，"以现在的水平，只用25天就可能经历一个世纪之久的进步"。库兹韦尔和其他科学家让我们想象，在本世纪末，智能技术将会"比独立的人类智慧强大数万亿倍"。

人类工作——专业、技术和职业工作——都岌岌可危。正如工业时代淘汰了奴隶劳动，合作时代可能也会终结大量的雇佣劳动。实际上，与我共事的全球企业都预见到，智能技术将在以后几十年中大规模代替人类劳动。19世纪和20世纪是大批劳工操作机器的时代，而21世纪是高科技专业化人才设计监控智能技术系统的时代。随着本世纪的深入，这一切都要求我们思考如何解决数亿人口的就业问题。

第三次工业革命可能是史上最后一次传统大规模雇佣劳动存在的时期。因为第三次工业革命没有发生阻碍技术发展几十年甚至上百年的灾难性事件。尽管第三次工业革命发出了终结工业时代和大量劳动力的信号，建立基础设施向分散式合作时代过渡，但在今后40年的历史进程里，关键性基础设施的建设还需要最后一次大量增加劳动力。

变革全球能源体系，使用可再生能源发电；改造数以亿计的房屋，使其成为小型发电厂；全球基础设施应用氢和其他的存储技术；全球电网、电线采用数字技术和智能网络；变革交通方式，大力发展电动汽车和氢燃料电池汽车。要实现上述目标，需要一批精良的高科技策划团队和大量的高级技工共同合作。但有讽刺意味的是，那些在21世纪上半叶投身于新经济体制智能化建设的传统工业劳动力，将在下半叶失去他们的工作，原因就在于新经济体制已经实现了智能化。

全球致力于建立第三次工业革命五大支柱基础设施，会创造上万个新兴行业和上亿个就业机会。按当前预计，到2040年或2050年，第三次工业革命的基础设施将在世界绝大多数地区基本建成。届时，工业劳动力数量将达到峰值并趋于稳定。新的第三次工业革命基础设施所产生的协同作用将使全球经济进入历史转折点，世界许多地区将从第三次工业革命过渡到合作时代。就像我们的祖先从游猎状态转向集中的灌溉农业状态，从农业时代转向工业文明时代一样，我们的生活方式将发生根本性变化。

我记得，历史上人们从农业模式到工业模式，从农村到城市的转变，用了不到 100 年的时间。据库兹韦尔等人预测，这次从工业时代到合作时代的转变可能用不了之前一半的时间就会完成。

就像我们的祖父辈们从农业和农村的生活方式转向工业和城市的生活方式，我们也将要作好准备，摆脱工业化的生存状态，迎接协作化的未来生活。

第三次工业革命带来的机会：活着是为了游乐

我们对工作看法的转变将更加具有挑战性。在农业机械和化学品代替人类劳动发挥作用时，上百万农村劳动力转移到城市，在工厂里从事技术性或非技术性的工作。接着，在工厂实行自动化生产后，上百万蓝领工人换上衬衫，提高技能，成为白领队伍的一部分，供职于快速发展的服务行业。同样，在智能技术应用于服务行业，大规模取代人类劳动时，劳动大军又转移到关爱产业和体验领域，比如医疗保健业、社会工作、娱乐业以及旅游业。

然而如今，农业、工业、服务业、关爱和体验业这四大部门都以精良的高科技人才和尖端的智能技术取代大量的雇佣劳动力。问题是，随着世界跨越第三次工业革命的基础设施建设阶段，进入完全分散式的合作时代，工业时代遗留下来的上百万雇佣劳动力将何去何从。封建社会时期，百万农奴脱离契约，被迫成为市场经济中的自由务工者和雇佣劳动者，从而引发了一场大动荡，从某种意义上说，此刻反思工作更像是这样一场大动荡。

现在我们更加需要重新审视工作的含义，而不仅仅是重新培训劳动技能。人们的就业领域可分为四类：市场、政府、非正规经济和公民社会。然而，由于智能技术的应用，市场就业机会将持续减少。各国政府也在精简人员，在税收征管、兵役等诸多方面也引进了智能技术。非正规经济包括家庭生产、易货贸易甚至极端的黑市交易和经济犯罪行为也可能渐渐消失，因为传统经济体正在向高科技社会转变。

那么就只剩下公民社会这一种就业方式。公民社会经常被称为第三部门，这表明它没有市场或政府那么重要。该部门内部组织也常常被带有贬义的词汇来形容。"非营利"、"非政府组织"都是它们的标签，但实际情况并非如此。

人们在公民社会创造社会资本。公民社会由各种社会利益组成——宗教和文化组织、教育、研究、医疗保健、社会服务、体育运动、环境团体、休闲娱乐活动和许多致力于创造社会纽带的倡议组织。

尽管公民社会经常被置于社会生活的底层，并且较之市场和政府也不受重视，但公民社会却是文明的发祥地。历史上，我从没见过哪个民族是先建立市场和政府，再创造文明的。相反，往往是先有文明然后才衍生出市场和政府。这是因为我们在文明中创造了社会叙事，社会叙事又把我们结合起来组成一个民族，人们之间惺惺相惜建立了大家庭。由于拥有共同的传统，我们逐渐把自己看做一个共同体并积累信任。信任恰恰是市场和政府赖以建立和维系的基础。我们在公民社会创造的社会资本就是这种信任。假若市场或政府摧毁了赋予它们的社会信任，最终会失去人民的支持，或者被迫重组整顿。

公民社会还是一支新兴的经济力量。约翰霍普金斯大学公民社会研究中心调查了42个国家，完成了一份2010年经济分析报告。报告显示，第三部门在营运开支方面花费2.2万亿美元。美国、加拿大、法国、日本、澳大利亚、捷克共和国、比利时、新西兰这八个国家的数据表明，第三部门平均占国内生产总值的5%。这就意味着，非营利部门对这些国家国内生产总值的贡献率目前超过了公共事业（包括电、气和水），而且令人难以置信的是与建筑业（5.1%）基本持平，并接近银行、保险公司和金融服务机构（5.6%）。运输、仓储和通信业平均占国内生产总值的7%，可以看出非营利部门的国内生产总值贡献率也在逼近这个数字。

也许不可思议，但在许多国家，"第三部门"也提供了大量的就业机会。尽管许多人在公民社会组织无偿贡献他们的才智、资源、技能和时间，但还有大量工作者是有偿雇用的。

非营利机构雇用了大约5 600万全职员工，相当于这42个被调查国家中所有从事经济活动人口的5.6%。非营利机构的员工数量也超越了每一个传统市场部门的员工数量，包括建筑、运输、公共事业、通信以及大部分工业制造业。现在欧洲甚至超越美国成为非营利部门发展最快的地区。荷兰15.9%的有偿雇用来自非营利部门，比利时有13.1%的人从事非营利工作，这个数字在英国是11%，爱尔兰10.9%，法国9%，相比之下，在美国是9.2%，加拿大是12.3%。

更有趣的是，在许多国家，第三部门是发展最快的就业部门。以法国、德国、荷兰和英国为例，非营利部门占就业增长总量的40%，也就是说，在1990~2000年之间，非营利部门创造了380万个就业机会。

人们普遍认为，第三部门完全依赖私人或公司的慈善捐款以及政府拨款生存，因此无法独立运行，更不用说创造就业了。然而，这是一个误解。事实上，在这 42 个被调查的国家中，第三部门提供服务和产品所收取的费用占总收入的近 50%，政府援助占 36%，私人慈善捐款仅占 14%。

在全世界最杰出、最优秀的年轻人当中，有许多人拒绝从事传统的市场和政府工作，反而青睐在非营利的第三部门工作。这是因为他们这一代是伴随互联网成长的，所接触的社会空间具有分散式、协作式的特点，而这恰恰与第三部门的特点相似，所以第三部门对他们更具吸引力。正如开源共享是虚拟空间的命脉，第三部门也是一个共享体，在那里人们相互分享智慧，为了社会联系的纯粹乐趣而居住在一起。公民社会好像互联网一样，它的核心设想就是把个人融入更大的网络团体，不仅会提升团体的整体价值，而且也会提升每一个成员自身的价值。

市场环境下的人际关系主要是一种相互利用的关系，是实现自身物质利益最大化的手段，而在第三部门人际交往的目的就是其本身，因此体现了人的内在价值，而不仅仅是实用价值。

由于创造社会资本依赖于人类互动，而创造市场资本越来越依赖于智能技术，所以到本世纪中叶，公民社会可能会发展为和市场部门一样重要的就业来源。同时，公民社会日益增长的就业会促进消费者收入的增加，有利于在这样一个更加智能化、自动化的全球经济中购买产品和服务。

正如 19~20 世纪工业革命把人们从农奴制度、奴隶身份和契约劳动中解脱出来，第三次工业革命和合作时代也会使人类摆脱机械劳动的桎梏，从事深层游戏——这就是所谓的社交活动。我这里谈论的不是娱乐消遣而是人类之间的同理心投入，所以我使用"深层游戏"一词。人类在共同探索普遍性的过程中，通过开展深层游戏，感受对方，超越自我，与更加广泛甚至所有的生命团体建立联系。即使在最简单的层面上，在最重要的生命旅程中，我们从事第三部门工作就是寻找我们存在的意义。

弗里德里希·席勒于 1795 年市场时代开始之初写就了著作《审美教育书简》（*On the Aesthetic Education of Man*）。他指出："只有当人充分是人的时候，他才游乐；只有当人游乐的时候，他才完全是人。"

在 19 世纪和 20 世纪，人们都很勤劳，成为一名劳动能手就是毕生的目标。人类世世代代都变成了机器，永无止境地追求物质财富：活着是为了工作。第三次工业革命和合作时代为人类提供了一个机会，摆脱束缚在功利世界里机械地生活，享受自由带来的愉悦：活着是为了游乐。法国哲学家让-保罗·萨特注意到了自由和游乐之间的密切关系。他写道："只有人们意识到自己是自由的并且想要使用他的自由……他才会游乐。"对此我补充说，还有比游乐更让人觉得自由的事情吗？

今后 40 年我们赢得了一些宝贵的时间。千禧一代和他们的孩子都需要接受教育，在既有工业经济又有协作经济的市场环境下工作和生活。然而随着智能技术在商业领域代替许多——不是所有——的人类劳动，他们的孩子也会越来越多地供职于公民社会，创造社会资本。

为了生存，人类疲于奔命，辛苦劳作，哲学家们一直梦想将人类从这种状态中释放出来，让精神在广阔的社会未知领域里自由翱翔，继续古老的精神探索，思考生存的意义以及我们在宇宙中的位置。这种精神自由是上天赐予每一个人最宝贵的礼物。长久以来，我们不得不浪费大量有限的生命去获得基本的生存保障，没有时间进行精神领域的深层游戏，也不去反思人生。

我们将来要投入更多的时间和精力，推动公民社会的建设，创造社会资本，这种设想自然很吸引人，而且正迅速地在世界各地的发达国家发展起来。然而，我们不能逃避这样一个事实：全球40%的人口日均收入仍不足2美元，他们食不果腹，生存难以维系。随着人类步入第二次工业革命的尾声，这一悲惨的现实愈加恶化，因为从基本食品价格到建筑材料再到汽油的价格都在大幅波动，这引起了人们的恐慌，而且气候变化对全球农业的实时影响更加令人担忧。

世界上最贫穷的国家错过了第一次和第二次工业革命发展的机遇，然而第三次工业革命至少为这些国家提供了一种机遇：在今后半个世纪里，它们可以直接跨越到一个新时代。当然，面临的挑战也是巨大的，没有人怀疑这一点，包括我在内。假设全球40%人口的物质生活水平达到足以摆脱在市场和非正规经济里进行繁重机械劳作的枷锁，那么他们就可以随心所欲地追求社会资本，开展深层游戏。这项任务很艰巨，而为缓解工业带来的气候变化重组经济生活使得这项任务变得更加棘手。但现在的发展水平足以让我们至少去想象这样一种可能性，并谨慎地表示乐观，这在历史上还是首次。

纵观历史，各个文明都经历过生死攸关的紧要关头，要么被迫彻底改变发展方向，迎接崭新的未来，要么面临衰亡的下场。一些文明能够及时转变自己，另外一些则不能。但在过去，文明毁灭的后果仅仅局限在空间和时间方面，没有波及整个物种。但今时不同往日，气候变化越来越可能导致地球温度和化学反应发生质的变化，引起动植物物种大规模灭绝，甚至人类也可能面临灭顶之灾。

我们的关键任务就是要利用公共资本、市场资本，特别是社会资本来完成将世界过渡到第三次工业革命经济时代和后碳时代的使命。这种大规模的转变要求我们提高生物圈保护意识。世界是一个大家庭，不仅仅包括人类，也包括地球上所有其他进化的物种，只有当我们意识到这一点，才能够拯救我们共同的生物群落，为后代恢复地球的正常状态。

　　我要感谢我们的全球业务负责人尼古拉斯·伊斯利，感谢他在主管第三次工业革命总体规划过程中的卓越工作和对本书所作的具有重要价值的评论。我也要感谢我们的项目负责人安德鲁·林诺维斯，感谢他对日常工作的严格管理和对本书所作的许多有重要价值的评论。我还要感谢实习生弗洛尔·德·斯卢弗、阿尔玛·贝拉斯克斯、瓦尔伯纳·蒂卡、劳伦·布什、巴特·普罗沃斯特和蒂弗亚·苏萨拉，感谢他们在我准备写作这本书时所提供的帮助。

　　我也要感谢编辑埃米莉·卡尔顿，感谢她对这个项目倾注的热情、付出的努力，以及为完成本书而提出的许多建议。同时，我也要感谢代理人拉里·基施鲍姆，感谢他为我写作本书初稿提出的建议和将本书定位为面向全球市场。

　　我还要感谢安格鲁·孔索利，在过去的 9 年里，他一直管理着欧洲的业务。在欧洲实现第三次工业革命的过程中，孔索利先生的政治敏锐和不倦奉献一直发挥着重要作用。

　　最后，我要感谢我的妻子卡萝尔·格鲁内瓦尔德，感谢她 22 年来提出的良好建议。为人类及与我们休戚与共的生灵创造一个可持续的世界的共同梦想，一直鼓舞着我们人生的旅程。